LOS CAMINOS DE
LA CENTROIZQUIERDA

Marcos Novaro
Vicente Palermo

LOS CAMINOS DE
LA CENTROIZQUIERDA

Dilemas y desafíos del Frepaso
y de la Alianza

Editorial Losada
Buenos Aires

1ª edición: agosto de 1998

© Editorial Losada S. A.
Moreno 3362,
Buenos Aires, 1998

Tapa: Pablo Barragán

ISBN: 950-03-7185-5
Queda hecho el depósito que marca la ley 11.723
Marca y características gráficas registradas en la
Oficina de Patentes y Marcas de la Nación
Impreso en Argentina
Printed in Argentina

Para Bartolomé y Julia

Para mis hijos

"las criaturas irracionales no distinguen entre injuria y perjuicio; y por lo tanto, mientras se hallan cómodas no están enojadas con sus semejantes; mientras que el hombre es más perturbador cuanto más cómodo está: porque entonces desea mostrar su sabiduría y fiscalizar los actos de quienes gobiernan la república."

Thomas Hobbes, *Leviatán,* cap. XVII

Presentación

Este libro pretende ofrecer una visión crítica y a la vez profundamente optimista de los cambios políticos que han estado asociados con la emergencia y desarrollo del Frente País Solidario (FREPASO) como nueva fuerza política, así como de las estrategias que sus líderes han desplegado hasta hoy.

Los argentinos asistimos a un periplo de ascenso meteórico de una corriente que posee pocos antecedentes en nuestra historia. Esta fuerza en ascenso ha logrado resultados que superan las previsiones más favorables, alimentándose de tendencias profundamente democráticas, republicanas y progresistas presentes en nuestra sociedad, y a su vez realimentándolas. Su éxito nos sugiere considerarla como el resultado de una serie de innovaciones que tuvieron amplia repercusión en la política argentina y, al mismo tiempo, estimar las dificultades y la urgencia de su consolidación para que esas innovaciones se profundicen y cristalicen en una forma institucional perdurable.

Al calor del intento de desplegar un análisis crítico y al mismo tiempo optimista de la experiencia del FREPASO y de la Alianza, hemos hecho un esfuerzo por ser *objetivos* —usamos el término con la esperanza de que el lector incurra con nosotros en la pequeña complicidad de tolerarlo.

El lector podrá comprobar que entraremos aquí en abierta discusión con muchas interpretaciones que dentro de esta fuerza política son moneda corriente acerca de sí misma (y de las condiciones de su surgimiento y sus perspectivas). No se trata, queremos creer, de un debate entre dirigentes, militantes e intelectuales en el ambiente enrarecido por códigos internos y poco propicio para el lector no familiarizado con la dinámica político-partidaria. Hemos intentado abordar cada faceta del problema en sus vínculos con el medio político y social más amplio en que se desenvuelve el FREPASO, analizándola a la luz de controversias nada ajenas al ciudadano activo o al lector habitualmente interesado en la política de su tiempo.

Para dar cuenta de los desarrollos que experimentó en nuestro país la coalición de centroizquierda desde su reciente origen hasta las elecciones de 1997, así como de sus potencialidades y desafíos para el futuro, el trabajo está compuesto, tras una breve introducción general, por cinco secciones.

En la primera se analiza la evolución del sistema argentino de partidos en los años recientes y el lugar que en él ocupa la centroizquierda. Las preguntas que nos planteamos son, en primer lugar, de qué modo las transformaciones en los partidos tradicionales, en particular las registradas en el peronismo, influyeron en la emergencia y desarrollo de esta nueva fuerza política y, segundo, cómo se plantea la competencia interpartidaria y la dinámica del sistema de partidos en estos años. Discutimos aquí la interpretación corriente y extensamente difundida según la cual el éxito de centroizquierda se explicaría por la crisis de la política y la representación y el agotamiento que estarían experimentando los partidos tradicionales. E intentamos mostrar que su evolución puede entenderse en relación con la consolidación del sistema de partidos.

En la segunda sección se reconstruye la historia del FREPASO y de los partidos y corrientes que lo integran. Un interrogante que encontramos planteado en forma recurrente respecto de esta fuerza alude a la consistencia de sus principios de identificación, a su perdurabilidad en el tiempo y a su solidez institucional. Muchos analistas se preguntan si verdaderamente puede hablarse de una nueva fuerza política, o más bien se trata de un fenómeno electoral circunstancial (un *flash party*), de naturaleza massmediática más que política, por estar basado en la imagen de unos poços líderes personalistas. Ello se vincula con la evidente heterogeneidad y debilidad de las tradiciones en las que estos líderes abrevan, la aún escasa inserción institucional y el desigual desarrollo organizativo de este sector. Se analizan estos problemas y las debilidades y potencialidades que estos rasgos suponen para el FREPASO, así como su relación con los vínculos que él establece con una corriente de opinión que posee una consistencia significativa y una presencia importante en el electorado. También se exponen las tensiones presentes en esta fuerza entre una corriente tradicional, originariamente predominante, de corte populista y alternativista, y una corriente pragmática y moderada que tiende a imponerse a partir de 1994.

En la siguiente sección se reconstruye el proceso de conformación de la Alianza por el Trabajo, la Justicia y la Educación, integrada por el FREPASO y la UCR, los motivos por los cuales por primera vez en diez años el Justicialismo pierde la mayoría en las elecciones legislativas de octubre de 1997, la significación de este hecho para la competencia interpartidaria y para el futuro de la centroizquierda, y los problemas y alternativas que encontrará la convergencia opositora, y dentro de ella el FREPASO, para llegar al gobierno en 1999.

En la cuarta parte se analizan más detenidamente los desafíos y dilemas que encara el frente de centroizquierda en la competencia electoral y para llevar adelante o participar en una hipotética gestión de gobierno. Su posición respecto de las reformas estructurales implementadas durante la gestión de Carlos Menem constituye la piedra de toque de nuestro análisis. A partir de ella, se evalúa el desarrollo reciente de la Alianza que integra con la UCR. En esta sección se plantea una aproximación comparativa con experiencias similares en países de la región, Brasil y México.

Por último, en las conclusiones se sugieren ciertas claves para pensar la identidad del FREPASO como fuerza de centroizquierda así como posibles desarrollos futuros de ésta en relación con la evolución de la vida política argentina.

Queremos agradecer los comentarios de Ana María Mustapic, Isidoro Cheresky y Edgardo Mocca a versiones anteriores de este trabajo. Asimismo, la gentileza de Isidoro Cheresky al dejarnos consultar las entrevistas por él realizadas a dirigentes del FREPASO. Gerardo Adrogué nos proveyó de buena parte de la información electoral y Market and Opinion Research International (MORI) nos facilitó interesantes datos y análisis de sus encuestas de opinión. También debemos mencionar la ayuda del Centro de Documentación de la Fundación Carlos Auyero para el acceso a documentos y publicaciones partidarias, así como a importante material periodístico. Por último, quisiéramos agradecer muy especialmente el esfuerzo de Jorge Tula que corrigió la versión final del texto y nos sugirió numerosos cambios que hicieron algo más comprensibles nuestros argumentos.

Buenos aires, febrero de 1998

Introducción

Progresismo y recuperación de la política en los años 90

La rutilante carrera ascendente de la centroizquierda en Argentina durante el último lustro es el resultado de una coyuntura particularmente favorable y de liderazgos especialmente capacitados para aprovecharla.

Con respecto a lo primero, lo que llama más la atención en el caso argentino en comparación con otros países de la región, es que hasta la crisis de fines de los años 80 que alentó el desarrollo de la centroizquierda, no existía una fuerza convocante de esta orientación. Ello explica la debilidad y ambigüedad de las tradiciones y recursos políticos, culturales e institucionales a los que la centroizquierda pudo recurrir. Por ese motivo es que llamamos la atención sobre la particular coyuntura política en que tuvo lugar la emergencia de la nueva corriente política. Esa coyuntura resultó especialmente favorable para su desarrollo, y por lo tanto habrá que analizarla con sumo detalle.

Nos referimos en este sentido tanto a la crisis que enfrentaron los partidos tradicionales desde fines de los años 80, como al relativo éxito de las instituciones democráticas para superarla, al proceso de reformas estructurales de la economía y el estado y a las transformaciones que experimentaron aquellos mismos partidos para adaptarse progresivamente a la nueva situación. La convergencia de estos dos factores, que a primera vista podrían considerarse contradictorios, es lo que permitió a la centroizquierda superar su debilidad de origen: la crisis le permitió gozar de un espacio disponible para instalarse electoralmente y crecer, mientras que la sobrevivencia de las instituciones y el relativo éxito de las transformaciones en curso le dieron el marco de inserción institucional y de competencia interpartidaria adecuados para perfeccionarse, y la estimularon a desarrollar una estrategia, una identidad y un programa político actualizados, consistentes y altamente competitivos.

Sin exagerar, puede decirse que el FREPASO es hijo no sólo de los déficit y fracasos que han acompañado a las dos gestiones de gobierno democrático completadas entre los años 80 y los 90 en Argentina, las de Raúl Alfonsín y Carlos Menem, sino también, y muy especialmente, de sus logros. Porque gracias a que fue capaz de dar cuenta de los déficit y las deudas, pero sobre todo porque ha podido entender y apropiarse de los logros, este agrupamiento se ha convertido en la fuerza política más dinámica y la que más posibilidades de desarrollo en el futuro inmediato posee.

Dilucidar su relación con el peronismo será en este sentido central. Una fuerza de centroizquierda autónoma, dinámica y desprendida tanto de las limitaciones en que quedaba atrapada la izquierda tradicional (por su fervor antiperonista o su seguidismo populista), como de las aún peores a que era sometido sistemáticamente todo "progresismo" peronista, era inimaginable antes de que se desplegaran en toda su complejidad las consecuencias de la experiencia de gobierno de Menem. Los motivos de ello son múltiples. Intentaremos explorar algunos en este trabajo, principalmente los que tienen que ver con la institucionalización partidaria y la reconversión del populismo peronista, así como el no menos relevante proceso de "reeducación" de un estrato importante de cuadros políticos (la formación del germen de una cultura de gobierno en ellos, la incorporación de pautas de pragmatismo y la apertura al mundo constituyen algunos de los aspectos más interesantes en este sentido) y, por qué no, de la opinión pública. También atenderemos a la reorientación de la agenda política que tiene lugar a partir de la concreción, relativamente exitosa, del programa de reformas y estabilización.

También es significativa la deuda contraída por la centroizquierda con el primer gobierno democrático. Porque aquélla encarna, en buena medida, la recuperación de un proyecto de democratización profunda de la vida política y la sociedad que quedó trunco a fines de los años 80, pero que no se extravió, ni perdió su vigencia. Y también porque representa una corriente de opinión pública que había sostenido la vuelta de página histórica que se produjo en nuestro país en 1983. Una corriente de opinión que resurge con fuerza en los años 90, con una agenda de preocupaciones renovada.

Digamos, de todos modos, que sería un grave error pretender identificar en la evolución de los partidos tradicionales, y en los resultados de su acción política y de gobierno, la razón de ser o la causa eficiente de la emergencia y desarrollo de la centroizquierda. Y agotar con ello la explicación del fenómeno. Él es fruto de una coyuntura, pero también de un arte político, de la imaginación y la estrategia puesta en práctica por líderes que resultaron especialmente capacitados para sacar provecho de la situación.[1]

Los lazos entre los líderes del FREPASO y una corriente de opinión pública de orientación progresista y republicana, y su importancia para la definición del original perfil de la centroizquierda argentina, serán analizados a lo largo del libro. Nos interesa aquí, no obstante, plantear algunas reflexiones generales sobre la naturaleza de la relación entre la política partidaria y los movimientos de opinión de la sociedad y la conducta y actitudes de los ciudadanos, que tienen lugar, estos últimos, en la esfera pública aunque no en el seno de las instituciones políticas. Porque creemos que en ese marco puede comprenderse mejor la índole de los liderazgos de centroizquierda.

Ocurre que el difundido lugar común según el cual la gente se ha desinteresado de la política, se ha desentendido apáticamente de ella, reconcentrándose en lo privado (como una reacción, en parte, al hecho de que la política se ha mostrado indiferente a sus necesidades e intereses, o bien ha sido impotente para dar una respuesta satisfactoria a estas), es una creencia robusta en las propias filas del FREPASO, así como entre muchos ciudadanos que simpatizan con el frente o votan por él. Lo cual resulta curioso y paradójico, para una fuerza política cuya propia existencia tiende a demostrar lo contrario. En efecto, el FREPASO no sería entendible sin el vigor de una corriente de opinión y un activismo cívico que, de mil formas, acompañó conflictivamente a la política de los partidos, ejerció el juicio crítico hacia ellos y presentó batalla en todos los ámbitos institucionales posibles.

Lo cierto es que las nociones de impotencia, desafección y apatía política están lejos de ser caprichosas interpretaciones si se toman en cuenta muchos datos emanados de la propia sociedad (como el desprestigio de los partidos y los políticos, la escasísima confianza en algunas instituciones, el espacio ganado por formas *quasi* anómicas de protesta —como el tumulto urbano—, en desmedro de otras más sistémicas, etc.). Por otro lado, no puede obviarse el despliegue casi aplastante, por momentos apabullante, que experimentó la política argentina a lo largo de la década que está terminando, de la mano de un liderazgo nacional-populista que libró al país de la hiperinflación, transformó de arriba abajo la economía y el estado, se permitió rehacer la Constitución según sus necesidades y fue reelegido presidente con más votos que los que obtuviera, en pleno diluvio, seis años antes.

Acompañando aquellas interpretaciones, muchos intelectuales, tanto aquí como en otros países de la región, asolada por presidentes enérgicos, buscaron inspiraciones magistrales para explicar la curiosa coexistencia de desafección y confianza en liderazgos fuertes. Y ciertamente no les fue difícil encontrarlas, ya que la consideración de la relación siempre cambiante entre los ciudadanos y el poder político es una cuestión fundamental para el pensamiento político moderno y contemporáneo.

Así, algunos redescubrieron a Schumpeter, quien se había preocupado por cerrar la brecha entre lo que veía era el comportamiento efectivo del ciudadano típico de las pocas democracias existentes, y lo que esperaba de él la teoría democrática clásica. Para Schumpeter (1984), como es sabido, los individuos son casi siempre malos jueces de sus propios intereses de largo plazo: "dedican menos esfuerzos disciplinados en un problema político que en un juego de bridge". Con su baja racionalidad y responsabilidad políticas hacen necesario aquello que la retórica democrática sistemáticamente ignora: el papel de los liderazgos para direccionar sus intereses y establecer una influencia racionalizadora sobre ellos. En efecto, los líderes son para este pensador "capaces de fascinar y hasta de crear la voluntad del pueblo", y "por eso la voluntad del pueblo es producto y no motor del proceso político". Por ese motivo Schumpeter veía la democracia del siglo XX como un régimen que no se ajustaba a la teoría clásica donde el pueblo tenía una opinión definida, racional, y elegía representantes para aplicarla. Se invertían los papeles. Ahora "la decisión sobre los temas, tomada por el electorado, es considerada secundaria en relación con la decisión de las personas que deben tomar las decisiones".

La atención se dirigió también hacia Weber, en quien se creyó encontrar algunas claves para pensar la especificidad de los nuevos regímenes democráticos latinoamericanos. Para Weber (1982), el político de vocación, el único que puede limitar los poderes rutinarios de la maquinaria burocrática, toma las decisiones bajo su entera responsabilidad (en lo que hace tanto a los resultados como a la coherencia con los principios de su doctrina), y de ese modo orienta a la comunidad política. El papel de las masas es refrendar, o no, ese liderazgo, pero no lo hacen basados en el juicio de sus orientaciones, sino en el reconocimiento del carisma.

Muchos analistas contemporáneos no se conforman con la luz fría y desencantada que proporcionan estos teóricos "elitistas" de la democracia, y se remontaron hasta pensadores que habían expresado sutilmente su crítica ante el vigor de los ejercicios plebiscitarios. El puerto donde recalaron fue Alexis de Tocqueville (1969). Tocqueville, a la hora de imaginar qué nuevos riesgos acarreaba el despotismo en un mundo dominado por la inexorable igualdad de condiciones, veía "una multitud innumerable de hombres semejantes e iguales, que dan vueltas sin descanso sobre sí mismos, para procurarse pequeños y vulgares placeres. Cada uno de ellos [...] en lo que se refiere a sus conciudadanos, está a su lado, pero no los ve [...] Por encima de ellos se alza un poder inmenso y tutelar, que se encarga de asegurar su bienestar y velar por su suerte [...] Se parecería al poder paterno si tuviese como objeto preparar a los hombres para la edad viril; pero no persigue, al contrario, más que mantenerlos irrevocablemente en la infancia [...]". Tocqueville destaca que este poder despótico no sería en modo alguno ajeno a la soberanía del pueblo: "Nuestros contemporáneos [...] imaginan un poder único, todopoderoso, pero elegido por los ciudadanos. Combinan la centralización y la soberanía del pueblo [...] Se consuelan por estar bajo tutela, pensando que ellos mismos han elegido a sus tutores. Cada ciudadano aguanta que le aten, porque ve que no es un hombre ni una clase, sino el mismo pueblo, el que sostiene la punta de la cadena. En este sistema, los ciudadanos salen un instante de la dependencia para indicar a su amo, y vuelven a ella [...]". La debilidad del ejercicio activo de la ciudadanía se colocaba, por lo tanto, en el centro de la reflexión sobre las democracias en formación.

La atracción que ejercen estos autores, a quienes se podían atribuir con igual derecho las palabras de Tocqueville —decía—, "porque no soy un enemigo de la democracia, he querido ser sincero con ella", no es casual. Lo común a todos ellos es la aguda percepción de una escisión radical entre la ciudadanía y la decisión política en las sociedades modernas. Para Tocqueville, consecuencia de la creciente igualdad; para Weber, de la *separación;* y para Schumpeter, de la irracionalidad del individuo común en política. En todos, el poder democrático aparece, en verdad, como un poder tutelar sobre la sociedad, y el régimen democrático como un instrumento ordenador de la competencia por el liderazgo político, esto es, por el ejercicio de ese poder tutelar, cosa que está muy lejos de las teorías clásicas de la representación. En estas claves, en las que el liderazgo se opone muy fuertemente a la idea de representación, no era difícil buscar auxilio para intentar entender qué acontecía con una sociedad a la que la crisis "igualaba" en el miedo y el aturdimiento paralizantes, y en la que la contrapartida de un consenso apático parecía ser la emergencia de un poder que, sostenido en mayorías pasivas y en tecnocracias especializadas, introducía un rasgo inocultable de despotismo con la posibilidad de reelección indefinida (tenuemente limitada por el intervalo de un período) plasmada en la Constitución de 1994.

Como quiera que sea, esas interpretaciones acuñadas con el respaldo de pensadores como los nombrados, acababan encajando bastante bien con las creencias dominantes sobre la apatía y la desafección políticas. Con lo que se creía arribar a un correcto entendimiento −refrendado por la teoría así como por las encuestas de opinión− de las tendencias y problemas fundamentales de la política contemporánea.

Sin embargo, la emergencia de una fuerza de centroizquierda con gran capacidad de innovación contradice de raíz esta visión de las cosas. No es este el lugar para discutir la consistencia de esas interpretaciones sobre el proceso político argentino de la última década (nos referiremos a ellas en el capítulo 1); sí lo es, en cambio, para verificar que, como fenómenos específicamente políticos, tanto la nueva centroizquierda como sus liderazgos se vinculan con la sociedad en registros notoriamente diferentes a los que corresponderían a las imágenes de apatía, desafección y jefaturas políticas que, con las palabras de Tocqueville, no llegan a ser tiránicas pero pueden caracterizarse como tutoriales.

En los propios pensadores clásicos recién aludidos pueden encontrarse algunas pistas para entender los rasgos distintivos de la innovación política que supone el FREPASO o, en otras palabras, la productividad política de un cierto tipo de liderazgo y de una ciudadanía activa.

Tocqueville, aun cuando dominado por una suerte de calmo pesimismo, no era un pensador sin esperanzas. Ante "la influencia general que debe ejercer la igualdad sobre la suerte de los hombres [ve] grandes peligros que es posible conjurar, grandes males que se pueden evitar" y se afirma en "la creencia de que, para ser honradas y prósperas, todavía les basta a las naciones democráticas con querer serlo". "Las naciones de nuestros días no podrán hacer que, en su seno, las condiciones no sean iguales; pero de ellas depende el que la igualdad les conduzca a la servidumbre o a la libertad." Su esperanza estriba en lo que llama "el arte de asociarse": "si cada ciudadano, a medida que se hace individualmente más débil, y consecuentemente más incapaz de preservar aisladamente su libertad, no aprendiese el arte de unirse a sus semejantes para defenderla, la tiranía crecería, necesariamente, con la igualdad". "Para que los hombres sigan siendo civilizados [...] es preciso que se desarrolle entre ellos el arte de asociarse, y que se perfeccione, en la misma relación en que crece la igualdad de condiciones."

La importancia de la voluntad política para poner en movimiento el arte de asociarse tocquevilliano, es enfatizada por Weber, quien cierra su ensayo sobre la política como vocación con la conocida afirmación de que "la política consiste en una dura y prolongada penetración a través de tenaces resistencias, para la que se requiere, al mismo tiempo, pasión y mesura [...] Es completamente cierto, y lo prueba la historia, que en este mundo no se consigue nunca lo posible si no se intenta lo imposible una y otra vez". Por fin, Schumpeter, si bien en una perspectiva más estrecha, nos permite entrever la posibilidad de que los ciudadanos, juzgando a la luz de los resultados de las decisiones y acciones políticas de los gobernantes, pueden desplazarlos y (poniendo en movimiento su voluntad y su arte de asociarse) coloquen en su lugar a otros cuyo liderazgo implique una promesa política diferente. Lo que nos aproxima algo más a la noción clásica de representación democrática.

En resumidas cuentas, creemos que el impulso societal, de "politización desde abajo", que alimentó la emergencia y desarrollo de la centroizquierda en Argentina, supuso la presencia de una ciudadanía activa y crítica frente al poder. Y que ella precisó, a su vez, de la política propiamente dicha, del arte político de asociarse, para ir más allá de la crítica o la impugnación. Este arte político, que ha sido creativamente capaz de "apropiarse" de aquel impulso y transformarlo mediante la voluntad y la asociación, se presenta en la forma de *liderazgos más fuertemente representativos* que los considerados como "típicos" a lo largo de la década del 90 en nuestro país y en la región.

Estos últimos, en efecto, son liderazgos en los que la *constitución de lo representado* dominó enteramente sobre la posibilidad de que los propios ciudadanos definieran los contenidos de la representación. Se trató, si no de líderes carismáticos clásicos, de líderes con carisma que se atribuyeron, en virtud del mismo, la capacidad de definir los contenidos específicos de aquella representación. Recibieron, en verdad, más que mandatos con contenidos concretos, una delegación de capacidad decisoria a partir de una promesa verosímil de "salvación".

En contraposición, los liderazgos de la centroizquierda son más representivos por varias razones. Primeramente porque, al no emerger como tales sobre la base de una identidad política preexistente, debieron ir construyendo esa identidad —y la de sí mismos en tanto líderes— a partir de los vínculos de interacción y recíproca influencia que establecieron con la opinión pública y los electores. Para usar las palabras de Schumpeter, estos últimos habrían "salido de su usual indefinición, presentando aquella voluntad definida postulada por la doctrina clásica de la democracia". Segundo, porque no se trata, estrictamente, de liderazgos carismáticos; si bien hay en algunos de ellos una suerte de "autoridad política", ésta existe sobre la base no de capacidades supuestamente extraordinarias, sino de la fuerza de los vínculos construidos *pari passu* con las propias señas de identidad —progresistas, republicanas y modernizadoras— de la centroizquierda, y con las prácticas y discursos que expresaron esas señas. Por fin, porque, en contraposición a los liderazgos que se forman en contextos de crisis que generan fuertes demandas de orden, basados en "cheques en blanco" respecto a las políticas y cursos de acción adecuados para satisfacer esas demandas, los liderazgos de la centroizquierda de hoy son llamativamente programáticos.

Nota

1 Y que en ocasiones debió poner en juego no sólo talento sino también una dosis nada menor de *entrega* y *desprendimiento*. Es tan corriente que los analistas, haciéndose eco de la opinión más difundida, acusemos de "mezquindad" a los políticos, que nos esforzaremos aquí por cruzar algunas lanzas a favor de la opinión contraria.

1. La adaptación partidaria al cambio de época

1.1. El sistema de partidos en la Argentina posinflacionaria

Las interpretaciones disponibles sobre la evolución del sistema político argentino en los últimos años se refieren mayoritariamente a un supuesto debilitamiento de los partidos políticos a partir de 1989, y a una crisis de representación política asociada con ello. Estos estudios destacan la personalización e informalización de la política, a partir de la emergencia de fuertes liderazgos que forman consensos y gobiernan tomando distancia de las estructuras partidarias (De Riz, 1993; Cheresky, 1995, entre otros). Lo que describen estos estudios para nuestro país está en correspondencia con diagnósticos muy extendidos sobre la evolución contemporánea de los sistemas políticos en América latina: informalización política y decadencia de los partidos, líderes emergentes y exitosos que carecen de partido y sólidos partidos tradicionales que languidecen o desaparecen (al respecto véanse O'Donnell, 1992; Ducatenzeiler y Oxhorn, 1994).

Esta crisis partidaria estaría directamente vinculada con el nuevo contexto, económico, estatal e internacional, en que los líderes latinoamericanos de los años noventa deben actuar y ejercer el gobierno. La crisis de las tradiciones populistas que cementan las identificaciones partidistas, consecuencia a su vez de la *débâcle* experimentada por las economías y los estados de la región en las décadas anteriores, crea la necesidad y al mismo tiempo permite que los líderes dejen de lado los programas partidarios con los que llegan al poder para instrumentar planes de ajuste y reformas promercado.[1] Los partidos pierden tanto sus capacidades de orientar la toma de decisiones gubernamentales, como de mediar entre ellas y la opinión pública. Ello es estimulado por la relevancia que adquieren nuevos actores y recursos en la vida política (los medios masivos de comunicación, las tecnocracias locales y de los organismos internacionales, los *lobbies* empresarios y los capitales financieros globalizados), marginalizando aún más a los partidos. En suma: un conjunto de factores habría determinado que los partidos recibieran de lleno el golpe de la llamada "crisis de representación" y de los cambios registrados en los contextos y menús de opciones de gobierno, perdiendo buena parte de sus atribuciones y funciones tradicionales. La conclusión que se extrae habitualmente de todo ello es que los regímenes políticos que tenderían a consolidarse no tendrían a los partidos entre sus protagonistas más relevantes.

Sin duda estas explicaciones aluden a fenómenos reales en curso. Pero dejan de lado un aspecto de los cambios que están teniendo lugar en la región, en algunos países con más fuerza que en otros, y que parece ser crucial para explicar el éxito o el fracaso de un liderazgo, de un programa de reformas o del proceso de consolidación de un régimen: nos referimos a la adaptación de los partidos de gobierno, y de los sistemas de partidos en general, a las nuevas condiciones de la competencia electoral, la formación de consensos y la creación de equipos y coaliciones de gobierno.

Mientras que en algunos países —como Perú, Ecuador y Venezuela— el diagnóstico de la "informalización política" parece ser el más adecuado, en otros —entre los cuales se encuentra claramente Argentina, junto a Uruguay, Bolivia (Mayorga, 1997), México y Brasil—, se advierte que los partidos, aún sujetos a fuertes tensiones entre la tradición y el cambio, están cumpliendo un rol activo en la redefinición de los vínculos entre la sociedad y el estado (Mainwaring y

Scully, 1995), y no existen motivos para creer que ese rol vaya a decaer a medida que los regímenes maduren, sino todo lo contrario. Los cambios que los partidos de estos últimos países experimentan, en sus estructuras organizativas, sus identidades y planteles dirigenciales, así como los nuevos roles que cumplen en relación con la sociedad y el estado, merecen por lo tanto un análisis más detenido.

Lo que es aún más relevante para nuestro trabajo es que precisamente en los países donde los partidos tradicionales y el sistema de partidos en general resistieron mejor los cambios y lograron adaptarse a los desafíos de la nueva época, fue donde las fuerzas de centroizquierda hallaron un terreno más fértil para desarrollarse. Contra lo que se ha afirmado en muchas ocasiones, y contra lo que podría parecer razonable esperar, las fuerzas de centroizquierda no parecen haberse beneficiado de la informalización y la crisis de los partidos tradicionales, por lo menos no en los casos en que esos procesos afectaron seriamente la competencia interpartidaria y la supervivencia de esas fuerzas políticas. Todo lo contrario: en países como Perú, Ecuador y Venezuela las fuerzas de centroizquierda y de izquierda, que durante los años ochenta habían alcanzado un desarrollo importante, sufrieron en la década siguiente la misma suerte que los demás partidos. Y no hay indicios de que ella vaya a cambiar en el corto plazo. Mientras que en países como Uruguay, Brasil, México y Argentina, donde los partidos tradicionales lograron adaptarse a los cambios, las fuerzas de centroizquierda —tanto las que existían previamente como las que surgieron en estos años— encontraron mayores posibilidades de crecimiento (también en Chile la estabilidad y no la crisis del sistema de partidos parece haber sido favorable a la centroizquierda).

En resumidas cuentas: es necesario revisar la hipótesis de que las crisis de representación y de la política alimentan, en forma mecánica, las opciones opositoras de orientación progresista, y que el desarrollo de éstas depende de la profundización de la crisis del sistema tradicional de partidos. Parece conveniente preguntarse si su florecimiento, en

Argentina y en otros países de la región, no obedece más bien al proceso de maduración y fortalecimiento de los sistemas de partidos y, más específicamente, a la apertura de la competencia interpartidaria en el curso de la "adaptación exitosa" del régimen y los partidos a los desafíos que supone el gobierno en la nueva situación que se abre para América latina en la última década del siglo.

Basados en esta hipótesis nos referiremos a continuación a la evolución de los partidos y el sistema de partidos argentinos, y en los capítulos siguientes retomaremos la comparación con otros casos latinoamericanos. Para el caso argentino se sostendrá la simultaneidad de dos procesos en curso, aparentemente divergentes, pero que en una inspección más detenida puede advertirse que se articulan en sus orígenes y complementan en sus resultados: el debilitamiento de las identidades tradicionales, por un lado, y la consolidación de reglas de juego y mecanismos institucionales inter e intrapartidarios, por otro. Veremos también que estos dos procesos cumplen un papel fundamental en la emergencia y consolidación de una nueva fuerza de centroizquierda.

El análisis de estos dos procesos nos conducirá a la identificación de tres rasgos de la nueva dinámica de representación que se instaló en la Argentina de esta década. En primer lugar, el monopolio partidario de la representación, ya que los partidos logran superar la crisis de fines de los años ochenta, y la amenaza de la informalización (la emergencia de líderes extrapartidarios, la competencia de los medios de comunicación y otras instancias de mediación, en suma, la "informalización política"), reteniendo y aun fortaleciendo sus funciones en la selección de las candidaturas, la formación de consensos y liderazgos, la negociación de políticas públicas y el control de la administración.

En segundo lugar, una doble competencia partidaria, en el interior del partido de gobierno (el Partido Justicialista), que como ha explicado Torre (1995) tiende a actuar como un sistema político en sí mismo, creando su propia oposición, y entre él y nuevas o tradicionales expresiones de oposición partidista. Nos interesa abordar, de este modo, el proyecto de constituir al Partido Justicialista (PJ) en un polo dominante que reúna en sí las funciones de "partido del orden" y "partido del cambio", compitiendo a la vez en la defensa de la gestión de gobierno y la conservación del *statu quo*, y en la generación desde su interior de alternativas de cambio y renovación. Así como los motivos por los que ese proyecto fracasó, especialmente aquellos referidos a la dinámica de competencia entre gobierno (y partido de gobierno) y oposición, y los cambios registrados en la tradición populista. Esto nos conducirá a considerar los desafíos que enfrentan los partidos de la oposición: la distancia entre los votos y los recursos de poder, las tensiones entre el alternativismo y la competencia por el electorado centrista. Y a caracterizar a las dos fuerzas principales de la oposición por sus respectivas modalidades de construcción política: la agregación mediática y la competencia distrital.

Por último, nos referiremos a la emergencia de nuevas formas de competencia y colaboración entre los partidos y los actores sociales. En los años noventa hemos presenciado profundas transformaciones en la relación entre el estado y la sociedad, y por cierto también modificaciones en el lugar que ocupan las organizaciones sectoriales, la opinión pública, los partidos y la política en todo ello. La emergencia de una alternativa de centroizquierda no puede entenderse aisladamente de estos cambios y de la centralidad que adquieren, a partir de la estabilización económica e institucional, demandas de orden republicano y social.

1.2. Crisis y reconversión de los partidos tradicionales

Los partidos argentinos tradicionales, el Partido Justicialista y la Unión Cívica Radical (UCR), han sobrevivido a la crisis de fines de los ochenta, crisis a la vez económica, estatal y política (cuyas expresiones más agudas fueron, respectivamente, la hiperinflación, la casi extinción de la autoridad y de la capacidad fiscal del sector público, y el profundo

29

descrédito en que cayeron las instituciones y en particular los propios partidos), y al proceso de acelerados cambios que le siguió, bajo la presidencia de Carlos Menem. Pero lo hicieron en la medida en que pudieron procesar los desafíos que aquella crisis y estos cambios implicaban, esto es, cambiando también ellos.

Las transformaciones que los partidos argentinos han venido experimentando desde 1989 en cierto sentido continuaron procesos iniciados en 1983. Éstos habían sido provocados por la novedosa combinación de competencia democrática abierta y crisis económico-estatal planteada al inicio de la transición democrática. Los partidos encontraban que no podían confiar como antes en alineamientos automáticos de la opinión pública, y que los menús de política con que contaban no eran adecuados para atender los problemas del gobierno. La hiperinflación y la crisis política que acompañaron la sucesión de Alfonsín por Menem a fines de esa década vinieron a agudizar las dificultades que encontraban los partidos para preservar su unidad y representar a la sociedad en este contexto, imponiéndoles aun mayores restricciones y exigencias. Los cambios a los que nos referimos pueden desagregarse en dos dimensiones.

En primer lugar, los recursos institucionales tradicionales de estos partidos, tanto los que correspondían a las organizaciones de masas, territoriales y sectoriales, propias o afines, como los provenientes del control que ejercían sobre el aparato estatal, estaban a principios de los ochenta gravemente debilitados, y tendían a debilitarse aun más con el avance de la transición democrática y la irresolución de las dificultades económicas y fiscales. En segundo lugar, se observa la pérdida de consistencia de los principios de reconocimiento (Paramio, 1993) y las identidades tradicionales de los partidos, un desdibujamiento de los mundos culturales en que ellos se asentaban y que ordenaban la vida política de la sociedad, sus clivajes y conflictos, y que hasta entonces, especialmente en el caso del peronismo, establecían marcos estables de comportamiento, así como modalidades y orientaciones del consenso sumamente rígidas.

Con respecto a la primera dimensión, sus consecuencias se hacen sentir tanto en la vida interna de los partidos como en los instrumentos y las estrategias con las que éstos intervienen en la sociedad y el estado. Entre los recursos institucionales más afectados se cuentan los correspondientes a los sindicatos, anteriormente puntales de la inserción de masas del justicialismo, que sufrieron la larga crisis económica, la represión militar y el desprestigio social por su responsabilidad en el fracaso de la gestión de gobierno entre 1973 y 1976. Lo que se reflejó y a su vez fue magnificado por la derrota electoral del peronismo en 1983, que tuvo a los sindicatos por protagonistas centrales. Al aparato estatal corresponden otra buena parte de los recursos institucionales que los partidos vieron decaer en los ochenta. Él había financiado tradicionalmente las redes de clientela y las maquinarias partidarias, garantizando sobre todo en las provincias periféricas un control férreo de sectores importantes del electorado, a través de la distribución de empleos públicos, el control de la caja de las empresas públicas y otros mecanismos más o menos irregulares, resultado de varias décadas de colonización facciosa y sectorial. Pero, ya en los albores de la transición, ese estado estaba financieramente quebrado, administrativamente desarticulado y seriamente deslegitimado ante la sociedad. Y la hiperinflación de 1989, más la depresión económica que le siguió, agravaron esta situación hasta un punto límite. Este debilitamiento de los recursos institucionales tradicionales obligó a los líderes partidarios de la novel democracia a redoblar sus esfuerzos por hallar y movilizar otros recursos de consenso y otros instrumentos de agregación. Y el resultado fue, en 1983 y con mayor intensidad aun en 1989, la construcción de liderazgos personalizados basados en la confianza de la opinión pública, con un margen de autonomía importante respecto de los partidos que les daban origen.

Raúl Alfonsín construyó en 1983 su coalición electoral triunfante en estos términos y, con el respaldo de una opinión favorable que se identificaba bastante poco con el radicalismo, gobernó en permanente tensión con su partido (De Riz, 1993; Aboy Carlés, 1995). Luego lo imitaron los "renovadores" peronistas, encabezados por Antonio Cafiero (gobernador de Buenos Aires entre 1987 y 1991), enfrentados a los sindicalistas y a la ortodoxia del PJ, y Carlos Menem, quien sustituyó a éste en el liderazgo peronista y a aquél en la presidencia de la Nación. Menem profundizó en 1989 el distanciamiento de su partido, al que marginó de la toma de decisiones de gobierno y de la selección del personal para ocupar los principales cargos del Ejecutivo, al menos durante la primera parte de su gestión. Basándose para ello en el apoyo de la opinión pública, la alianza estratégica con el *stablishment* empresario y el respaldo de buena parte de los *massmedia* y los "comunicadores" de prestigio. Evitó así el esperable bloqueo de parte del PJ a la estrategia reformista, y logró algo que Alfonsín apenas había alcanzado en la UCR, y Cafiero lograra aun en menor medida en el peronismo: forzar la adaptación del partido a las nuevas orientaciones políticas e ideológicas que justificaban los cambios que aceleradamente se comenzaron a imponer en la economía y el estado.

Es claro que el PJ resultó mucho más adaptable que la UCR a este tipo de liderazgo. Menem obtuvo una fuerte delegación inicial de su parte, y a poco de andar el partido fue incorporando las orientaciones y pautas de conducta adecuadas a las políticas impulsadas desde el Ejecutivo. Esto se logró en parte por el estado de disponibilidad en que se encontraban la dirigencia peronista y las bases organizacionales del partido, y la consecuente maleabilidad de sus convicciones. Y en parte gracias a la distribución de premios y castigos que permitía un uso discrecional del presupuesto y la generación de "negocios" de todo tipo, que tanto los sindicatos como los legisladores y gobernadores de provincias necesitaban urgentemente para sobrevivir.[2] El estado de disponibilidad y el pragmatismo a los que nos referimos se vinculan evidentemente con la segunda dimensión de los cambios que experimentaron los partidos con singular dramatismo a partir de la crisis de 1989: el debilitamiento de las identidades y principios de reconocimiento.

Precisamente porque durante la gestión de Alfonsín no

se había precipitado aún este fenómeno en toda su dimensión, no operaron, al menos no en medida comparable a lo que se observaría en el gobierno de Menem, ninguno de aquellos estímulos a la adaptación. En los inicios de la transición la dirigencia radical no experimentó una crisis de identidad ni de legitimidad, por lo que no estaba "disponible" para un cambio de orientación programática profundo, ni había incorporado un estilo pragmático que permitiera compensar materialmente la resignación de las diferencias que surgían con el Ejecutivo nacional. Recién después de la crisis de 1989, que significó la *débâcle* del gobierno radical y la derrota de la UCR en los comicios de ese año y en los tres turnos siguientes, poniendo en peligro incluso su supervivencia como partido nacional, los líderes distritales del radicalismo pudieron beneficiarse de una mayor disponibilidad de la organización y la disposición de sus seguidores a acompañarlos en la adopción de nuevas orientaciones políticas y de gobierno (lo que se observa tanto en la disposición pro-reformista de los gobernadores radicales de Córdoba, Río Negro y Chubut durante la primera gestión de Menem, como en la no menos novedosa vocación aliancista de los mandatarios de Catamarca a partir de 1991 y del Chaco desde 1995).

Sin olvidar el diferente estado de salud de las identidades partidarias durante los años ochenta y noventa, cabe decir que la crisis que experimentan desde las postrimerías del primer gobierno democrático es, en cierto sentido, también una profundización de la tendencia que se observa en ellas desde los comienzos de la transición. Las identificaciones partidarias no desaparecieron con la democratización. Incluso los partidos gozaron de una inicial ola de simpatía, recibiendo multitudinarios apoyos en sus campañas de afiliación, sus elecciones internas y en la movilización electoral. Pero esas simpatías ya no bastaban para ganar elecciones (para una consideración de la dimensión del cambio respecto de décadas anteriores, véase Cavarozzi, 1984; para un análisis en estos términos del proceso reciente vivido por el peronismo, Martuccelli y Svampa, 1997). Ya desde 1983 se registró una marcada volatilidad del voto respecto de la identificación partidaria (ella permitió, justamente, el triunfo de Alfonsín). Aunque, hasta 1987, las respuestas "porque soy peronista" o "porque soy radical" ocupaban un lugar destacado entre las justificaciones del voto (véase Catterberg, 1989). A partir de esa fecha solieron quedar relegadas a posiciones casi marginales en las encuestas. Al mismo tiempo se registraba un significativo incremento de las proporciones de indecisos y de electores que se manifestaban independientes. Con el paso de los años esto se agudizó. Se registró una significativa disminución de los porcentajes del electorado que manifestaba confianza en, o pertenencia a algún partido, y aun de quienes se identificaban con alguna tradición partidaria. Los partidos reunían un 84% de valoraciones positivas en las encuestas de 1984, todavía un 63% en 1988, pero apenas un 15% a principios de los noventa (véase McGuire, 1995; Catterberg, 1989; y Carballo de Cirley en *La Nación*, 5-VIII-93). A mediados de 1995 el 66% de los ciudadanos con derecho a votar se identificaban como independientes (*Clarín*, 27-VIII-95). El porcentaje de afiliados a partidos políticos en relación con el total del padrón incluso creció entretanto (llegó a alrededor del 38% a nivel nacional en 1993), pero la participación en las internas partidarias era ínfima en relación con el número de afiliados (no superó el 20% en la mayor parte de los casos). La militancia voluntaria y la organización barrial de los partidos también sufrió una merma importante en esos años.

Los "políticos de partido", por lo tanto, comenzaron a encontrar dificultades en la competencia electoral. Contar con una organización territorial extendida no les garantizaba siquiera el control de la propia fuerza. Por el mero hecho de tener un perfil "partidista", podía suceder que una parte del electorado les negara su confianza. Esto también influyó en el surgimiento de nuevos líderes fuera de los partidos o en sus márgenes, compitiendo con los aparatos partidarios. En algunas ocasiones ellos fueron convocados y promocionados por los mismos partidos tradicionales, en otras crearon sus propias organizaciones (para un estudio de los casos de Ramón Ortega, Carlos Reutemann y los líderes de origen militar o empresario, véanse Adrogué, 1993; y Novaro, 1994a). También hubo casos en que líderes con una fuerte pertenencia partidista se esforzaron por desprenderse de ella. Un ejemplo paradigmático de esto es el derrotero seguido por Carlos Menem.

Todo esto nos habla de una situación en que se producían condiciones favorables para una competencia interpartidaria más abierta que en el pasado, por el favor de una opinión pública no partidista. A medida que los partidos perdían su solidez de antaño como subculturas políticas y como organizaciones de masas, las fronteras políticas tradicionales tendían a hacerse más difusas y se desactivaban los antagonismos que anteriormente abrían abismos entre ellos, principalmente aquellos que correspondían al clivaje peronismo-antiperonismo (Catterberg, 1988; Novaro, 1997).

Hasta aquí los argumentos apuntan al debilitamiento institucional-organizativo e identitario-cultural de los partidos. Y a cómo los líderes tomaron distancia de ellos para adaptarse al nuevo contexto político, económico y estatal en que debían competir entre sí y gobernar. Sin embargo, cabe advertir que ni en el caso del peronismo ni en el del radicalismo la crisis organizativa y el debilitamiento de la identidad agotan la explicación del éxito o fracaso de los líderes para ajustar sus modalidades de acción y orientaciones programáticas, y forzar la adaptación de sus partidos a ellas. La adaptación exitosa, tanto de los líderes como de los partidos es, al mismo tiempo, resultado de un proceso que involucra la reorganización institucional y la conservación, y aun reactivación, de los recursos identitarios.

Esto es particularmente relevante en el caso del gobierno menemista y el PJ, y a él nos referiremos en lo que resta de este parágrafo. Nuestra hipótesis es que el éxito del menemismo en conservar las riendas del Partido Justicialista y garantizarse su apoyo para la gestión de gobierno, y específicamente para las reformas promercado, dependió más que del debilitamiento de su identidad y de su desactivación institucional, de un complejo proceso de fortalecimiento partidario, que involucra aspectos tanto de conservación como de redefinición organizativa, identitaria y programática. Este proceso se había iniciado, en verdad, a partir del estado de crisis y disponibilidad registrado a mediados de los años ochenta, y logra dar resultados a medida que recupera parte de la potencia organizativa e institucional y las identificaciones históricas del peronismo. Fue, finalmente, la fortaleza y no la debilidad de la organización y de las identificaciones peronistas lo que permitió al presidente Menem, tras una primera etapa signada, es cierto, por el relegamiento de su partido (entre 1989 y 1991), adaptarlo a los desafíos del gobierno en la nueva situación, lo que significó para el PJ adquirir progresivamente mayores espacios de participación en la gestión de gobierno: en las cámaras legislativas, debatiendo las medidas de reforma, en la designación de los funcionarios, y en el manejo de los recursos públicos. Ambas dimensiones, la partidaria organizativa y la identitaria, tuvieron una gran relevancia para la gestión de gobierno y para la competencia electoral, pues garantizaron la selección y promoción de candidatos y funcionarios, la alineación con las decisiones del líder y la formación de consensos en torno a ellas, tanto en los ámbitos institucionales como en la sociedad. En resumidas cuentas: Menem no hubiera logrado crear y sostener el marco de gobernabilidad necesario para su gestión de no haber sido por el proceso exitoso de institucionalización partidaria y legitimación de su liderazgo que tuvo lugar entre 1987 y 1988, y que lo colocó en el vértice de una fuerza política unificada y dinámica, y de la también exitosa redefinición de la coalición electoral y de gobierno, que implicó un replanteo del pacto populista con los sectores populares, los sindicatos y los empresarios, y una drástica reinterpretación de la historia y las tareas del peronismo, concretados fundamentalmente tras su asunción al poder (aspecto que escapa totalmente a los análisis que, como el de Martuccelli y Svampa, ponen el acento exclusivamente en la crisis del imaginario peronista tradicional).

Con respecto al Partido Justicialista se han elaborado los más disímiles análisis en los últimos tiempos: durante los primeros años de la transición y nuevamente en los primeros años del gobierno de Menem se anunció su inevitable descomposición como coalición populista, y su reducción a los límites de un partido de centro o centroderecha (Catterberg, 1988; Abal Medina, 1995); y recientemente (a raíz de las diferencias entre el presidente Menem y Eduardo Duhalde, gobernador de Buenos Aires y hasta hace poco el principal aliado interno del primero) se ha sostenido su inmutabilidad esencial, la existencia de un sustrato identitario y organizativo que no habría sido afectado por los "cambios de coyuntura", como la democratización efectuada por la "renovación" y la reorientación programática a la que Menem lo llevó desde el gobierno (Torre, 1995; Levitsky, 1997). Existirían argumentos para sostener ambas hipótesis. Pero si nos detenemos a observar la actual situación en perspectiva, lo que en verdad llama la atención es que el peronismo logró superar un profundo proceso de transformación, tanto en su organización interna como en su identidad y sus orientaciones de gobierno. Para hacerlo se basó en factores cohesivos y recursos identitarios, institucionales y culturales, que pese a la crisis no habían perdido eficacia. Y ello tuvo sin duda una importancia decisiva para el éxito del gobierno, permitiéndole al PJ dar cuenta de cambios significativos del contexto, de la sociedad y el estado, ocurridos entre su anterior experiencia de gobierno, a principios de los setenta, y la iniciada por Menem en 1989; y tomar parte activa de las transformaciones puestas en marcha por esta gestión, en especial a partir de 1991. El problema parece ser, por ello, precisar los elementos de continuidad y ruptura que operan en este proceso de adaptación del partido y en esta experiencia de gobierno.

En cuanto a las discontinuidades, debemos anotar la eficacia para competir en un contexto democrático estable por el respaldo de una opinión pública no inscrita en identidades partidarias sólidas, por un lado, y la adecuación a las constricciones que impone a la tradición populista la tarea de gobernar en un período de ajuste y reformas promercado, por otro. Consideremos entonces las raíces y alcances de estas capacidades electorales y gubernativas recientemente adquiridas.

A principios de los años ochenta el peronismo aparecía sujeto a infinitas fracturas y conflictos facciosos que tenían su origen en la desaparición de Perón, o aún más atrás. Ello se traducía en la ausencia de orientaciones claras en los temas más relevantes de la agenda política y económica de la transición. En esta situación, para recuperar cierta viabilidad electoral, y más aún si pretendía gobernar, se hacía necesario completar la sustitución del movimientismo tradicional por una organización propiamente partidaria y reconstruir un liderazgo capaz de unificar a las fuerzas dispersas detrás de un programa de gobierno medianamente consistente. La selección de los candidatos a través de elecciones competitivas y medianamente transparentes, la conformación de una conducción nacional única y la subordinación de las heterogéneas e incluso antagónicas organizaciones de masas y los sindicatos (que perdieron su condición de columna vertebral) a ésta, la marginación o (lo que resultó más redituable) la cooptación y "domesticación" de los sectores ideológicamente radicalizados (tanto los restos de Montoneros como la ultraderecha vinculada a militares nacionalistas y "carapintadas"), constituyen los pasos fundamentales en este sentido, en un proceso que se inicia a mediados de los 80, bajo el impulso de la "renovación peronista" (Palermo, 1994). El desafío que suponía este intento de institucionalizar el partido no era sólo organizativo. Involucraba también la identidad de los peronistas: ellos debían dejar de concebirse como el movimiento nacional-popular totalizador no sujeto a constricciones institucionales y admitir la legitimidad de la forma partidaria y de la competencia entre partidos, sin que ello implicara la fractura de la antigua coalición populista y la pérdida consecuente de representatividad social. Esto es, sin debilitar aún más los sentimientos de pertenencia que le profesaban los sectores populares y su identificación con la tradición nacional-populista: el peronismo "actualizado" debía mostrarse capaz de cumplir las tareas de la "nación" y el "pueblo" del presente, recreando la idea de que la Argentina y el peronismo tenían un destino inescindible y que sólo el peronismo estaba capacitado para gobernar en la dirección "necesaria" (aunque siguiera quedando en la indefinición cuál era). En otras palabras, se trataba de reconocer las nuevas condiciones en que el peronismo debía competir electoralmente y en las que debería gobernar, y valorar ajustadamente los instrumentos con que se podría sustentar en esta situación un vínculo populista entre el gobierno, las bases de apoyo y los electores.

Ésta era una tarea inconclusa en el momento en que Menem se instala en la presidencia. Para completarla debió destinar ingentes recursos a los efectos de convencer a sus seguidores de que su suerte se jugaba en la disposición a adaptarse a los nuevos tiempos. Que la posibilidad de obtener nuevas victorias electorales dependía de la voluntad de encolumnarse detrás de un nuevo proyecto, que involucraba redefinir los objetivos y la propia historia, los adversarios, el carácter y el papel de las "fuerzas propias" en la coalición de gobierno, y al mismo tiempo reubicaba al peronismo en el sitial de hacedor del destino de la nación. En este sentido, Menem supo aprovechar los cambios que había empezado a introducir la "renovación": la democratización de la vida interna, la apertura del mundo político-cultural peronista a las influencias de la opinión pública, el acercamiento a los economistas y formadores de opinión empresaria, y a los grandes grupos económicos locales. La mayor disposición a tener en cuenta las preferencias de los votantes a la hora de seleccionar los candidatos, a adecuarse al nuevo clima de época que reinaba en el mundo, a acotar el papel de las organizaciones sindicales y territoriales autónomas del "movimiento", y a "modernizar" los instrumentos y modalidades de acción utilizados para formar consensos y decidir políticas públicas (el recurso a los "técnicos" y el paulatino distanciamiento entre la expresión de los intereses particulares, en especial los sindicales, que el peronismo seguía canalizando, y la toma de decisiones de política pública) fueron cambios iniciados por los renovadores (puestos en práctica parcialmente por Antonio Cafiero en la gobernación de Buenos Aires y desde la presidencia del partido), que se potenciaron y llegaron a tener una gravitación decisiva en el desarrollo de la gestión menemista desde 1989.

Entre 1989 y 1991 Menem logró, desde el vértice del gobierno y con estos instrumentos en sus manos, completar la institucionalización del PJ y redefinir sus roles en la representación y la gestión pública, haciendo de él un "partido de gobierno". La demostración de que por este camino se retenía y aun incrementaba la capacidad de gobierno y se obtenían resultados electorales exitosos fue fundamental para llevar a buen puerto este proceso de adaptación partidaria.

Es evidente que, en buena medida, ello implicó el férreo control desde arriba del aparato partidario. Y también que el resultado del proceso de adaptación es una situación que conlleva un margen acotado de autonomía del partido respecto del gobierno. Su conducción formal es, todavía hoy, altamente dependiente del equipo gubernamental. El PJ está organizado (y también financiado; véase Levitsky, 1997) de arriba hacia abajo, desde los despachos oficiales hasta cada una de las miles de agrupaciones territoriales locales. Es, a semejanza del PRI mexicano, un partido "estatal", comandado desde el estado y reducido a instrumento político de gobierno. Pero no es accesorio ni mucho menos irrelevante: en manos del líder es un instrumento fundamental para garantizarle a aquél el éxito o al menos la viabilidad de sus políticas de gobierno, actuando activamente en la selección de candidatos, la promoción de nuevas figuras y en las campañas electorales (conteniendo las tendencias a la "informalización"). Queremos destacar, en suma, que lo característico de la relación gobierno-partido durante el gobierno de Menem no ha sido la marginación de este último de las decisiones y su debilitamiento en términos institucionales e identitarios, sino su progresiva incorporación e involucramiento desde el gobierno.

El partido, agreguemos, no ha sido sólo un instrumento de control desde el vértice. También ha actuado como canal de agregación y mecanismo de regulación de las políticas públicas, desde la periferia y la base hacia el centro político. El aparato partidario cumple así una función decisiva en la articulación de una coalición electoral heterogénea, que reúne respaldos favorables a las reformas promercado y la modernización en sectores medios y empresarios, a través de sus líderes más "confiables" para la opinión pública, y respaldos más tradicionales y propiamente populistas, en particular en las provincias del interior y entre los sectores populares de la periferia de las grandes ciudades. Allí las redes partidarias cumplen un rol aún relevante, movilizando identificaciones peronistas históricas y redes clientelares locales (Gibson y Calvo, 1997; Levitsky, 1997). El partido, en suma, a través de sus representantes en el Ejecutivo nacional y en el Parlamento y las gobernaciones, armoniza estas representaciones entre sí, proveyendo el equilibrio necesario para conservar compromisos de otro modo contradictorios y conflictivos. Así las cosas, el programa de reformas estructurales, que desestatizó la economía y numerosos ámbitos de la producción y los servicios, fue acompañado por la preservación y aun el refuerzo del control político-estatal de importantes segmentos del territorio y la población. Salta a la vista en este fenómeno de convivencia de tendencias aparentemente opuestas el imperio —por sobre la racionalidad económica— de las condiciones que aseguraron la viabilidad político-partidaria de la política de reformas del gobierno de Menem.

El rol del partido en el control de la administración en estos años resolvió dos problemas que afectaron al gobierno de Menem. En primer lugar, la dispersión de autoridad y las dificultades que encuentra el gobierno nacional para lograr la aplicación extendida de sus decisiones dado el carácter federal del régimen político argentino. En segundo lugar, la dificultad para hacer efectivas las decisiones en razón de la ausencia de una burocracia estatal permanente medianamente eficaz y confiable para el vértice gubernamental. Dicha ausencia ha sido la fuente de una serie de problemas que, ya en el pasado, encontraron los líderes políticos para hacerse de un control férreo de las agencias gubernamentales bajo su jurisdicción y garantizarse la efectiva aplicación de las políticas que ellos deciden desde el vértice. Contar con un aparato partidario suficientemente desarrollado y con presencia efectiva en las distintas secciones de la burocracia adquirió para Menem una importancia suplementaria debido al carácter radical de sus políticas de reforma, y a que muchas de ellas afectaban intereses de la misma burocracia estatal. Cuando debió extender el impacto de estas políticas desde el plano nacional a los otros niveles de gobierno, el obstáculo que encontró fue el régimen federal. La negociación entre el nivel nacional y el nivel provincial es en general sumamente dificultosa, y lo es más aún si los distintos niveles de gobierno están controlados por distintos partidos, o si los líderes nacionales y provinciales del partido gobernante no cuentan con mecanismos de negociación apropiados. El rol del partido en la resolución de estos problemas durante la gestión de Menem se advierte claramente, por ejemplo, en la progresiva institucionalización de las relaciones entre gobierno nacional y gobiernos provinciales, la mayor parte de ellos controlados por el Partido Justicialista.

Para que el justicialismo, en tanto "partido de gobierno", cumpliera estas funciones, que escapan al diagnóstico de la "informalización" y de "la crisis de los partidos", fue necesario además que ajustara sus mecanismos de canalización de demandas a los requerimientos de la gobernabilidad y las restricciones de la época, sin perder capacidad expresiva. Al hacerlo, fue capaz de conformar consensos lo suficientemente sólidos para dar sustento a las políticas impulsadas por su líder, interactuando con equipos de tecnócratas, *lobbies,* grupos de interés y medios de comunicación, todos actores que resultaron claros beneficiarios de la crisis y que amenazaban las funciones de mediación de los partidos. Puede concluirse de ello que la experiencia del gobierno de Menem muestra la importancia de los servicios gubernamentales y electorales que puede prestar un partido organizado y ágil, así como su capacidad, aun en una situación de crisis, para retener el consenso de sectores sociales heterogéneos, mantener el control de resortes esenciales de poder en el estado y establecer reglas de división del trabajo y colaboración con otros actores.

El problema no parece ser, en suma, la debilidad del partido, sino su elevada "estatización" (Colombo, 1991) debido a los altos costos de transacción que ella supone, la dependencia de los recursos públicos que establece y la amenaza a las instituciones que implica borrar la diferencia entre partido y estado. Las dificultades halladas para la consolidación de una dirigencia partidaria autónoma, para la construcción de un juego más abierto de competencia y colaboración entre los partidos a nivel parlamentario y en la escena pública en general, aparecen como indicios negativos en este sentido. Respecto del alto costo de transacción, podemos decir que un sistema en el que las redes partidarias —en general informales y permeables a la corrupción— cumplen funciones tan decisivas para la articulación de los distintos niveles de gobierno y para garantizar el funcionamiento de la administración pública, enfrenta limitaciones insuperables tanto para la consolidación del sistema de partidos como para la eficiencia y eficacia del aparato estatal.[3]

Digamos también que al éxito relativo del proceso de adaptación del peronismo no es ajena cierta pérdida de la capacidad expresiva y la retención de la lealtad de sus bases electorales, que a mediano plazo comienza a tener efectos relevantes en la competencia interpartidaria. Como veremos a continuación, el proceso de institucionalización partidario no elimina pero sí acota los márgenes de acción del populismo peronista. Ello tuvo una importancia decisiva para el éxito de la oposición de centroizquierda.

Bien podría esgrimirse como contraejemplo de este proceso relativamente exitoso de redefinición institucional e identitaria y adaptación a las orientaciones de gobierno que protagonizó el PJ en estos años, la crisis que atraviesa la UCR desde fines de la década pasada, y que pareció agravarse luego del magro 16% que obtuvo en las elecciones presidenciales de 1995. De todos modos, hay suficientes motivos como para no ser pesimistas respecto de su evolución más reciente y sus perspectivas futuras. A ello hemos ya aludido al valorar el desempeño de los liderazgos distritales del radicalismo durante el gobierno de Menem: tanto a nivel provincial como local encontramos numerosas experiencias exitosas de gestión, en las que el viejo partido radical puso en evidencia un saludable esfuerzo de renovación programática e identitaria y la revisión de los estilos tradicionales de articulación entre el partido, el estado y la sociedad. A estos cambios nos referiremos más extensamente en el parágrafo 1.4, cuando consideremos el papel de la oposición partidaria en la segunda mitad de los años noventa.

1. 3. Populismo e institucionalización: ¿afinidades inesperadas?

Hemos sostenido (parágrafos 1.1. y 1.2.) que los partidos, y sobre todo el peronismo, se adaptaron y tuvieron un rol más importante que el que habitualmente se les atribuye en las gestiones de gobierno y la vida política en general de los últimos años. También nos referimos al carácter neopopulista de los liderazgos que predominaron en este período. La pregunta entonces es obligada: ¿cómo se conectan ambas cuestiones?

La pregunta es pertinente para nuestro análisis porque, aparentemente, va contra el sentido común afirmar que un sistema político dominado por una figura como la de Menem es al mismo tiempo un sistema en el que los mecanismos institucionales, y entre ellos los partidarios, tienen mucho para decir. Más aún, como ya hemos referido, existe un amplio consenso respecto de que la vida política en la Argentina de los últimos años ha estado dominada por una sucesión de liderazgos personalistas con escaso sostén y escasas constricciones institucionales: esa caracterización valdría no sólo para el menemismo; también las fuerzas de oposición —lo que para nuestro trabajo sería incluso más relevante— estarían dando testimonio de esta tendencia a la personalización antiinstitucional y neopopulista. Contra estas presunciones, intentaremos demostrar que es posible ver de otro modo la relación entre liderazgos e instituciones. Empezando por el peronismo, porque sin duda ha sido el protagonista central de esta etapa, y porque los cambios registrados en él, y los que él a su vez ha logrado imponer en el estado y la sociedad, constituyen el contexto de emergencia y desarrollo de centroizquierda. Y es, por lo demás, una de las claves para entender tanto su éxito como su peculiar conformación.

Una de las entradas sugerentes a este problema que ofrece la literatura contemporánea sobre Argentina y América latina es la que conecta populismo y neoliberalismo, tanto en clave política como económica. Weyland (1996) habla de una "afinidad inesperada" entre ambos fenómenos y Roberts (1995) muestra cómo en América latina ha tenido lugar "la emergencia de nuevas formas de populismo que son compatibles con, y complementarias a las reformas neoliberales". En lo que se refiere a detectar la presencia de este vínculo inédito de naturaleza política, el aporte de estos autores es indiscutible.

Ahora bien, parte de esa literatura presenta el problema de ser tributaria de una visión sesgada del populismo: de acuerdo con una suerte de "lectura peruana" de éste, el populismo renace en contextos de vacío institucional y reproduce esa desinstitucionalización. El problema que deseamos plantear no atañe a la descripción del populismo peruano sugerida porque, en efecto, él parece haber tenido esa pauta, sino a la pretensión de identificar a los neopopulismos latinoamericanos *in toto* con ella. Roberts, en una discusión donde expresamente se vale del caso peruano para extraer consecuencias supuestamente válidas para América latina, nos dice así que "esta nueva y más liberal variante del populismo está asociada con el quiebre de formas institucionales de representación política, que se registra habitualmente durante períodos de trastorno social y económico".[4] Una interpretación apenas diferente es la de Kay (1996): "Como el modelo clásico, la versión 'Fuji' del populismo evade y debilita las instituciones de intermediación y crea otras que permiten al presidente establecer una relación directa y personalista con las masas". Kay también incurre, aunque menos resueltamente, en la tentación de "peruanizar" el populismo latinoamericano de ayer y de hoy.[5]

En contraste con la identificación del populismo de Fujimori y otros populismos latinoamericanos de nuestros días, deseamos postular aquí, sin ninguna pretensión de generalidad (para ser consecuentes con la idea de que no tiene sentido identificar "procesos latinoamericanos" sin distinguir entre casos), la existencia de una segunda "afinidad inesperada", esta vez entre populismo e institucionalización. La afirmación de esta otra afinidad inesperada se funda en esencia en la verificación, sobre la base de lo discutido en puntos anteriores, del papel que cumplió en el proceso político reciente el populismo en combinación, y no en contraposición, a una dinámica propiamente institucional y a actores políticos institucionalizados. En otras palabras, las funciones cumplidas por el populismo en el caso argentino no se desenvolvieron en —ni alentaron de ningún modo— el "vacío institucional" de que nos hablan los análisis que toman por paradigma regional el caso peruano.

Los muy sugerentes trabajos de Steven Levitsky (1996a y b, 1997), dedicados a estudiar la evolución reciente del peronismo y a discutir su papel en las reformas económicas y estatales, podrían por otra parte inspirar una suerte de "lectura peruana" del papel del populismo en el proceso político reciente para el caso argentino. A pesar de que Levitsky concuerda con la tesis de que el menemismo fue en gran medida una continuación de la "renovación", antes que un regreso a la ortodoxia, sugiere otra forma de entender la renovación y la institucionalización del peronismo. Tomando la noción de O'Donnell (1995) de "instituciones informales" (reglas de juego ampliamente compartidas pero no explícitas ni escritas), Levitsky encuentra en la historia del PJ anterior a la renovación, mecanismos de este tipo (el sistema del tercio de las candidaturas para los sindicatos, el "ultraverticalismo" para resolver la selección de líderes y candidatos, el "movimientismo", etc., pautas que si bien no estaban completamente institucionalizadas eran normas po-

46

derosas ampliamente compartidas). Del hecho de que esas "reglas" se perdieron desde mediados de los ochenta, puede concluirse que, "en buena medida, la renovación fue 'desinstitucionalizante'".

A nuestro entender el meollo de la cuestión no es el carácter formal o informal de la institucionalización, sino la presencia o ausencia del principio central que la define: el predominio rotundo de un conjunto determinado de reglas. En ese sentido no puede hablarse de institucionalización partidaria previa a la renovación peronista, y es precisamente una mayor institucionalización el principal aporte de la renovación al peronismo. En esencia, el gran salto institucional de ese período consiste en que el peronismo pasa de una prolongada etapa donde el centro de la disputa política estribaba en la fijación de unas reglas, a otra en que los conflictos políticos tienen lugar bajo ciertas reglas aceptadas por todas las partes. El razonamiento que atribuye a la renovación un papel desinstitucionalizante sería inobjetable si no fuera porque el diagnóstico de la existencia de normas poderosas ampliamente compartidas no se ajusta a la evolución organizativa del peronismo anterior a la emergencia de la renovación.

Conviene por ello dar unas brazadas aguas arriba en la historia peronista. Es difícil sostener que el peronismo estuviera "institucionalizado" en una estructura de carisma rutinizado antes de 1955. Pero sin duda puede decirse que, hasta ese año, operaban en el seno del movimiento peronista las normas típicas de los liderazgos carismáticos indiscutidos, y que ellas funcionaban y eran sin duda ampliamente compartidas.[6] Incluso se puede decir que, bajo el "paraguas" del liderazgo, convergían formas organizativas disímiles, que competían de manera limitada entre sí básicamente porque se manejaban en esferas territoriales y sociales diferentes: las organizaciones sindicales, el asistencialismo radical de Evita, el clientelismo tradicional en el interior del país, etc. Perón les daba la unidad necesaria porque todas lo reconocían como fuente de legitimación de última instancia:[7] el árbitro supremo. Ocurre que con el golpe de 1955 y el desplazamiento del peronismo del poder y de Perón de la Argentina, se produce una situacion diferente: Perón deja de ser ese principio indiscutido y se genera una extraordinaria heterogeneidad interna, en términos de normas y principios de legitimación y modalidades para dirimir diferencias, tomar decisiones, etc. Esta enorme heterogeneidad no tiene nada que ver con el desafío de corte democrático y partidizante que la renovación encarnara a partir de 1983. Pertenece al peronismo como unidad populista-movimientista no institucionalizada: era efectivamente un movimiento, no un partido; su imaginario colectivo era movimientista y su cultura política antipartido; su composición organizativa era la de un conjunto de estructuras y relaciones de poder no equivalentes; organizaciones de masas, sectas, grupos de cuadros, clientelas, agrupaciones sindicales, etc., sustancialmente irreductibles, en su mayoría, a la forma partido. ¿Cómo podían dirimir sus diferencias en un espacio común, por ejemplo, organizaciones juveniles de cuadros, caudillos de clientelas territoriales y dirigentes de sindicatos, si las magnitudes y la naturaleza de su poder no resistían su compatibilización conforme a una regla común y abstracta como la de "un hombre, un voto"? (Palermo, 1994).

Este tipo de unidad populista-movimientista no habilitaba al peronismo para gobernar en tiempos de austeridad, sino al costo de desatar una confrontación sin reglas a lo largo y lo ancho del gobierno y del estado, tal como se comprobó en los setenta. Con la muerte de Perón se agravó el problema, y fue así como el peronismo se enfrentó a la apertura democrática y a la transición sin una conducción unificada. Parecía condenado a pendular entre la arbitrariedad verticalista y la anarquía.

Fue con la renovación que esta situación comenzó a cambiar radicalmente. La institucionalización partidista consistió en un progresivo encuadramiento de todos los sectores a reglas de competencia interna. La capacidad de expresión y agregación de intereses tendió a incrementarse no sólo por la homogeneización del mundo peronista, sino en virtud del ensanchamiento de su campo institucional. El mayor legado de los renovadores fue, en suma, que lograron democratizar internamente el peronismo y dotarlo de una estructura de autoridad relativamente cohesiva en un solo proceso, específicamente partidario, no movimientista. Como señala Ana María Mustapic (1996), "dado que el liderazgo carismático de Perón estuvo indisolublemente ligado a la profunda influencia que ejerció sobre el movimiento obrero [...] el proceso de institucionalización del partido era tributario de dos procesos de emancipación: de la tutela del liderazgo de Perón y de la tutela de las organizaciones sindicales". Habían existido anteriormente intentos en este sentido. Pero fracasaron porque no pudieron resolver ninguno de estos desafíos. No es casual que el resultado fuera otro a partir de la redemocratización de 1983: "el sector renovador, gestado alrededor de un grupo parlamentario del partido al que se unieron varios gobernadores" buscó "fórmulas alternativas de resolución de conflictos dentro del PJ, contribuyendo decisivamente a la institucionalización del partido [...] el proceso de institucionalización fue a todas luces una innovación de fondo".

Si nuestra descripción del pasado peronista es correcta, no cabe considerarlo "informalmente institucionalizado", porque no hubo normas informales predominantes sino conjuntos de normas informales muy diferentes pugnando entre sí. El requisito básico de la institucionalización, formal o informal, hemos dicho, consiste en el predominio claro de un conjunto de normas, aunque él conviva con otros conjuntos (ello, en el caso del peronismo, le da incluso flexibilidad a la organización). Y en eso consiste, precisamente, el gran paso adelante de los renovadores, paso éste que, para toda la gestión de Menem en el partido y en el gobierno, es parametral.[8]

¿Qué tiene que ver todo esto con nuestro argumento principal? Ocurre que la interpretación de la renovación como un proceso parcial de desinstitucionalización, a partir de una hipotética institucionalización informal preexistente, es un núcleo que apuntala el planteo de Levitsky respecto de que la viabilidad política de las reformas estructurales en

Argentina se explica por la baja institucionalización peronista: ello habría facilitado al líder tener las manos libres para actuar, desarrollando una estrategia muy flexible con una orientación inédita, explotando en su provecho los vínculos tradicionales de confianza con los sectores populares, sin mediaciones engorrosas, dada la debilidad de la burocracia partidaria, la ausencia de reglas y procedimientos intrapartidarios institucionalizados y de vínculos institucionales entre el partido y los sindicatos.

En oposición a esta perspectiva, entendemos que, si el populismo cumplió un papel, lo hizo en el marco de una institución partidaria fortalecida en el pasado inmediato y durante la misma gestión de gobierno. Y en gran medida pudo hacerlo gracias a ese nuevo marco.[9] La subordinación de los sindicatos al PJ, que Levitsky reconoce, es en verdad un ingrediente de un proceso de partidización mucho más amplio, consistente en la victoria de los defensores de un determinado conjunto de normas, que el ascenso de Menem al poder confirmó y completó.[10]

La relación entre populismo e institucionalización durante el gobierno de Menem nos muestra la complejidad de un partido político en acción. El proceso de continuidad renovadores-menemismo es un tránsito en el que la identidad peronista se rearticula a un liderazgo unificado y a un proyecto de gobierno, y encuentra por fin un importante umbral de institucionalización. De tal modo, los recursos populistas puestos en práctica por Menem desde 1988 en adelante se desenvolvieron en un contexto que se aleja bastante del pasado movimientista y poco tiene que ver con la idea del "vacío institucional" acuñada a la luz del populismo peruano. Por el contrario, lo hicieron en el marco de una identidad que había sufrido un proceso de transformaciones previas que elevaron sustancialmente su nivel de institucionalización. La adaptación del peronismo al giro menemista —esencial para la sostenibilidad política de éste— no puede entenderse en clave de "fujipopulismo", esto es, empleo de una técnica política populista (retórica antipolítica, antipartidos, apelación al hombre común, etc.) que genera vínculos e identificaciones que compensan un vacío institucional, sino afincada en una relación más compleja entre identidades, instituciones y recursos populistas. Dentro de la cual la institucionalización previa, en tanto clara hegemonía de reglas (partidarias), coronada por la emergencia de un liderazgo populista,[11] permite que exista la cohesión, la disciplina y la flexibilidad indispensables para un cambio de política y coalicional de la magnitud del concretado desde la presidencia a partir de 1989.

En ese sentido, como discutimos en otro punto, si una gran fluidez partidaria podría ser adecuada a la hora de un giro político abrupto (dado que proporciona mayor grado de libertad a los líderes), un umbral muy bajo de institucionalización puede al mismo tiempo conspirar contra la sostenibilidad del giro, ya que no garantiza recursos eficaces para asegurar el acompañamiento de las fuerzas propias. En el caso que nos ocupa, Menem, tras triunfar en la interna de 1988 y en las elecciones nacionales de 1989, tuvo un capital político inicial sumamente valioso para esperar acompañamiento (de las bases peronistas) y cierta disciplina (del séquito de dirigentes, en especial de los bloques parlamentarios), una diferencia central con el cuadro institucional del Perú de Fujimori.

Lo dicho permite regresar rápidamente a una discusión comparativa con el caso peruano:[12] precisamente son estos elementos los que explican la diferencia entre una continuidad democrática y una ruptura autoritaria, y entre una coalición entre explotados y explotadores en el caso argentino y una entre burócratas y militares con una masa popular de maniobra en el caso peruano. En Argentina la identidad política, a través de la institución partidaria, desempeñó un papel (y pudo hacerlo debido a un avance decisivo en términos de institucionalización); proveyó garantías en materia de resultados, al establecer nexos de sentido entre la estabilización y las reformas estructurales; neutralizó hasta cierto punto la frustración, desconfianza y la desafección políticas. En el caso peruano, en el marco de un vacío institucional, los recursos políticos de técnica populista no fueron suficientes para sostener el respaldo público (sobre la rápida pérdida de popularidad presidencial antes del autogolpe, véase Weyland, 1997) y mucho menos el acompañamiento del Congreso. El autogolpe, precisamente, completa en Perú la práctica populista cumpliendo una (nefasta) función política, llenando el vacío institucional mediante un "suceso extraordinario". Como explican Stokes y otros (1997), "la población estableció una tajante distinción entre la presidencia de Fujimori antes y después (del autogolpe). Los limeños estaban ansiosos de que emergiera una fuerte autoridad y se instalara en el centro de una sociedad en crisis". En el caso argentino, por el contrario, el populismo se conjugó con una identidad política que poseía un umbral significativo de institucionalización, lo que contribuyó a hacer posible la sostenibilidad política del proceso de reformas en el marco de la continuidad de las instituciones democráticas.

La conclusión que podemos extraer de esto es sumamente relevante para la comprensión del proceso político posterior a la aplicación de las reformas menemistas: es precisamente un peronismo que se ha institucionalizado como partido, sin perder su tradición populista, el que —a partir de que comienzan a hacerse evidentes las dificultades y déficit de esta gestión en términos de empleo, distribución del ingreso y también de baja calidad institucional, y que consecuentemente comienza a debilitarse el liderazgo de Menem— enfrenta una competencia partidaria cada vez más desafiante y abierta, protagonizada centralmente por la centroizquierda.

Es justamente por la continuidad de ese proceso de institucionalización, entonces, que se hace posible la conformación de una dinámica de competencia interpartidaria entre gobierno y oposición, que alcanza un progresivo equilibrio. De este modo se conecta dicho proceso con la generación de condiciones para la emergencia y consolidación, nuevamente partidista, de un progresismo autónomo; esto es, ni antiperonista ni neoperonista. También él una novedad política e institucional.

1. 4. Los desafíos de la competencia política abierta: la sucesión y la alternancia

En los parágrafos anteriores describimos cómo los partidos políticos tradicionales, y sobre todo el peronismo, sufrieron una fuerte remezón en sus identidades y recursos institucionales en la década del ochenta, y cómo a través de un complejo proceso de adaptación lograron retener o recuperar sus capacidades de representación e intervención en los asuntos públicos. En cierta medida, como consecuencia de este proceso, se han consolidado algunos de sus roles fundamentales. La competencia interpartidaria también se ha visto afectada por estos cambios, e incluso experimenta un proceso de recomposición y fortalecimiento durante los últimos años. A ella nos referiremos en este punto.

El dato más significativo de la consolidación de la competencia interpartidaria es su reconocimiento como fuente primaria de legitimidad y mecanismo básico de acceso al poder y selección de ofertas políticas. Que está directamente relacionado con su eficacia para formar y cambiar mayorías y gobiernos. Ya la elección de 1983, en virtud de su carácter fundacional, pero también de su resultado, dejó en evidencia la novedad de esta situación: a diferencia de lo que había sucedido en las cuatro décadas anteriores, la puja electoral brindaba resultados no predeterminados por proscripciones o hegemonías preestablecidas, que eran aceptados por todas las partes como legítimos. Esta situación se repitió en todos los turnos electorales desde entonces, y no se modificó con el acceso del peronismo al gobierno. Incluso se perfeccionó con el tiempo. Una vez superados los conatos de golpe que se sucedieron entre 1987 y 1990 (la "amenaza militar" se desactiva definitivamente tras la represión a los "carapintadas" a fines de 1990), y relegados los sindicatos a un rol subordinado, mejoraron las condiciones para una sólida y dinámica competencia intra e interpartidaria. Que ya no está sujeta, como antaño, a la alternativa de moderarse para evitar la capitalización corporativa de sus enfrentamientos, con lo que se volvía irrelevante, o bien intentar canalizar dichas luchas corporativas, con lo que tendía a tornarse antagónica e ingobernable. Como dijimos, la conformación de una opinión pública cuyo comportamiento electoral no está predeterminado por identidades y lazos de pertenencia partidarios, rasgo que también se profundiza en los noventa, es un factor que colabora en este mismo sentido, e incentiva la competencia interpartidaria, pues en ella se define ahora efectivamente la formación de consensos y la distribución del poder político.

La estabilidad política y económica también favorece la competencia interpartidaria. Se ha dicho que, a medida que las instituciones democráticas se consolidan, y más aún a partir de 1991, cuando se establece un marco de estabilidad económica, las diferencias entre los partidos tienden a disolverse y se impone un "consenso difuso" (Cheresky, 1995) de naturaleza tecnocrática, en la sociedad y en la dirigencia política, que hace que la lucha entre partidos pierda la potencia discriminante de otrora. Aun admitiendo el peligro de despolitización que afecta en verdad a todas las democracias contemporáneas, no puede ignorarse que en el caso argentino la estabilidad hace posible (sólo posible, pues no garantiza) una dinámica de competencia entre alternativas de política pública que poseen, todas ellas, cierta viabilidad, algo que no sucedía con muchas de las alternativas en disputa en el pasado. En este sentido, entonces, si bien los partidos compiten dentro de un marco de restricciones que limita el menú de cursos de acción posibles —compartiendo una serie de premisas de política macroeconómica, internacional o de otro tipo—, y se ven además obligados a moderar, hasta cierto punto, sus diferencias para captar un electorado independiente centrista o moderado que resulta decisivo para imponerse al adversario, la productividad en términos de alternativas de políticas públicas que posee esta competencia electoral puede ser tan o aún más significativa que la que existió cuando se enfrentaban fuerzas políticas marcadamente antagónicas. Esta posibilidad comienza a hacerse más visible sobre todo en los últimos años, a medida que tiende a desactivarse el discurso tecnocrático que impuso el gobierno de Menem para identificar su política económica con la preservación de la estabilidad y del orden social y político, en el que ciertamente la amenaza de la despolitización era tangible.

Otro argumento utilizado para relativizar los alcances y la relevancia efectiva de la competencia entre partidos, y que está vinculado con lo anterior, es el que llama la atención respecto del peso que adquieren en las decisiones gubernamentales los intereses de los grupos empresarios, los *lobbies* y los capitales financieros concentrados en un contexto de globalización de la economía como el que experimentó Argentina en los últimos años. En la medida que el veto del *stablishment* empresario o la opinión desfavorable de los formadores de decisiones de los grandes grupos de inversión pueden hacer que un curso de acción sea completamente inviable, y que suceda lo inverso, es decir que una acción de gobierno se torne inevitable si es reclamada por estos actores, independientemente de qué partido esté en el gobierno, bien podría concluirse que a la competencia interpartidaria le queda poco margen para influir en el curso de las políticas públicas. Si las decisiones fundamentales son tomadas independientemente de las preferencias que se formen en los partidos, y a éstos les resta un estrecho margen que corresponde a la posibilidad de operar variaciones mínimas dentro de los marcos u orientaciones preestablecidos por parte de estos intereses, entonces puede decirse que efectivamente se ha producido un vaciamiento de la lucha entre distintas fuerzas políticas. En ese caso, su estabilización estaría expresando la pérdida de toda diferencia sustantiva entre caminos alternativos. Este problema pone en el tapete los cambios producidos en la relación entre política y economía en la última década, y merece un tratamiento detenido. Sin embargo, para poder realizarlo debemos dar cuenta primero de la dinámica concreta de competencia interpartidaria y de los valores, intereses y cursos de acción efectivamente en juego en ella. Por lo tanto, dejamos ahora esta cuestión apenas esbozada para volver sobre ella cuando nos refiramos a la relación entre centroizquierda y mundo empresario y a la diferencia política que ella ha planteado frente al menemismo, y la que está en condiciones de plantear en el futuro inmediato (capítulos 4 y 5).[13]

Volviendo a nuestro argumento, digamos que el rasgo más peculiar de la dinámica de competencia entre partidos establecida en la última década es que se desarrolla en un doble registro, en el interior del PJ, que busca actuar a la vez como "partido del orden" y "partido del cambio", generando permanentemente su propia oposición, y entre el PJ y los otros partidos. Analizaremos a continuación estas dos dimensiones.

El peronismo, en tanto coalición populista, ha demostrado su capacidad para combinar desde el poder dos lógicas de representación: una expresiva y una gubernativa. Es decir, ser a la vez la voz de la sociedad ante el estado, y la voz del estado ante la sociedad. La amplia representatividad social que provee la coalición populista es la base de sustentación de la primera. Dicha representatividad no se vio mayormente afectada por el cambio de relación entre los sindicatos y el partido, ni por el giro en las políticas de gobierno en dirección a las reformas promercado. La coalición populista de intereses se redefinió, incluso sufrió algunas deserciones, pero no desapareció.[14] Más aún: ha incorporado nuevos actores relevantes, incrementando su representatividad gracias a la alianza estratégica establecida con el *stablishment* empresario. Si bien el proceso de institucionalización partidista y la nueva orientación gubernativa generó un cierto distanciamiento entre la expresión de intereses particulares y las instancias de toma de decisiones políticas, dando lugar a una amplia gama de desarrollos organizativos (sindicales, barriales, etc.), manifestaciones de protesta (como fueron las movilizaciones de las coordinadoras regionales de gremios opositores a las reformas, los estallidos sociales, etc.), y recursos de intermediación (el recurso a partidos de la oposición es el más significativo), todos relativamente autónomos del peronismo, ninguno de ellos puso en jaque por sí mismo la continuidad de la coalición electoral y de intereses que sostuvo al PJ en el poder durante estos años (retomaremos esta cuestión en el próximo parágrafo).

En cuanto a la segunda lógica de representación, la gubernativa, ella resulta de la identificación del peronismo con el "interés general" o el "destino histórico de la nación", así como de su vínculo privilegiado con el aparato estatal. Este vínculo es, por un lado, simbólico, porque el peronismo se ha considerado a sí mismo históricamente como el fundador y *alma mater* del estado argentino. Y por otro, actual y efectivo, porque buena parte de los sindicatos de empleados públicos y de la burocracia de funcionarios participa todavía de la coalición populista y de una "cultura justicialista", pues existe una suerte de "afinidad estructural" entre sus lógicas de funcionamiento y reproducción y el populismo peronista (dicho más claramente: entre los instrumentos formales e informales que se necesita poner en juego para hacerlo funcionar y el *know how* que, quien más quien menos, tiene incorporado todo político peronista). La crisis del estado ampliado y su reconversión por el menemismo no han implicado la ruptura de estos vínculos. Todo lo contrario, la identificación del peronismo como "el único partido que puede gobernar el país" se ha visto reforzada por la incorporación de una nueva "tecnocracia" afín en la administración de Menem, y por la eficacia demostrada por ella para llevar adelante sus decisiones reformistas.

En resumen: esta doble condición de representante privilegiado de la sociedad y de representante natural del estado se habría conservado, al menos en cierta medida, pese a la crisis y a la "solución" que a ella le dio el gobierno menemista. Incluso, la política de Menem podría entenderse como el esfuerzo por acomodar el peronismo y los cambios que debían operarse en el estado, la economía y la vida social para que siguiera vigente esa doble representación populista, garantizando al PJ el papel de partido predominante en la nueva situación que resultaría de las reformas.

Ello es importante, porque fue esta doble representación la que le permitió al peronismo en el pasado actuar a la vez como gobierno y oposición. Históricamente el movimiento reunió en su seno expresiones política, sectorial e ideológicamente tan variadas y tan fuertemente enfrentadas, que agotaban las posibilidades imaginables de oferta política. Desde los tiempos de la Resistencia, a partir de 1955, cuando Perón puso en marcha su estrategia de "alas", y con mayor virulencia aún durante su último gobierno desde 1973, esto dio lugar a violentos conflictos internos. Aun cuando en los ochenta estos conflictos fueron mucho menos explosivos porque la distancia entre los extremos de la gama de ofertas era mucho menor que antes, el "abanico peronista" parecía seguir reuniendo todavía facciones capaces de cumplir los roles de todas las fuerzas presentes en la vida política y de ser voceros de todo el arco de intereses organizados. Desde la derecha nacionalista, pasando por la ortodoxia neoliberal (recordemos la temprana incorporación de Cavallo a la renovación), hasta el desarrollismo industrialista, las propuestas medianamente avanzadas de redistribución social e incluso la izquierda radicalizada, y desde el empresariado concentrado a los sectores marginales, pasando por los pequeños y medianos empresarios, los trabajadores sindicalizados y amplios sectores medios y profesionales, el peronismo parecía poder seguir reuniendo en su seno a todos los componentes del ahora muy moderado y "centrista" arco de propuestas políticas argentinas y del cada día más heterogéneo mundo social. Fue así como el peronismo, una vez que comenzó a superar su crisis interna, se convirtió en un adversario formidable para el gobierno de Alfonsín, pues podía disputarle simultáneamente el respaldo de todos los sectores sociales y acorralarlo tanto por "izquierda" como por "derecha".

Sin embargo, ésta era ya una competencia esencialmente de partidos. A pesar del uso electoral (muy exitoso por cierto) que hizo el peronismo de esa modalidad populista, se estaba produciendo una transformación decisiva en su institucionalidad y su orientación política, que con la gestión de Menem se profundizaría y se haría cada vez más evidente. Más allá de las continuidades recién descritas, aparecieron, entonces, límites patentes y muy difíciles de superar para que el peronismo pudiera desplegar las piezas del "abanico populista" con la misma efectividad que antaño, y aun para que pudiera contener en su interior la totalidad de las ofertas políticas disponibles y la totalidad de los componentes sociales de su coalición.

Esta situación se hizo patente en el desarrollo de la oposición partidista, pero tardó en tener un efecto demostrativo en la vida interna del PJ. Guarecidos tras los contundentes resultados electorales, muchos peronistas, sobre todo —pero no únicamente— los reacios a sumarse de modo militante al menemismo, siguieron haciendo el juego del "abanico populista", con mayor o menor desenfado según la permisividad del gobierno y con más o menos aspiraciones según el poder interno y el consenso que tenían o esperaban obtener. Nacionalistas de variado pelaje, sindicalistas más o menos afectados por las reformas, militantes barriales o incluso funcionarios nostálgicos de las virtudes del "peronismo histórico" y toda una amplia gama de dirigentes y grupos justificaba en términos del populismo clásico —que aludían a la no menos clásica amplitud del movimiento—, su permanencia en el peronismo, porque ya le llegaría la hora a la facción correspondiente de llevar a la práctica la propia interpretación del "ser peronista".

Fue a partir del conflicto por la sucesión presidencial, que enfrentó en 1995 a Carlos Menem y Eduardo Duhalde, que se generaría la evidencia indisimulable de la nueva situación partidaria. Este conflicto, en su desarrollo y en las opciones frente a las que colocó a cada uno de estos líderes, nos muestra, por un lado, el acotamiento a que fue forzada a adecuarse la coalición populista tras ser organizada dentro de la forma partido; y por otro, la eficacia de una oposición partidaria de centroizquierda para evitar el desplazamiento competitivo de una de las facciones peronistas en pugna dentro de su espacio político, con lo que se reforzó aún más la lógica partidaria de los alineamientos y la competencia. Nos referiremos ahora principalmente a la primera de estas dimensiones y discutiremos la segunda en el parágrafo 3.2.

A fines de 1995, Duhalde anuncia oficialmente su intención de ser candidato a presidente por el justicialismo en 1999. En ese momento la imagen de Menem estaba decayendo en forma sostenida, porque se había agudizado la crítica percepción colectiva del desempeño gubernamental en torno a dos ejes: los problemas sociales generados por las reformas promercado (desocupación, aumento de la pobreza y la exclusión, inseguridad, etc.) y los vinculados al abuso de poder (la corrupción, la connivencia con mafias, la no sujeción de los gobernantes a la ley). Duhalde debió profundizar en lo sucesivo una estrategia que ya había venido cultivando desde años antes: intentar diferenciarse lo más posible del Presidente y sus políticas y estilos de gobierno. De este modo buscó reemplazar a la oposición partidaria en la crítica a los costos sociales de las políticas neoliberales y en la adhesión fervorosa a políticas redistributivas y desarrollistas. Puede decirse que tuvo un relativo éxito inicial en este cometido, porque mientras Menem recibía apenas un 15% de adhesión desde mediados de 1996, el gobernador retuvo entre un 35 y un 40% de respaldo en su provincia y más del 20% de intención de voto a presidente. Además, logró extender su influencia en el partido, apuntando a conformar una nueva mayoría interna: reunió a muchos de los sectores disconformes con el gobierno nacional, consolidó su control del PJ bonaerense, y conformó de este modo un polo predominante en el bloque de diputados nacionales y en el congreso nacional partidario.

Pero no tardaron en surgir problemas en este proceso de diferenciación. En primer lugar, surgieron dificultades por los condicionamientos que imponía la situación económica y los compromisos asumidos por el gobierno y el partido en la propia coalición oficial. En contra de las intenciones del gobernador, no era mucho lo que él podía ofrecer como alternativa a las orientaciones menemistas sin poner en riesgo, o al menos enajenarse, la bandera absolutamente central para reivindicar la eficacia gubernamental del peronismo y la estabilidad económica. Y algo no muy diferente sucedía en relación con la coalición de apoyo trabajosamente armada por Menem. El *stablishment* empresario y los formadores de opinión no tardaron en reclamarle definiciones más claras respecto de si estaba a favor o en contra de las reformas y del programa en marcha. En el duhaldismo se especulaba con la posibilidad de conformar una coalición distinta a la menemista, con una presencia sustancialmente mayor de los sindicatos, los pequeños y medianos empresarios, etc. Sin embargo, Duhalde consideró que esta alternativa no estaba libre de los riesgos recién aludidos y tenía pocas probabilidades de madurar. La opción que le quedaba entonces era renegociar los términos en que cada sector participaba de la coalición existente. Pero pronto encontró que para tener éxito en esa tarea necesitaba el aval del partido; es decir, su reconocimiento como candidato oficial. Y Menem creó todos los obstáculos posibles para abortar ese cometido: promovió candidatos alternativos y utilizó el poder y los recursos del gobierno nacional para evitar el alineamiento de los gobernadores, los sindicatos y otros factores de poder interno con su adversario. Podemos decir que, al menos hasta fines de 1997, se salió con la suya.[15]

En segundo lugar, a pesar del éxito relativo que alcanzó en su diferenciación de cara a la interna del partido, ella no tuvo resultados similares para la ocupación del espacio de la oposición partidaria. En este terreno las dificultades fueron aún mayores porque el duhaldismo no fue capaz de crear credibilidad en los aspectos en que era más fuertemente criticado el gobierno nacional y el liderazgo de Menem: la manipulación de la Justicia, la concentración de poder en el Ejecutivo, la corrupción y la vinculación con negocios mafiosos. Es patente que, a raíz de ello, el peronismo no consiguió extraer de su seno la pieza del abanico necesaria para neutralizar a la oposición más dinámica, la de centroizquierda, y que incluso perdió la capacidad que había demostrado tener hasta 1995 de acorralar sistemáticamente al radicalismo. Evidentemente, dado que el peronismo conservaba al menos en parte su reputación populista, podía ser más o menos creíble en el terreno de las compensaciones sociales a las reformas promercado: la promesa de que después de Menem, o incluso en algún momento de su gestión, se abriría la "etapa social" fue un argumento que se echó a rodar en forma reiterada, y con cierto éxito, tanto para contener a los descontentos del partido, como para atender la demanda del electorado en este sentido. Pero no sucedía lo mismo con lo que llamaremos la "cuestión republicana": las demandas de honestidad, transparencia, control de la arbitrariedad de los funcionarios, seguridad personal y Justicia independiente quedaban completamente fuera del alcance del peronismo. Es esto lo que limitó más severamente la efectividad del juego peronista de ser gobierno y oposición al mismo tiempo.[16]

La conclusión que cabe extraer de esta situación es que, si bien la coalición y la política populista siguen teniendo potencialidades para articular lo diverso, la transformación en estos años del peronismo en un partido de gobierno ha implicado un acotamiento de esa potencia populista a los marcos de la competencia interpartidaria. El antinstitucionalismo que acompañó al peronismo desde su origen, asociado a un modelo de integración y movilización política de las masas antipartidario y antintelectual y a un fuerte antagonismo político-social, le permitía desresponsabilizarse de los resultados de sus propios actos de gobierno. Y al mismo tiempo podía encontrar siempre dentro del "abanico populista" una alternativa a sí mismo. Ahora, en el contexto de la estabilidad y las instituciones democráticas consolidadas, la competencia electoral incluye, como uno de sus componentes fundamentales, la atribución de responsabilidades por éxitos y fracasos de las políticas de gobierno. En ese nuevo contexto, y una vez convertido en un partido de gobierno que cuenta con el respaldo de los sectores más concentrados de la economía y de la elite técnica e intelectual neoliberal, el PJ ya no puede adoptar fácilmente esa actitud antielite, o invocar el poder regenerador y virtuoso del pueblo para sucederse a sí mismo. Ello implica una mayor rigidez y un menor grado de apertura para expresar corrientes heterogéneas de pensamiento y acción, proporcionales a los mayores compromisos con una orientación de políticas públicas y con los resultados de una gestión, que son difíciles de disimular. En resumidas cuentas: por el mismo motivo que no puede abarcar todas las ofertas en la competencia con otros partidos, es tributario del éxito y también dependiente de los compromisos y deudas atribuibles a las ofertas de las que se hace cargo.

El desarrollo experimentado por la oposición política en los últimos años parece reflejar estos límites que encuentra el peronismo para abarcar todo el campo político. Éste es, en especial, el caso de la nueva coalición de centroizquierda, el FREPASO. La posibilidad efectiva de desarrollo de una alternativa progresista autónoma del peronismo resulta ser, en este sentido, otra de las consecuencias no deseadas de la estrategia de reformas estructurales y de transformación del peronismo llevada a cabo por el menemismo.

Como ya adelantamos, la UCR sufrió una fuerte crisis durante la primera gestión de Menem. Ella estuvo motivada por el descrédito en que cayó el gobierno de Alfonsín en sus últimos dos años, la responsabilización de éste por la hiperinflación y sobre todo las dificultades que encontraron a partir de 1989 los radicales para adoptar una posición unificada y consistente de oposición (Palermo y Novaro, 1996). Menem estaba instrumentando las reformas que había propuesto aplicar Alfonsín en los últimos años de su gestión y, con más entusiasmo, el candidato radical para sucederlo en 1989, Eduardo Angeloz. Lo hacía con una cuota de discrecionalidad, corrupción y concentración de la economía mayor que la esperable de los radicales. Pero de todos modos resultaban poco creíbles las críticas furibundas que le dirigían los alfonsinistas al respecto, mientras el sector angelocista expresaba su beneplácito y negociaba abierta o solapadamente apoyos por recursos con el gobierno nacional. Estas disidencias, y las derrotas de 1991 y 1993, provocaron la progresiva autonomización de los caudillos locales. Los gobernadores radicales de Córdoba, Catamarca, Chubut y Río Negro, así como los intendentes municipales (durante esos años la UCR retuvo varios cientos de municipios, incluidos los de muchas capitales de provincia), encontraban más racional limitarse a la política local y desentenderse de los problemas nacionales, lo que les permitía reunir apoyos en sus distritos que no tenían un correlato para el partido en el país, y a la vez les evitaba enemistarse con el gobierno nacional o con los gobernadores peronistas, de quienes requerían sostén financiero y el aporte de las políticas públicas para sobrellevar la crisis y el ajuste.

Esta situación llegó al extremo cuando los gobernadores radicales y otros líderes locales manifestaron su conformidad con el proyecto oficial de reformar la Constitución para habilitar la reelección de Menem. El peligro de una fractura tal vez irreversible que podría resultar de la concreción de esos apoyos fue una de las motivaciones de la decisión de Alfonsín de firmar el Pacto de Olivos en el que se concertó la reelección de Menem, decisión que condujo a una más profunda caída electoral y a la fuga de votos y dirigentes hacia el Frente Grande primero y hacia el FREPASO en los años siguientes. De todos modos, esto no impidió a la UCR continuar desarrollando con relativo éxito su estrategia distrital. Retuvo cuatro gobernaciones en las últimas elecciones generales de mayo de 1995, sumó la del Chaco en alianza con el FREPASO y logró imponerse en las elecciones para jefe de gobierno de la Ciudad de Buenos Aires en 1996. Además, a fines de 1995 la UCR renovó su conducción nacional y aventó el fantasma de su descomposición. La crisis y las derrotas por un lado, y la parcial recomposición por otro, fueron condiciones básicas que le permitieron redefinir su estrategia (inéditamente, entrar en alianzas electorales a nivel nacional) y estar en condiciones de hacerlo sin descomponerse (las rebeldías ante la alianza concertada en 1997 fueron pocas y consistieron tan sólo en abstenciones, nuevamente distritales, de acompañarla).

El FREPASO, la coalición de centroizquierda, se conformó en 1995, como resultado de la convergencia del Frente Grande, nacido sólo tres años antes, la Unidad Socialista y otros agrupamientos menores. Es fruto de la convergencia de grupos disidentes de los dos partidos tradicionales, pequeños partidos de izquierda y centroizquierda (la Democracia Cristiana, el Partido Intransigente, la Unidad Socialista, sectores del antiguo Partido Comunista, etc.), y una amplia gama de dirigentes y cuadros provenientes de diversas experiencias de militancia social e intermedia. Se trata de una fuerza con escasa organización y presencia territorial, que funda su éxito básicamente en el prestigio de un puñado de dirigentes con una gran eficacia comunicacional: Carlos "Chacho" Álvarez y Graciela Fernández Meijide, fundamentalmente. Tanto en la campaña electoral de 1994 como en la de 1995, la receptividad de los medios de comunicación y, a través de ellos, de un sector de la opinión pública al discurso opositor de los dirigentes de esta corriente fue decisiva para su éxito en las urnas. A ello colaboró también la demanda de una oposición progresista y republicana en momentos en que la UCR parecía haber abandonado, o al menos no estar ya en condiciones de cumplir con un mínimo de eficacia, un rol opositor afirmado en ese terreno.

La presencia de esta tercera fuerza ha tenido una influencia notable sobre el sistema de partidos y en especial sobre la competencia interpartidaria. En primer lugar ha forzado la renovación de planteles dirigentes y la revisión de políticas y estrategias de los partidos tradicionales, en especial del radicalismo. Y, además, abrió la puerta a la formación de coaliciones de gobierno y a un juego más abierto de competencia y colaboración entre partidos, algo que era inimaginable en el bipartidismo anterior. Un antecedente en este sentido han sido los acuerdos a nivel provincial entre radicales y frepasistas para formar gobierno en Catamarca, y más recientemente en el Chaco. Por lo mismo, la presencia del FREPASO ha estimulado el debate público y la colaboración parlamentaria, lo que se observa en el pacto implícito vigente desde 1995 entre radicales y frepasistas para actuar como bloque opositor. La formación de la Alianza por el Trabajo, la Educación y la Justicia en agosto de 1997 confirmó esta nueva situación y significó un cambio fundamental en el escenario político argentino (analizaremos este acontecimiento en el capítulo 3).

Contra estos "efectos benéficos" se ha argumentado que una tercera fuerza, que carcome además principalmente las bases electorales del radicalismo, fragmenta la oposición y favorece indirectamente la consolidación del PJ como partido hegemónico (Adrogué, 1995). Este argumento merecería una discusión. Las dificultades que enfrenta la UCR no son resultado sino causa (aunque no la única) del rápido crecimiento del FREPASO, y ya desde las elecciones en Capital Federal de octubre de 1995 existen indicios elocuentes de que el PJ puede ver también afectado su sustento electoral por la competencia que le plantea el Frente. De todos modos, admitamos que las fuerzas opositoras enfrentan graves dificultades para disputar el poder al peronismo a nivel nacional. Las del radicalismo provienen de la dimensión del salto que debe dar un dirigente local, incluso el de una provincia o distrito importante como son Córdoba o la Capital Federal, para transformarse en una figura nacional cuando se carece de un partido unificado a nivel nacional. Las que enfrenta el FREPASO obedecen a la distancia existente entre la disposición de apoyo electoral y la adquisición de toda otra gama de recursos políticos, técnicos, organizativos y estratégicos. Puede decirse, con todo, que la oposición partidaria, a partir de la conformación de la Alianza, ha dado muestras de poder superar estos desafíos, y se encuentra hoy en una situación infinitamente mejor que la condición de marginalidad o exclusión que vivió en años pasados o durante otros gobiernos peronistas. Las dificultades que enfrenta pueden compensarse, entre otros elementos, con las ventajas que ofrece el contexto de estabilidad a una competencia interpartidaria más abierta, la posibilidad cierta de formar una coalición de mayorías alternativa y sólida, la aptitud para actuar sobre los desprendimientos y las debilidades de la coalición oficial, la mayor experiencia de gobierno con que cuenta —en particular el radicalismo— en comparación con lo que sucedía en 1983.

En un reciente trabajo, Mark Jones ha planteado una posición diametralmente opuesta a la aquí sugerida, sosteniendo que la tendencia actual de la Argentina hacia el multipartidismo, "de continuar, afectará el funcionamiento futuro del sistema democrático de nuestro país" (Jones, 1997). Más aún, afirma que "la mayor amenaza institucional para el adecuado funcionamiento del sistema democrático es la declinación del bipartidismo".[17] Su argumento es que los presidentes necesitan mayorías legislativas para poder gobernar, y de existir más de dos partidos, en el futuro los jefes de estado tendrán dificultades para obtener esas mayorías. En cierto sentido, se trata de una obviedad: mientras más partidos tengan representación parlamentaria, menos diputados tendrá cada partido y será más difícil que uno de ellos tenga mayoría absoluta. Ahora bien, concluir de ello que el "resultado serán crecientes dificultades en la gobernabilidad y una mayor probabilidad de inestabilidad política y económica" es no sólo arriesgado sino también simplista. Jones parece ignorar que, más que el número de partidos, lo que importa es la capacidad de representación, la eficacia gubernativa, el compromiso con las instituciones y la moderación de la competencia entre ellos. Y que, finalmente, es la posibilidad de formar mayorías consistentes lo que permite a un presidente gobernar, sea con un partido o con una coalición de partidos (la misma experiencia de Menem así lo demuestra). Jones también desconoce el hecho de que ya antes de la aparición del FREPASO el así llamado "sistema bipartidista" estaba en dificultades, y que esas dificultades se originaron en la profunda crisis de gobernabilidad que puso fin a la gestión de Alfonsín y se agudizaron por la vocación hegemónica demostrada por el gobierno de Menem.[18] Resulta muy difícil de sostener el argumento según el cual habría existido entre 1983 y 1995 un sistema bipartidista eficaz y sólido que entró en crisis por la emergencia de un tercer partido. Más bien sería razonable pensar lo contrario. Incluso sería posible discutir que en algún momento haya funcionado como tal un "sistema bipartidista". El tema del bipartidismo tuvo su auge entre 1987 y 1988, en medio del proceso de recuperación del peronismo impulsado por la renovación. Se describía en esos términos el sistema de partidos que se estaba conformando en virtud de la polarización de las tendencias electorales y la ausencia de un tercer partido con posibilidades de acceder al poder (Catterberg, 1989). Sin embargo, diez años después podemos decir que sería conveniente revisar aquella caracterización a la luz de las fuertes crisis que experimentaron los dos partidos nacionales históricos, primero el peronismo y después el radicalismo, a la ausencia de antecedentes históricos de un juego de competencia y alternancia entre ellos, y al hecho de que ese juego se haya podido estabilizar sólo a partir de, y en la medida en que aparece una tercera fuerza nacional competitiva con ellos. Entre 1983 y 1995 ha existido más bien un sistema de partidos en tránsito, no consolidado, que tiende justamente a consolidarse, no a debilitarse, a partir de la emergencia de una tercera fuerza que los partidos históricos no pueden absorber. Por último, lo más llamativo es que Jones desconoce la posibilidad de que, siguiendo la tendencia ya iniciada por Menem, se formen coaliciones de gobierno pluripartidarias; así como el hecho de que ello permitirá, en el contexto argentino, la alternancia en el poder, condición básica de todo régimen democrático que, hasta la emergencia del FREPASO, parecía estar bloqueada (volveremos sobre este tema en el parágrafo 4.3.).

El régimen político argentino se enfrentará en lo inmediato a una prueba decisiva para ratificar su solidez democrática: la alternancia en el poder desde el peronismo a un presidente de otro signo. Si bien el cambio de manos de la presidencia registrado en 1989 implica un paso significativo hacia la consolidación democrática, más aún considerando que en la historia de este siglo nunca se había producido un hecho comparable, el problema de la alternancia permanece aún en parte irresuelto (Cheresky, 1990). En primer lugar, aunque la relevancia de una sucesión presidencial democrática con un cambio de partido gobernante no se empaña por las circunstancias que lo acompañan, lo cierto es que éstas fueron las de una crisis de gobernabilidad y una transferencia irregular (traspaso del mando anticipado) motivadas en gran medida, precisamente, por la incertidumbre que generó el mismo cambio de signo del gobierno. En segundo lugar, porque no se satisface aun el test democrático que adeuda el peronismo: su disposición a competir con otros partidos en pie de igualdad, aceptar desde el gobierno una derrota en una elección presidencial y abandonar el poder sin que ello afecte la estabilidad institucional. Y lo mismo podría decirse de la sucesión del liderazgo dentro del propio partido: un líder peronista en el poder debe aún demostrar que puede aceptar su reemplazo. Jamás, hasta ahora, un presidente peronista en ejercicio entregó el poder a otro presidente elegido democráticamente (Perón fue reelegido en 1951 y Menem en 1995).

Uno de los grandes desafíos de la política argentina en los próximos años es, por lo tanto, poder procesar los conflictos que supone para el actual Presidente (y también para su entorno más inmediato) resignarse a abandonar el poder, tanto en manos de un posible sucesor peronista, como sería en el caso de que Duhalde u otro aspirante accediera a la candidatura y se impusiera en 1999, como en las del de otro partido. Una fuerza como el peronismo, vertebrada desde la cúspide del gobierno nacional, que se mantiene unida y activa en buena medida desde el estado, puede encontrar que la sucesión, y más aún la alternancia, significan una verdadera amenaza a su existencia. Sin embargo, contra esta disposición existe una experiencia que indica que el peronismo sobrevivió ya fuera del gobierno, en el cuadro de un régimen constitucional en funcionamiento (entre 1983 y 1989). Esta experiencia histórica con que cuenta la dirigencia peronista, que no poseen partidos de gobierno o fuerzas populistas de otros países, puede inducir una mayor disposición a procesar pacíficamente estas difíciles pruebas.

1. 5. Política y sociedad. Las protestas sociales y la representación partidaria

La articulación entre sistema político y sociedad civil ha sufrido también fuertes cambios en los últimos años. En principio, porque se han desactivado las organizaciones de masas de los partidos, la militancia política se profesionalizó o dispersó, y el interés de los ciudadanos en general por tomar parte en actividades político-partidarias parece haber disminuido también sensiblemente, en particular a partir de las postrimerías del gobierno de Alfonsín. En Argentina sigue existiendo una muy alta proporción de afiliados a partidos en relación al total de padrón electoral (alrededor con el 38%), pero lo cierto es que muy pocos de esos afiliados, tal vez no más de 20 o 30%, participan de las internas partidarias. Los partidos tienen grandes dificultades para movilizar a sus adherentes a actos masivos. En sus locales barriales se realizan actividades que tienen poco que ver con la formación de militantes y dirigentes, la selección de dirigentes, la discusión de políticas públicas. En general estas tareas se han profesionalizado, al mismo tiempo que la base partidaria se ha ido "despolitizando".

A ello se suma la creciente fragmentación del mundo social. Las condiciones en que cada sector organiza su representación de intereses son muy heterogéneas, y por lo tanto también lo son sus vínculos con la política. Por un lado, los sindicatos sufren un marcado proceso de debilitamiento, debido principalmente a las transformaciones económicas registradas en las últimas dos décadas, entre las que se destaca la informalización de las relaciones laborales. Por otro, los *lobbies* y grupos de presión empresarios establecen vínculos con la política sólo parcialmente públicos y muchos de ellos poseen acceso directo a los ámbitos de toma de decisiones. En muchos casos ni siquiera se trata de una representación sectorial, sino que cada grupo empresario expresa y negocia sus propias demandas (por ello algunas organizaciones empresarias sufren, aunque con una intensidad menor, los mismos problemas de relegamiento y fragmentación de sus bases que los sindicatos). En cuanto a los votantes en general, es significativo el peso que adquiere en la toma de decisiones el estado de ánimo de la opinión pública, interpelada en forma permanente por los medios de comunicación y auscultada periódicamente por los sondeos, utilizados como unidad de medida para legitimar las más diversas decisiones gubernamentales.

El heterogéneo mundo social es, como vemos, interpelado e integrado a través de mecanismos muy diversos, que son articulados desde el vértice del poder gubernamental por liderazgos personalistas. Estos liderazgos, por lo tanto, se enfrentan a la permanente amenaza de la dispersión de la coalición de intereses en que se sostienen, y no pueden confiar su conservación a las "solidaridades orgánicas" tradicionales ni a una armonía natural y espontánea. Por ello, sus roles como representantes políticos y como decisores adquieren fundamental importancia y deben ser muy activos. La novedad de esta situación radica, fundamentalmente, en que la política se legitima por su eficacia cotidiana. Si bien existe una disposición más "pasiva" que en otras épocas de la sociedad respecto de la política, también encontramos que a través de distintos mecanismos, en distintos grados y con distinto éxito en cada caso, los actores sociales evalúan los resultados de la acción de los políticos y los partidos, y actúan en consecuencia.

La contracara de esta capacidad de juicio pragmático de la política es la fuerte dependencia que respecto de ella experimentan amplios sectores de la sociedad. En los casos en que la política provee la subsistencia diaria de las familias y las personas, es imposible hallar el juego entre oferta y demanda que tanto se ha criticado con la caracterización del "ciudadano consumidor".[19] Ejemplo de esta relación la encontramos en los planes de asistencia social. Ellos se instrumentan de modo clientelar en la mayor parte de los casos. En general no se conforman clientelas agregadas y competitivas, con organización autónoma, sino que básicamente se atiende a "los pobres". En ocasiones, incluso, los aparatos partidarios son mantenidos a distancia de la distribución de la asistencia, para evitar la previsible desviación de recursos, y la no menos previsible imputación de partidismo, apelando a un estilo de clientelismo de guante blanco. También es de destacar la presencia en los barrios populares de una densa red de organizaciones sociales, vecinales y religiosas que posee una difusa articulación con el aparato del PJ (y en menor medida con los otros partidos), pertenece a un espacio que podríamos llamar de "populismo cultural" y está vinculada clientelarmente a distintas instancias de gobierno (Le-

71

vitsky, 1997; Auyero, 1997). Como sea, estos vínculos clientelares suponen relaciones de fuerte dependencia y la ausencia de alternativas de acción a disposición de los clientes. Podrá discutirse la eficacia de dichos vínculos para determinar comportamientos políticos. Pero no puede obviarse el hecho de que extensas áreas territoriales y segmentos de la población son controladas por este tipo de mecanismos de politización.

Es de destacar que estos programas sociales no se legitiman en los propios vínculos clientelares, sino en intensas campañas de prensa en las que se refuerza la imagen de ejecutividad y eficacia de los jefes de gobierno (un modelo paradigmático es el Fondo del Conurbano Bonaerense manejado por Eduardo Duhalde). De este modo, dichas políticas permiten al presidente o a los gobernadores fortalecer sus vínculos de confianza con la heterogénea y dispersa masa empobrecida y con los votantes independientes que no pertenecen a organizaciones sectoriales ni expresan simpatías por los aparatos partidarios, y que constituye su principal sostén electoral. Sin embargo, al mismo tiempo esa legitimación pública del cientelismo puede convertirse en su talón de Aquiles: cuando surge un discurso y una oferta política, también públicos, capaces de cuestionar el sentido y la validez de esos vínculos, ellos pueden perder rápidamente eficacia.

Resta por considerar el papel de los sindicatos en todo esto. Ellos fueron relegados del rol de "columna vertebral" que cumplían en el peronismo, primero por la renovación y después por Menem. Al llegar a la presidencia, éste adoptó una estrategia de premios y castigos que le permitió incorporar a los sectores colaboracionistas y marginar a los opositores. El resultado fue, ya en 1990, la fractura de la Confederación General del Trabajo entre una fracción menemista (la CGT Brasil) y una disidente (CGT Azopardo), encabezada ésta última por quien había liderado los planes de lucha sindicales en la época de Alfonsín, Saúl Ubaldini. Aunque tiempo después la CGT se reunificó, perdió el monopolio de la representación gremial confederada nacional: entre tanto nació una central independiente del peronismo y expresamente pluralista en términos políticos, el Congreso de Trabajadores Argentinos (CTA), y al poco tiempo se agregó una tercera organización, el Movimiento de Trabajadores Argentinos (MTA). La CGT ya no pudo recuperar su rol tradicional como interlocutor privilegiado del gobierno, que había conservado aun durante los regímenes militares y las gestiones radicales entre 1955 y 1973 (y que, aun debilitado, logró recrear entre 1983 y 1989), lo que habla a las claras del declinante rol de las organizaciones sindicales en la coalición de apoyo del actual gobierno. Aunque esto no ha implicado, al menos no hasta este momento, una pérdida masiva de representatividad social del peronismo en ese sector.

Las transformaciones realizadas por el menemismo en la vida política provocaron, o más bien aceleraron, el debilitamiento de formas tradicionales de expresión de intereses y de control del poder. Y al mismo tiempo desarrollaron formas nuevas. Menem aprovechó la fragmentación y desagregación de los sindicatos para subordinar sus demandas en la agenda pública y desconocer sus derechos adquiridos. Y se basó en identificaciones individuales y personalizadas de los electores con su liderazgo, que le proveyeron un consentimiento relativamente autónomo de la mediación organizada de intereses, asociado a la satisfacción de demandas no agregadas, con escasa capacidad de converger en reclamos organizados. Así, la representación política, centrada en el líder y su partido, integra de modo selectivo ciertas representaciones sociales en desmedro de otras, relegando a las organizaciones sectoriales que, en general, pierden posiciones en la vida política y la atención gubernamental.

Estos cambios no pueden valorarse homogéneamente. En algunos aspectos implican avances importantes para la democratización de la sociedad. Como consecuencia de la fragmentación tendencialmente permanente de la central sindical, las fuerzas opositoras pueden hoy desarrollar vínculos más estrechos que en el pasado con los trabajadores y sus organizaciones. Mientras la base social peronista es hoy más genéricamente "pobre" que "obrera", los trabajadores sindicalizados, aunque no han perdido su identidad peronista, sí la han podido poner en duda o al menos relativizado, y pueden acercarse a nuevas experiencias políticas. La vinculación, no carente de tensiones, entre el CTA y el MTA y la coalición de centroizquierda es demostrativa de esta nueva situación y de sus potencialidades.

De todos modos, lo que se observa también es que, en el campo de la oposición, se repite el distanciamiento observado en el peronismo entre representación política y representación social. Prueba de ello es la tensa relación existente entre la protesta social y lo que podemos llamar la "oposición social al modelo", y la oposición política de los partidos. Al inicio de la gestión de Menem, una de las alternativas que intentaron el radicalismo y la izquierda, y que también interesó a los disidentes peronistas que formarían el FREPASO, fue incorporar a su estrategia de oposición a los sindicalistas disidentes —sobre todo los de las empresas públicas que se estaban privatizando— de los sindicatos de empleados públicos y los que habían formado coordinadoras gremiales en las provincias e impulsaban duros reclamos contra las reformas y la política menemista en general. Este intento fracasó junto con esas coordinadoras, muy rápidamente. Y, como veremos en el próximo capítulo, el crecimiento de la centroizquierda se desarrolló en una línea que progresivamente la llevó, no a desvincularse, pero sí a tomar distancia de las protestas gremiales.

A partir de entonces y hasta el final de la primera gestión de Menem la protesta social tuvo un desarrollo esporádico, con picos de alta intensidad y períodos de muy baja actividad, y se expresó principalmente en "estallidos", tumultos urbanos y movilizaciones repentinas masivas con algún contenido de violencia y sin una conducción política clara, incluso en ocasiones tampoco una conducción sindical o sectorial definida (véase al respecto, Farinetti, 1997). Estos estallidos se registran sobre todo en las capitales de provincia y en los centros urbanos que dependían de una empresa estatal, castigados particularmente por las privatizaciones, la disminución de los recursos fiscales y la crisis de las economías regionales. No se trata precisamente de movimientos sociales, dado su carácter efímero. Y en muchas ocasiones son más expresiones de violencia anómica que de reclamos radicalizados. Ocasionalmente producen como emergente espontáneo un liderazgo convocante, pero en estos casos se mantiene su carácter esencialmente "antipolítico". Como son motorizadas en su mayor parte por empleados públicos, suelen tener una raíz clientelar, y ser a su vez muy vulnerables a las ofertas de este tipo. Todo ello determina que sea muy difícil articular estas protestas con propuestas políticas de la oposición partidaria.

Nos encontramos así con una paradójica situación, en la que el oficialismo saca provecho de su eficacia para controlar los tumultos y movilizaciones, invocando a su vez, a la luz de éstos, la necesidad de profundizar sus políticas para superar el problema de las provincias y el estado en general, y consolidar el orden y la estabilidad (así sucedió en Santiago del Estero, en Tierra del Fuego y en otras provincias durante la primera gestión de Menem).

En resumidas cuentas: se advierte en este terreno que la representación política que monopolizan los partidos opera con una lógica y según una dinámica que no es siempre convergente con las expresiones y representaciones sociales, y lo es menos en los casos en que los actores sociales atraviesan fuertes procesos de desestructuración. En esos casos se cristaliza una penuria de articulación entre el estado y la sociedad, con riesgos de anomia y desestructuración.

Ello no impide que, al mismo tiempo, la expansión de la opinión pública y la misma inestabilidad de las redes clientelares den lugar a un espacio de competencia interpartidaria más abierto que el conocido en otras épocas. El ejercicio de un juicio atento a los resultados de la gestión y la acción pública de los líderes y los partidos constituye, en este sentido, el resultado de un aprendizaje y también de un desarrollo institucional. Es evidente que es posible juzgar sólo allí donde existen ciertas condiciones mínimas de autonomía. Pero también el contexto institucional, es decir, un mínimo funcionamiento de los poderes públicos, la transparencia de la competencia y la existencia de alternativas efectivas de poder que haga plausible la opción, y cierta experiencia acumulada respecto de los costos y beneficios que se derivan de diferentes formas y orientaciones de gestión pública, colaboran al desarrollo de comportamientos políticos orientados por el juicio de resultados. En infinidad de municipios y en muchas provincias estos factores han madurado y proveen condiciones especialmente favorables para el desarrollo de estrategias políticas atentas a los fines. También en la escena política nacional puede observarse una tendencia en esta dirección.

Notas

1 Para la misma interpretación desde el análisis económico, véase Dornbusch y Edwards, 1990.

2 Sobre el comportamiento de los sindicalistas, véase Murillo, 1994; y sobre el de los gobernadores, Gibson y Calvo, 1997; también Palermo y Novaro, 1996; sobre la evolución de la relación entre el Ejecutivo y el partido en el Congreso véanse por ejemplo Etchemendy y Palermo, 1997, y Llanos, 1997.

3 Dicho de otra manera, la elevada estatización del partido de gobierno, junto a la tensión en el seno del partido entre las tendencias a la resistencia y al apoyo de la conducción presidencial, que durante la gestión de Menem se reflejó muy fuertemente en las relaciones entre Ejecutivo Nacional, gobernaciones y Parlamento, supone un costo de transacción entre poderes y entre los líderes partidarios que afecta tanto la transparencia en el manejo de las finanzas públicas (el manejo de los cuantiosos fondos reservados y de los Aportes del Tesoro Nacional −ATN− a las provincias son ejemplos de ello), como la consistencia y eficiencia de las políticas de gobierno.

4 Poco más adelante, a la hora de discutir los rasgos básicos del populismo latinoamericano tradicional, Roberts señala: "En conclusión, la perspectiva política focaliza la atención en la desinstitucionalización de la autoridad política y la representación bajo el populismo, esto es, en la directa y paternalista relación entre líderes personalistas y sus heterogéneas masas de seguidores [...] Esta perspectiva es esencial para entender las nuevas formas de populismo en la América Latina actual, que a la vez aprovechan y aceleran la erosión de formas institucionalizadas de representación política en países como Perú" (Roberts, 1995).

5 En perspectiva expresamente latinoamericana, Kay señala que "Perú posee semejanzas con otros países que han tenido regímenes caracterizados por todopoderosos ejecutivos y sumisos legislativos, por partidos débiles y ascendentes castas de políticos entrenados en aprovechar la debilidad institucional para expandir sus bases de apoyo: Paz Estenssoro, Menem, Balaguer". Acto se-

guido, luego de caracterizar lo que denomina "Fujipopulismo" como resultado de dos procesos paralelos —un cambio radical en la estructura del estado y una concentración de los poderes decisorios en el Ejecutivo— Kay se refiere al "síndrome que un influyente ensayo sobre la democratización ha nombrado adecuadamente 'democracia delegativa'". Esta referencia analítica no puede dejar de evocarnos aquí a la del propio Roberts: "Fujimori gobernó con un estilo marcadamente autocrático, debilitando deliberadamente o eliminando controles institucionales sobre su autoridad y aliándose con los militares para neutralizar la única fuerza que podía amenazar a su régimen. De acuerdo con O'Donnell, tales formas autocráticas de autoridad, que él llama 'democracias delegativas', se encuentran en sociedades en las que las crisis económicas y las debilidades institucionales permiten liderazgos personalistas". Es llamativo (aunque no sorprendente) que una forma de interpretar los procesos políticos latinoamericanos encuentre su respaldo no en los análisis de esos procesos políticos caso por caso, sino en otras formas de interpretación (que disfrutan del prestigio y la autoridad que le dan sus autores). Cabe recordar al lector que O'Donnell considera emblemáticos de la democracia delegativa como "nuevo animal político" a Argentina (Menem), Perú (Fujimori) y Brasil (Collor).

6   Quizás el test más dramático en ese sentido fue el del "renunciamiento" de Evita a la candidatura a la presidencia de la república en 1952; desde ese punto de vista, el test fue ampliamente superado.

7   Este fue un resultado del proceso abierto a partir de octubre de 1945 y demoró unos años en madurar. De ningún modo fue una pauta que se impuso sin conflictos (para una reciente y muy clara exposición de las líneas principales de este proceso, véase Mustapic, 1996).

8   Dicho esto, debemos destacar el párrafo de Levitsky que expresa: "romper con normas establecidas (aun cuando estén debilitadas, desacreditadas y ampliamente combatidas) tiene costos, y esta fue una de las razones de la derrota de Cafiero/De la Sota. Muchos de los elementos más 'movimientistas', que habían sido marginados por el encorsetamiento del peronismo en un partido, optaron por Menem (Montoneros, Guardia de Hierro, Comando de Organización, políticos y sindicatos ortodoxos)". Ello da cuenta de una cuestión importante que marca diferencias entre el uso de las reglas por los "renovadores consecuentes" y Menem, haciendo patente que el proceso de institucionalización fue traumático y estuvo lleno de ambigüedades. En él la renovación paga costos muy altos por su "rigidez" frente a redes de normas/grupos internos que amenaza triturar, con los que Menem se reconcilia. Logrando la hegemonía de un principio de legitimación de última instancia, bajo el cual coexisten expresiones heterogéneas.

9   Uno de los principales indicadores que toma en consideración Levitsky para postular la escasa institucionalización es lo que considera una amplia brecha entre reglas formales partidarias y prácticas informales (siguiendo en ello a McGuire): pese a los esfuerzos de los renovadores para establecer procedimientos claros para elegir autoridades partidarias, en la práctica ellos fueron ignorados. Éstas no se eligen habitualmente en elecciones internas, sino por acuerdos entre notables que dan lugar a listas únicas, consensuadas luego en los congresos del partido. Pero en realidad éste no es un verdadero indicador de baja institucionalización, pues los procesos en que se constituyen "listas de unidad"

continúan teniendo a las reglas de la competencia partidaria interna por efectivo marco de referencia: es obvio que el proceso de negociación entre las fracciones está condicionado por la posibilidad de poner en práctica el mecanismo de las elecciones internas en caso de que una de las partes concluya en que los costos de la "unidad" son superiores a los costos de la competición abierta. Como explica Mustapic en el trabajo ya citado, "la organización de elecciones internas resulta costosa para los partidos políticos, tanto en términos monetarios como logísticos […] los dirigentes tratan de ponerse de acuerdo para presentar una sola lista […] éste es un procedimiento muy valorado no sólo por el PJ sino también por otros partidos". Por fin, el resultado fallido de la maniobra de José Octavio Bordón (que se explica en el punto 2.3.), muy diferente al de Antonio Cafiero cuando "salió-para-volver" en 1985, parece ser un indicio más del predominio desde fines de los 80 en el PJ de un sistema de reglas: las de la elección interna. Aunque su suerte final fue otra, también podemos contabilizar en este sentido las dificultades que halló el "Grupo de los ocho" en 1990 para hacer una oposición "peronista" radicalizada al gobierno de Menem, primero desde dentro y después desde afuera del partido (véase el parágrafo 2.1.).

10 Las elecciones internas de 1988, que definen la candidatura presidencial de Menem, muestran muy bien la nueva situación. Por un lado, el históricamente novedoso predominio de ciertas reglas, predominio que se corrobora cuando los perdedores —a la sazón al frente de la presidencia del partido— aceptan los resultados. Por otro lado, complementariamente, la puja interna fue en esencia entre peronistas de extracción político-partidaria: aunque Menem se alió con ciertas facciones sindicales, y Cafiero hizo lo mismo con otras, los sindicalistas simplemente apostaron las fichas a los políticos, mirando por encima del hombro de éstos lo que sucedía en la mesa de juego. Resulta difícil sostener, como hace Levitsky, que "una facción sindical, los '15' […] rápidamente devino la columna vertebral de la organización del menemismo".

11 No se trata ya de un liderazgo carismático "a la Perón", sino de un líder-con-carisma, carisma que se efectiviza no en un vacío institucional sino precisamente en una institución reglada.

12 La diferencia del caso argentino con el peruano comienza por las raíces históricas. Los elementos del populismo "clásico" latinoamericano en clave de creación de identidades y organizaciones (México, Argentina), son dimensiones que se escapan en gran medida en las discusiones de Roberts. Esa fortaleza identitaria y organizacional del populismo argentino, a diferencia del peruano, permite en parte entender lo que atinadamente Ana María Mustapic (1996) califica como un raro caso de rutinización-institucionalización de un movimiento carismático.

13 Conviene con todo advertir desde ahora contra la idea que se ha difundido últimamente según la cual durante el gobierno de Menem se impuso el predominio de los intereses y la racionalidad económica sobre la racionalidad y la lógica política. El discurso de la inevitabilidad económica y la racionalidad tecnocrática de determinadas decisiones responde ante todo a una estrategia política. Este tema es ampliamente discutido en Palermo y Novaro, 1996.

14 Algunos trabajos recientes cuestionan la permanencia de la coalición populista: a los ya citados en el parágrafo 1.2. cabe agregar Gervasoni, 1997.

15 Como hemos discutido en otro lugar, en esta actitud de Menem puede verse tanto el intento de obtener el apoyo del partido para habilitar en su favor una nueva reelección, como el esfuerzo por evitar el vaciamiento prematuro del poder presidencial (síndrome de *lame duck*) por la sucesión anticipada del liderazgo partidario.

16 El resultado de los esfuerzos de Duhalde para explotar a su favor la exigencia pública de justicia en el caso del asesinato del periodista José Luis Cabezas es un ejemplo claro de esta dificultad para ocupar el espacio de la centroizquierda: la agitación electoralista del tema implicó un alto costo para el oficialismo en su conjunto, y no le redituó ventajas en su intento de profundizar sus diferencias con el menemismo. También debe anotarse que desde la "expulsión" de Cavallo del gobierno, las denuncias de corrupción y de implicaciones mafiosas se habían generalizado, y el peronismo en su conjunto se encontraba a la defensiva en ese terreno. En suma: desde el PJ se hacía cada vez más difícil intentar abarcar una "oposición republicana" con el abanico populista. Los datos de una encuesta de Market & Opinion Research International (MORI) realizada en la provincia de Buenos Aires en setiembre de 1997 son elocuentes respecto de la dificultad que encontraba Duhalde: su gestión recibía un 54% de apoyo en el terreno de las obras públicas, un 42% en salud y un 37% en asistencia social, pero sólo el 11% en seguridad, prevención del delito y justicia.

17 Jones va incluso más allá al sostener que "el fracaso de la Asamblea Constituyente en adoptar medidas concretas para contrarrestar la actual declinación del sistema bipartidista representa una notable falla en una, por otra parte, positiva reforma" (se refiere, probablemente, a que no se estableció el sistema mayoritario y otro tipo de restricciones a los partidos más chicos). Y concluye diciendo que "el sistema puede en el futuro cercano enfrentar una seria crisis en el caso de que un candidato que no sea del PJ gane la presidencia" debido, de acuerdo a su razonamiento, a que no contaría con suficiente respaldo legislativo.

18 Es francamente curioso que Jones, luego de alabar la reforma de 1994, cargue las tintas sobre Alfonsín por el Pacto de Olivos, porque con él habría "hecho una contribución significativa al debilitamiento del sistema bipartidista". Jones también cae en el equívoco de reducir las causas de la emergencia del FREPASO a errores cometidos por los partidos tradicionales: "el error del PJ y la UCR de no haber utilizado primarias abiertas fue un factor clave que contribuyó a la emergencia del FREPASO, que atrajo a un gran número de dirigentes del PJ y la UCR que estaban desencantados o habían quedado marginados de sus respectivos partidos".

19 Una visión crítica de la orientación del voto según la "valoración de resultados" puede encontrarse en Catterberg, 1989; y Cheresky, 1995. Conviene aclarar que compartimos la preocupación manifestada por estos autores por la mercantilización de los comportamientos políticos y por el peligro que conlleva para la democracia procedimental la legitimación *ex post facto,* es decir, por sus resultados, de los actos políticos. Sólo que no creemos que la preeminencia que adquieren los resultados, y por lo tanto los incentivos de finalidad, en la vida política contemporánea sea por sí misma contradictoria con la legitimidad de procedimientos y valores.

2. El sorprendente ascenso
de la centroizquierda (1991-1995)

2. 1. Quiebres y redefiniciones en el origen del Frente Grande

El origen del frente de centroizquierda puede rastrearse, en primer lugar (aunque, conviene aclararlo desde ya, no exclusivamente), en las tensiones que provocó en la coalición que había llevado a Menem a la presidencia, el giro operado por éste al adoptar el programa reformista. En este sentido, no es casual que, entre los precursores del frente, uno de los agrupamientos más dinámicos de dirigentes y militantes surgiera de la misma interna del partido oficial. Nos referimos a un sector de la dirigencia intermedia del justicialismo que se denominó inicialmente "Grupo de los ocho", porque estaba integrado por los diputados Carlos "Chacho" Álvarez y Germán Abdala de la Capital Federal, Juan Pablo Cafiero, Darío Alessandro (padre), Luis Brunati, Franco Caviglia y Moisés Fontela de la provincia de Buenos Aires y José "Conde" Ramos de Entre Ríos. Este grupo comenzó a conformarse a fines de 1989 a partir de la resistencia al programa de gobierno, resistencia que se expresó en declaraciones públicas cada vez más tajantes contra las medidas de reforma, en especial contra las privatizaciones.[1] A principios del año siguiente adquirió identidad como grupo parlamentario y un papel creciente en la interna partidaria, convirtiéndose en vocero de las resistencias que parecían multiplicarse en el seno del PJ frente a la política presidencial: en su declaración fundacional, que tuvo amplia repercusión tanto interna como pública, el "Grupo de los ocho" denunció lo que interpretaba era una traición de Menem al "mandato popular", la "alianza con el liberalismo", que expresaba el abandono de la tradición y las banderas del peronismo (*Clarín*, 19-I-1990; *Página 12*, 30-I-1990). Dado que el radicalismo, y sobre todo el bloque radical de diputados nacionales, no planteaba entonces una oposición activa a las medidas de reforma impulsadas por Menem, y se privó de obstaculizarlas a través del *quorum* o la participación en actos de protesta, el papel público de los "ocho" como oposición se amplificó, incluso más allá de su real capacidad para ejercerlo.

La fluidez de la situación interna del PJ durante esos meses se advierte en el hecho de que, si bien el menemismo militante y los más altos funcionarios del Ejecutivo y las Cámaras amenazaron con sancionar a los disidentes, una porción significativa de los legisladores y los dirigentes partidarios prefería mantenerse a la expectativa. No se solidarizaba explícitamente con los "ocho", pero tampoco los condenaba, no apoyaba sus declaraciones en la Cámara de Diputados contra las privatizaciones, pero tampoco las repudiaba. Y muchos hacían más que eso: manifestaban pública o privadamente su apoyo al grupo. Esta situación de fluidez alentó la que sería la primera estrategia de "oposición activa" contra el menemismo, que los más decididos de los disidentes sostendrían incluso después de dejar de pertenecer al Partido Justicialista, cuando ya habían formado su propio partido. Ella consistía en reivindicar para sí la representación del mandato que, según ellos, el justicialismo había recibido en las elecciones de 1989, y que el gobierno no había respetado. Aunque luego se reconocería la inviabilidad de intentar una "segunda renovación", lo cierto es que esta estrategia contemplaba la reivindicación de lo que Carlos Altamirano (1992) llamó "el peronismo verdadero" o (sobre todo a partir del momento en que se hizo evidente que el PJ acompañaba disciplinadamente al Presidente), al menos de una tradición peronista que se pretendía auténticamente popular y transformadora y que perduraba en la memoria del pueblo y en el compromiso de los disidentes, aunque los dirigentes y el gobierno la hubieran traicionado.[2]

Se combinaban en este diagnóstico y esta estrategia dos elementos. Por un lado, una forma bastante tradicional de entender (y de vivir) el peronismo, en la cual la cuestión de la "traición" cumplía un papel explicativo fundamental, a la vez actualizando la ambigüedad y amplitud del "abanico populista", y desresponsabilizando al "movimiento" (y a quienes se reclamaban "traicionados") por los resultados de las acciones de los líderes o los funcionarios. Y, por otro, una actitud que llamaremos "antipolítica", muy difundida por entonces (y todavía hoy) tanto en la opinión pública, en el periodismo, como en el mundo académico y en los ambientes políticos, que consistía en juzgar lo que estaba sucediendo en el país (la aparente rendición del gobierno peronista frente a los intereses económicos, la también aparente resignación de los electores ante esta situación y su manipulación desembozada por parte del menemismo, la corrupción generalizada y el descrédito de la política y los partidos) como los rasgos emergentes de una profunda "crisis de representación" y, más en general, de la política misma, que estaría reflejando una supuesta desconexión entre la "clase política" y las demandas de la sociedad, en especial las de los sectores populares (juicio que, en lo que se refiere específicamente a los partidos, ya analizamos desde una perspectiva crítica en el capítulo anterior).

Como veremos, el resonante fracaso de esa estrategia de "oposición activa" en las elecciones de 1991, que se confirmó por otros medios en la derrota de los intentos de resistencia a las privatizaciones y en la evolución de los acontecimientos en los dos años siguientes, afectaría seriamente estas actitudes y presunciones. Al menos en algunos de los dirigentes del sector. Para muchos, la "fluidez" que siguió mostrando el peronismo reflejaba no la capacidad específicamente partidaria del PJ de articular lo diverso, sino justamente la potencialidad de la resistencia movimientista frente al menemismo, que lograba conservar la unidad del partido y el respaldo del electorado sólo gracias a la manipulación mediática, a la "crisis de representación" y a la ausencia de una alternativa "nacional y popular". Por ello, la tarea prioritaria de esta alternativa seguiría siendo para estos disidentes hacer estallar la crisis que anidaba en el Partido Justicialista.

La conformación de los "ocho" como una corriente interna de alcance nacional y las repercusiones iniciales que tuvieron sus declaraciones y actos de "oposición activa", en el partido y fuera de él (aunque las repercusiones partidarias irían decreciendo con el tiempo), alentaron las expectativas que los disidentes depositaron en esta estrategia. En marzo de 1990 encabezaron una fuerte resistencia desde la Cámara de Diputados a la privatización de Ferrocarriles Argentinos, en la que tomaron parte otros diputados peronistas y grupos sindicales (también legisladores de izquierda, como Luis Zamora, Matilde Quarraccino y Guillermo Estévez Boero, y algunos radicales)[3] lo que puso de manifiesto el estado deliberativo existente en el bloque y en el partido (*Clarín*, 2-III-1990, 8-III-1990). Ello, sumado a la actitud tibia del presidente del PJ, Antonio Cafiero, y de otros sectores internos, forzó a Menem a sentarse junto a sus ministros ante el Consejo Nacional del PJ y el bloque de diputados, para exponer los motivos y alcances del plan de reformas. En el curso de esas reuniones los "ocho" reclamaron cambios en el gabinete y que se abriera una *impasse* para debatir el programa de gobierno (*Clarín*, 10-III-1990, 22-III-1990 y 30-III-1990). Aunque no tuvieron éxito en sus reclamos, seguían generando revuelo interno.

En junio de ese año realizaron un congreso en Villa María, bajo el lema "Peronismo o Liberalismo", donde reunieron a varios miles de militantes, dirigentes e incluso funcionarios peronistas de distintos lugares del país, disconformes con el rumbo que tomaban las cosas. Participaron también sindicalistas "duros" de la CGT Azopardo (de ATE, FOETRA y CTERA), que estaban impulsando, a través de las regionales de la central ubaldinista, la formación de multisectoriales que activaran las protestas contra las reformas en todo el país. En el encuentro se expresó la voluntad de resistir "la expropiación de la victoria popular del 14 de mayo" y de "recuperar para el peronismo su carácter revolucionario y transformador" (*Clarín*, 3-V-1990), y se planteó concretamente la posibilidad de disputar la conducción del PJ sobre la base a una oposición radical a la alianza sellada por el gobierno con el *stablishment* empresario y los políticos liberales para instrumentar el programa de reformas estructurales (*Clarín*, 17-VI-1990). En agosto se lanzó en distintas provincias la nueva agrupación interna: la Corriente Nacional y Popular.

Los "ocho" encararon en los meses siguientes el intento de llevar a la práctica la disputa así planteada, pero rápidamente descubrieron que cada paso que daban en esa dirección los alejaba del partido y los acercaba al cisma. Desde enero de ese año, Antonio Cafiero venía advirtiendo sobre "los límites del disenso", sugiriendo que quienes "se montan bajo un escenario de fracaso, crisis o defraudación popular" estaban alejándose del partido (*Clarín*, 29-I-1990). Tras los debates de marzo, además, Menem había dejado claro que la reforma del Estado y las privatizaciones constituían la divisoria de aguas, y que quienes se colocaban en la "vereda de enfrente" no podían seguir en el PJ. A partir de entonces, el bloque de diputados comenzó a mostrarse más dócil a las orientaciones y los tiempos que le marcaba el Ejecutivo: la fragmentación que había vivido en los meses anteriores se moderó al consolidarse la autoridad del presidente del bloque, José Luis Manzano, y quedar excluidos de los debates internos los "ocho". Recordemos que la segunda mitad del año 1990 se caracterizó por el avance en la concreción de las primeras medidas de reforma (privatizaciones de ENTEL y AerolíneasArgentinas, concesión de rutas, etc.), una serie de escándalos institucionales y de corrupción (los más graves fueron los que involucraron al ministro de Obras Públicas, Roberto Dromi, y el *Swiftgate*) y el renacer de las dificultades económicas (nueva alza de la inflación, seguida del reemplazo de Erman González por Domingo Cavallo al frente del Ministerio de Economía). Sin embargo, estas situaciones no generaron el esperado estallido de la "crisis orgánica" del PJ, sino que lo encontraban cada vez más dispuesto a acompañar, o al menos a tolerar, el curso de los acontecimientos. Un hecho que actuó como *leading case* en este sentido fue la huelga de los telefónicos de Capital Federal en oposición a la privatización de ENTEL (agosto/setiembre). Los "ocho" se solidarizaron activamente con los huelguistas, pero no se logró el acompañamiento del resto del sindicato ni tampoco de fracciones importantes del partido, por lo que la privatización siguió su camino. También la derrota de Antonio Cafiero en el plebiscito por la reforma de la Constitución de la provincia de Buenos Aires, en agosto de ese año, y su posterior defenestración de la presidencia del PJ por parte de Menem, demostraron a los ojos de los disidentes justicialistas que las posibilidades de competir contra el Presidente dentro del partido eran mínimas.

Es de destacar que entre los puntos de conflicto que llevarían al alejamiento del "Grupo de los ocho" del bloque de diputados del PJ, primero, y después a varios de ellos del partido, no se contaron sólo los referidos al ajuste y las reformas estructurales. Fueron decisivos el envío de tropas al Golfo Pérsico por parte del Ejecutivo Nacional, sin contar con el aval del Parlamento (setiembre de 1990, mes en el que, por otro lado, los "ocho" decidieron formar su propio bloque) y el indulto a los militares condenados por violaciones a los derechos humanos (diciembre de ese año, momento en que se concreta la formación del nuevo bloque, "Movimiento Peronista"). Decimos que esto es llamativo porque habla a las claras de que, ya en ese momento, más allá de la obsesión antirreformista de los disidentes y de la escasa atención que le prestaron en ocasiones a los temas institucionales y republicanos (por ejemplo, fue el caso de la ampliación de la Corte Suprema de Justicia, en abril de 1990, a la que no apoyaron pero sí dieron *quorum*), algunos de éstos, los que correspondían a la reivindicación del tercerismo histórico del peronismo, de los derechos humanos y el equilibrio de poderes, colaboraron en marcar una frontera "global" entre disidentes y menemistas, que abarcaba todas las dimensiones de la agenda pública y se transformaría rápidamente en una grieta imposible de suturar.[4]

Al aproximarse la fecha de las elecciones de renovación parlamentaria y de gobernadores (que en Capital Federal y Buenos Aires se realizaron en setiembre de 1991), y más aún a partir de que comenzó a dar sus primeros resultados el Plan de Convertibilidad, las expectativas de que la amenaza del juicio de las urnas actuaría como catalizador de las resistencias internas del PJ contra la política de Menem se desmoronaron. Los "ocho" encontraron dificultades para traducir los apoyos y simpatías recogidos en un comienzo en una concreta disposición a romper la disciplina del partido y enfrentar frontalmente la autoridad del Presidente de cara a las elecciones. El sector gremial disidente sufrió una merma similar, y fracasaron los intentos de presentar listas propias (entre otras, la de Ubaldini para la gobernación de Buenos Aires). Se hacían sentir desde tiempo atrás, además, las diferencias que dividían a los "ocho", entre quienes preferían continuar con la idea de la corriente interna, moderando incluso las críticas, y quienes a la luz de los acontecimientos juzgaban inconducente insistir con esa alternativa y apostaban a abandonar el partido con la mayor cantidad posible de militantes y dirigentes para continuar desde afuera la estrategia de "oposición activa" (véase *Clarín*, 25-IX-1990). En esta segunda posición pareció enrolarse, ya en setiembre de 1990, Chacho Álvarez, sugiriendo la posibilidad de formar un frente para los comicios del año siguiente, que integrara a las corrientes políticas y sindicales críticas, peronistas y de izquierda.

En diciembre de 1990, cuando Menem firmó los indultos a los ex comandantes, Brunati y su sector renunciaron al PJ (*Página 12*, 19-XII-1990) y formaron su propio partido: el Encuentro Popular. En mayo de 1991 otro grupo, encabezado por Carlos Álvarez, Juan Pablo Cafiero y Germán Abdala, siguió el mismo camino y formó el Movimiento por la Democracia y la Justicia Social (MODEJUSO) en Capital Federal y provincia de Buenos Aires. Pero en ninguno de los dos casos la dimensión de la fractura fue la que se hubiera esperado a la luz del encuentro de Villa María o del alcance y repercusiones de la impugnación que sus protagonistas habían hecho al menemismo. Con lo cual se tuvo la primera evidencia de la fuerza de las fronteras y las reglas partidarias para frustrar o acotar las posibilidades de desarrollo de una estrategia de oposición que parecía ignorarlas.

A medida que se habían ido distanciando del campo gravitacional en que se definía la interna del PJ, los "ocho", o más bien estos sectores de los "ocho", se acercaron a otros grupos provenientes de partidos que habían apoyado al PJ en 1989 (el Partido Intransigente, la Democracia Cristiana, etc.), así como a expresiones de la izquierda tradicional, como el Partido Comunista. Ellos compartían con los primeros las dos premisas de su diagnóstico (que el gobierno había traicionado los principios básicos del peronismo y el compromiso electoral, de corte genéricamente "popular", y que existía una crisis política y de representación que afectaba profundamente a los partidos tradicionales y favorecía transitoriamente al gobierno, al respecto véase *Página 12,* 20-VII-1990), y también las líneas generales de la estrategia, ya no desde el "peronismo verdadero", sino desde una posición más o menos populista o revolucionaria de izquierda. Convergieron por lo tanto rápidamente con los disidentes justicialistas, de quienes esperaban un aporte importante de votos, correspondiente a todos aquellos que, de acuerdo con el diagnóstico compartido, "se quedaron sin representación partidaria con el proyecto de Menem" (*Página 12,* 6-X-1990). La mayoría de estos grupos, además, estaba atravesando similares procesos de distanciamiento de las estructuras partidarias y/o de las tradiciones políticas en cuyo marco habían actuado hasta entonces.

El sector de mayor peso entre ellos fue el encabezado por Carlos Auyero, proveniente de la Democracia Cristiana (corriente Humanismo y Liberación), que había convergido a principios de 1990 con otros sectores de la DC (Solidaridad Demócrata Cristiana), con grupos sindicales (liderados por Alberto Piccinini) y del movimiento de derechos humanos (entre quienes se contaba Graciela Fernández Meijide, dirigente de la Asamblea Permanente por los Derechos Humanos), conformando todos ellos el Partido Democracia Popular.[5] Auyero impulsaba, por entonces, junto a otros dirigentes intermedios, la formación de un "frente social" de resistencia al ajuste y las reformas neoliberales, estrategia en la que se incorporaron los partidos socialistas, la Federación Agraria Argentina, algunos sectores gremiales y pequeños partidos, dando lugar a la Convocatoria Nacional para la Transformación. El objetivo era ofrecer una alternativa de alcance nacional en las elecciones del año siguiente, a la que se convocaría a participar a los "ocho" y a otros sectores (*Clarín*, 30-VIII-1990). Pero, a poco andar, ese objetivo se vería frustrado por diferencias insalvables entre los miembros. También un sector del Partido Comunista, encabezado por Eduardo Sigal, y otro del PI (integrado por Marcelo Vensentini y Horacio Viqueira, entre otros), tomaron distancia de las estructuras a las que pertenecían hacia fines de 1990 y comenzaron a orbitar en el heterogéneo, crecientemente heterogéneo, espacio de los "opositores activos" al menemismo.

Es de destacar que, al producirse esa convergencia con sectores de izquierda y centroizquierda, los "ocho" no recuperan el dinamismo que habían mostrado inicialmente como opositores a Menem. Sobre todo porque, como dijimos, fracasan en el intento de llevarse consigo a la mayor parte de los dirigentes y militantes del PJ que habían compartido, al menos inicialmente, sus posiciones críticas. Y porque en el proceso de cisma los "ocho" habían dejado de ser tales: se fracturan en varios subgrupos y algunos de sus integrantes optan por permanecer en el PJ y "desensillar hasta que aclare". El magro resultado de los intentos de movilizar y agregar la resistencia social, con sectores sindicales que se oponían a las reformas, terminó generando también cierto desaliento.[6] Esto colaboró a que en el espacio de la "oposición activa" no se conformara, al menos no inmediatamente, un núcleo o fuerza predominante que actuara como motor del resto. Los grupos y partidos de izquierda estaban en algunos casos mejor preparados que los disidentes justicialistas para sostener en la intemperie la estrategia de oposición activa, pero en otros eran más débiles: como algunos tenían personería jurídica en los distritos más importantes o a nivel nacional, mientras que otros contaban con un liderazgo o una personalidad convocante, o poseían cierta estructura organizativa o recursos financieros, y además todos tenían expectativas que iban mucho más allá que sus recursos, la relación entre ellos era muy compleja. Se necesitaban mutuamente, pero les costaba llegar a acuerdos sólidos y aprender a convivir.

No fue extraño, por lo tanto, que a la hora de enfrentar los comicios se dividieran en varias listas. Por un lado, el Encuentro Popular junto a grupos de izquierda formó el Frente Popular. Por otro, el MODEJUSO, la Democracia Popular, sectores del PI y otros grupos menores formaron el FREDEJUSO, más moderado. La Unidad Socialista (alianza del Partido Socialista Democrático y el Partido Socialista Popular) presentó sus propias boletas y se formó otra lista con grupos menores. A la dispersión se sumaron otros problemas. Todos tenían escaso desarrollo territorial y candidatos conocidos apenas en la Capital Federal y provincia de Buenos Aires. Sólo pudieron presentar listas en unos pocos distritos. Carecían además de vínculos estrechos con actores relevantes de la sociedad (a excepción de algunos sindicatos de empleados públicos y docentes, que tampoco tomaron parte muy activa en estas elecciones). Como las expectativas de sus dirigentes no estaban acotadas por estos déficit, porque se esperaba aun poder capitalizar el masivo rechazo que tarde o temprano despertaría en el electorado peronista el giro hacia las reformas promercado y la disconformidad generalizada de la sociedad con "la política tradicional", no dejó de ser una sorpresa el resultado de los comicios: en la Capital Federal el Frente Popular obtuvo poco más del 1% y el FREDEJUSO 3,5%, lo que le permitió acceder sólo a una banca en el Concejo Deliberante, que ocupó Aníbal Ibarra (Fernández Meijide, que encabezó la lista de diputados por ese distrito, no llegó a ser electa); mientras que en la provincia de Buenos Aires los porcentajes fueron aun menores (el

FREDEJUSO recibió sólo 2,5%). Esos guarismos estaban incluso muy por debajo de la performance de la Unidad Socialista, que obtuvo 6,1% de los votos en Capital Federal (resultando electo diputado Alfredo Bravo junto a dos concejales) algo menos en la provincia de Buenos Aires y 16% en Santa Fe. Pero lo más grave no era eso, sino que mientras tanto Menem retuvo casi todo el voto peronista y recibió un fuerte espaldarazo a su programa reformista: con 40,4% de los votos a nivel nacional consolidó su bloque de diputados y retuvo el control de la mayor parte de las gobernaciones.

De este modo, en las elecciones de 1991 la estrategia que apostaba a una deserción popular de las filas peronistas se frustró redondamente. Sin embargo, en el espacio opositor todavía no estaba preparado el terreno para que se pudieran desarrollar alternativas más productivas. El FREDEJUSO descubrió en la elección de Aníbal Ibarra, quien había sido fiscal en el Juicio a las Juntas militares y renunciara a su cargo en rechazo al indulto, una moderadamente promisoria receptividad del electorado porteño. Receptividad que a esa altura comenzaba a ser patente, y que lejos de vincularse al repudio del gobierno por las masas peronistas, se asociaba al eco que suscitaban, en electores genéricamente progresistas e independientes, reclamos de tipo republicano y democrático: denuncias de corrupción, reclamos por derechos adquiridos, demanda de justicia y oposición a todo tipo de abuso de poder. Pese a ello, en esa fuerza seguiría predominando el diagnóstico y la estrategia anterior: mejor organización y mejores candidatos harían que en las siguientes elecciones sucediera lo que no había sucedido, pero tenía que suceder tarde o temprano. Fue con estas premisas que se encararon las elecciones a senador por la Capital Federal, en junio de 1992, cuando se conformó una alianza entre el Frente Popular, el PC y otros grupos, denominada Frente del Sur (llevó por candidato a Fernando Solanas, también disidente justicialista, recibió el apoyo de las regionales de ATE y CTERA y obtuvo 7,4% de los votos),[7] e incluso las legislativas de 1993, cuando el Frente del Sur y el FREDEJUSO convergieron en el Frente Grande (que candidateó a Solanas por provincia de Buenos Aires, a Álvarez y Fernández Meijide por Capital Federal, obteniendo esas tres bancas en Diputados). El Frente Grande obtuvo un mejor resultado que sus integrantes en años anteriores (sobre todo en Capital Federal: 13,4%), pero siguió encontrando dificultades para presentar listas en la mayor parte de los distritos (sumó Entre Ríos, La Pampa, Neuquén, Río Negro, Santa Fe y Tierra del Fuego; en todos los casos con resultados inferiores al 3%), mientras el PJ revalidaba sus títulos reuniendo 43,4% de los sufragios en el total del país.

A muchos dirigentes del sector los resultados de los comicios de 1991 y los posteriores, así como las sucesivas derrotas de la resistencia gremial, les produjeron una suerte de aturdimiento. La inesperada retención del respaldo popular por parte del gobierno, a la que no podían encontrar una explicación satisfactoria, tenía un efecto paralizante sobre ellos. Mientras que para otros fue el disparador de una crisis, que brindó a su vez la oportunidad de una innovación. Esa innovación se manifestaría temprana y muy especialmente en Chacho Álvarez, que comenzó a explorar otras vías de crecimiento —cada vez más alejadas del intento de representar el "peronismo verdadero" y el rechazo principista de las reformas promercado— sugeridas por el eco encontrado en el electorado porteño independiente y progresista en torno a las cuestiones republicanas y de ciudadanía. A partir de 1992 Álvarez, y quienes aparecían cada vez más cerca de él, Carlos Auyero y Graciela Fernández Meijide, fueron centrando sus críticas al gobierno en la subordinación del Parlamento por el Ejecutivo, los intentos de reformar la Constitución con el solo objetivo de lograr la reelección, la degradación de la vida política provocada por la corrupción y la mercantilización, etc.[8] Evidentemente el amplio consenso que recibía el gobierno en el terreno económico colaboraba a disuadirlos de insistir con posiciones tajantemente antirreformistas. En un encuentro del FREDEJUSO realizado en agosto de 1992 se planteó por primera vez en forma explícita la necesidad de buscar "una nueva orientación", y se sostuvo que "para disputar la mayoría no es suficiente la dureza opositora si no va acompañada por propuestas que la sociedad perciba como creíbles" (*Página 12*, 19-VIII-1992). Tiempo después, Álvarez afirmó que "la estabilidad es algo que la gente rescata como importante y que nosotros no podemos despreciar. Sobre todo porque nos permite dejar de discutir sobre ella, que es lo que nos ha llevado a no salir del liberalismo. Aún esta estabilidad con injusticia social es mejor que la inestabilidad" (*Página 12*, 26-IX-1993). Palabras que, en ese momento, generaron gran revuelo. Álvarez había sido, y siguió siendo durante estos años, objeto de cierta resistencia, motivada precisamente en su orientación moderada o "modernizada", inaceptable para quienes afirmaban su estrategia en la reivindicación de la tradición populista y/o revolucionaria (las tensiones entre el Frente Popular, luego Frente del Sur y el FREDEJUSO, tenían en buena medida ese origen).

Digamos entonces que la conformación del Frente Grande, el 27 de abril de 1993, fue en parte resultado de la continuidad de una estrategia, la que caracterizamos al inicio de este capítulo y que por primera vez desde la descomposición de los "ocho" encarnaba en un polo en el que convergían distintos actores y grupos. Pero también fue éste un momento de ruptura, dado que a partir de él comienza a cobrar preponderancia el liderazgo de Álvarez y se inicia el tránsito hacia otra estrategia, dominada por premisas y orientaciones muy diferentes a las hasta entonces conocidas. Comenzó, por lo tanto, en ese momento una nueva fase de desarrollo, un período de tránsito que se cerraría a fines de 1994, con la conformación del Frente del País Solidario (FREPASO). En este período se produjo un rápido ascenso del apoyo electoral de este sector y del prestigio de sus principales dirigentes ante la opinión pública, y un no tan acelerado, pero también significativo, proceso de definición de un perfil político definitivo de centroizquierda.

En las elecciones legislativas de 1993 el desempeño del Frente Grande (FG) fue todavía modesto. Como vimos, alcanzó un porcentaje importante en la Capital Federal y obtuvo tres bancas nacionales,[9] pero ello resultó principalmente de la convergencia del electorado que ya venía apoyando a la "oposición activa"; el FG no logró capturar en cantidades significativas votos de los partidos tradicionales. El verdadero salto cuantitativo para el Frente se produjo meses después, tras la firma del Pacto de Olivos entre Menem y Alfonsín (noviembre de 1993), en el que se acordó la reforma constitucional y se habilitó la reelección de Menem, a raíz del consecuente agravamiento de la crisis del radicalismo en el desempeño del rol de oposición. El FG se impuso en las elecciones a Convencionales Constituyentes de abril de 1994 en Capital Federal (obtuvo 36% de los votos, encabezando la lista Chacho Álvarez) y Neuquén (29,8%, el obispo retirado Jaime de Nevares fue en ese caso cabeza de lista). Con 12,7% de los sufragios a nivel nacional, se convirtió en la tercera fuerza, en desmedro del Movimiento de Dignidad Nacional (MODIN), del ex "carapintada" Aldo Rico. Además, desplazó del segundo puesto a los radicales de la provincia de Buenos Aires (recibió allí 16% de los votos), se presentó en casi todas las provincias y obtuvo porcentajes significativos en Río Negro (9,7%) Entre Ríos (12,5%) y Santa Fe (10,2%). Tanto por el origen de los votantes (mayoritariamente sectores medios que hasta entonces apoyaban al radicalismo)[10] como por los ejes que utilizaron Álvarez, Fernández Meijide e Ibarra en la campaña (la corrupción, la crisis de la Justicia y la educación pública, la perpetuación personal en el poder que satisfacía esa reforma, la defección del radicalismo del rol de oposición y los peligros que implicaba un poder sin límites ni contrapesos, el control de los gastos de campaña, etc. (véase Cheresky), 1995), se podía advertir la dimensión del cambio que se había producido en el espacio y la estrategia del nuevo agrupamiento político. Las elecciones de 1994 también significaron una innovación para el FG en cuanto a las formas de intervención pública y el tipo de vínculo con el electorado. Se integró a las listas a dirigentes de prestigio en distintos ámbitos (religiosos, sindicalistas, figuras de la cultura), se buscó establecer una comunicación directa entre los candidatos y los electores, perfeccionando actividades de campaña a las que ya se había recurrido en 1993, como las recorridas en colectivos de línea, el contacto cara a cara en las calles y las "caravanas", que tan buenos resultados le habían dado a Menem. Y, por supuesto, se hizo un uso muy intenso de los medios de comunicación.

Al conocerse el resultado de los comicios, se consumó el distanciamiento de la estrategia inicial. Las tomas de posición que Álvarez había ido desgranando, no sin cierta cautela, durante los meses anteriores a la elección en función del "giro", se convirtieron en un torrente en los días siguientes. En particular en el rubro de la moderación (y modernización) del discurso económico: "la estabilidad es algo que no debe discutirse [...] no puede volverse atrás con las privatizaciones", "deben fortalecerse los entes reguladores" (*Clarín*, 11-IV-1994). Álvarez sintetizó su propuesta en la idea de congeniar "la estabilidad con crecimiento y justicia" (*Clarín*, 28-VIII-1994), en una de las reuniones con empresarios realizadas en las semanas siguientes, justificadas en razón de que "en esta etapa que se abre, evidentemente, el diálogo con los empresarios es un dato inobviable".[11]

Este torrente tuvo serias repercusiones internas. Poco después de las elecciones se desató un conflicto entre Álvarez y Fernando Solanas, a quien respaldaban, además de su sector (la Corriente Grande), el PC, una fracción de Encuentro Popular y otros grupos de izquierda. Solanas contaba también, al menos en un principio, con las simpatías de buena parte de la dirigencia y la militancia frentista. A lo largo de su enfrentamiento con Álvarez, sin embargo, Solanas iría perdiendo apoyo interno, y fue llamativo que cuando decidió convertir su corriente en una nueva fuerza política (la Alianza Sur), en noviembre de 1994, muy pocos lo acompañaron. El conflicto entre ambos líderes aparecía motivado, en lo inmediato, en la disputa por la supremacía y la candidatura a presidente. Se había acordado que ésta sería para Solanas, pero luego de la elección de abril Álvarez era la figura predominante y aquél no estaba dispuesto a resignar su posición. Pero en un nivel más profundo la disputa traslucía una diferencia de enfoque y de estrategia, que ya se había podido observar en los temas y tonos de las campañas electorales de 1993 y 1994, y que se agudizó inmediatamente después de la elección de convencionales. Eso hizo de este trance un punto de quiebre en el giro del frente hacia posiciones más pragmáticas y moderadas en términos programáticos, y más avanzadas en cuanto a la construcción de una nueva fuerza política, alejada de la tradición populista y revolucionaria, más ajustada, en suma, a los desafíos del momento.

Solanas encarnaba dentro del FG las posiciones más duras respecto de las reformas de Menem. En 1994 siguió centrando su discurso de campaña en la denuncia de "la entrega del patrimonio nacional" y proponiendo la vuelta atrás en las privatizaciones. En respuesta a las declaraciones poselectorales de Álvarez afirmó que "debemos continuar en nuestro papel de firme oposición a este modelo" (*Clarín*, 17-IV-1994) ya que "el plan Cavallo trabaja para el vaciamiento del país" (revista *Noticias*, 17-IV-1994), asumiendo la defensa de "los principios fundacionales del frente" (*Clarín*, 27-VIII-1994). Al mismo tiempo era quien más se acercaba a la idea de recuperar al "peronismo verdadero" desde fuera del PJ,[12] previendo tal vez en el futuro participar en la disputa interna del partido oficial. Algo que, por entonces, no estaba descartado tampoco en el entorno de Álvarez. Pero lo que cimentaba el creciente prestigio de éste último no era su lealtad a los principios justicialistas ni su fe antirreformista, sino que había reivindicado valores republicanos y liberal-democráticos como la transparencia, la sujeción a la ley y el equilibrio de poderes. Reivindicación que le estaba permitiendo ganar el apoyo de amplios sectores medios de la opinión pública, de origen radical o independiente. En suma, mientras Solanas representaba a la vez las posiciones tradicionales de la "izquierda nacional" y la "tradición auténtica y popular" del peronismo histórico, convergentes en la estrategia inicial de este espacio opositor, que tenían un peso importante en la interna del FG pero muy escasa y declinante relevancia en su electorado, Álvarez aparecía como un líder pragmático que había quemado las naves en su alejamiento del peronismo para emprender el audaz intento de construir una alternativa política original basada en el progresismo liberal-democrático y el apoyo, en principio, de estratos medios no peronistas. Y estaba empujando decididamente al FG por este camino.[13]

En verdad, el giro de Álvarez desde un perfil de peronista a la espera de la desafección popular ante el menemismo, en 1991, hasta uno plenamente afincado en el republicanismo progresista, en 1994, por muy vertiginoso que parezca, no carece de raíces políticas y culturales. Estas raíces pueden rastrearse en el clima de debate entre políticos e intelectuales que, desde la derrota sufrida por el PJ en 1983, se generó en sectores del peronismo. El fuerte viento que había levantado la cuestión democrática y el surgimiento del alfonsinismo como principal expresión partidaria de esa coyuntura impactó muy profundamente en las ideas, valores y representaciones políticas de un vasto grupo de intelectuales y militantes peronistas que tomó parte activa de la renovación, o la acompañó con su producción político-cultural desde el campo de las ideas. Ello supuso una prolongada travesía ideológica, en la que la evaluación de la insurgencia de los setenta, de la gestión peronista de 1973 a 1976, del terrorismo de estado de la última dictadura, de la contumacia de la cúpula justicialista de 1983, del surgimiento del movimiento de derechos humanos y de la potente e (inédita en sus claves) emergencia de la cuestión democrática fueron las estaciones más significativas. En torno a ellas se elaboraron reflexiones que coexistían incómodamente dentro del mundo ideológico "nacional-popular" desde el cual la mayoría de esos intelectuales y políticos pensaba todavía la política. Este sector, si bien se mantuvo dentro del peronismo,[14] privilegió en su actividad política y cultural los lazos cooperativos y controversiales con agrupamientos políticos e intelectuales que, desde otras tradiciones, se desplazaban también hacia un espacio que finalmente sería percibido como de convergencia.[15]

Esas reflexiones y esa producción político-cultural ya están avanzadas en 1991, cuando las elecciones refutan la primera estrategia de la "oposición activa". Y es en buena medida por la mayor o menor proximidad a ese material y a esos debates que los integrantes del FG se orientarán o no a la innovación. Detrás de la aparente uniformidad de criterios, las posiciones en ese entonces ya podían diferenciarse con claridad: ante la evidencia de la imposibilidad de avanzar por el camino intentado hasta entonces, el giro que encabezará Álvarez expresará una apropiación y reelaboración de la trayectoria política y cultural iniciada en los ochenta, en un contexto en el que la denuncia de la corrupción, la concentración de poder y el patrimonialismo con los que el menemismo se desenvuelve en el peronismo, en el gobierno y en las instituciones será sumamente eficaz.[16]

Algo similar ocurre con otra de las corrientes del FG, la agrupada en el Nuevo Espacio Progresista en torno a las figuras de Auyero y Fernández Meijide (continuando la experiencia de la Democracia Popular). Bien podía verse en la llegada de Fernández Meijide al congreso como diputada nacional en 1993 una significación política idéntica a la que había expresado Auguste Comte diez años antes: "los derechos humanos al Parlamento", en una clave focalizada en el juicio y castigo de los responsables del terrorismo de estado. Pero las credenciales de Fernández Meijide como exponente del movimiento de derechos humanos tuvieron repercusiones mucho más amplias, al dar verosimilitud a una innovación política en el registro más general de los derechos ciudadanos. Esta innovación continuó y perfeccionó desarrollos en esta dirección intentados en los años anteriores por varias corrientes políticas de izquierda o progresistas, y por algunos de los organismos de derechos humanos. Dada su evidente sintonía con las cuestiones republicanas, la figura de Fernández Meijide no tardó en articularse con la de Álvarez.[17]

En suma, aunque las raíces y tradiciones políticas de las que se alimentó la nueva estrategia de centroizquierda alentada por Chacho Álvarez eran sin duda débiles y fragmentarias, algunos materiales políticos sustancialmente necesarios para concretar el reposicionamiento que tiene lugar entre mediados de 1993 y 1994 estaban al alcance de sus figuras más representativas. Esos recursos tendrán una importancia decisiva en la progresiva redefinición de las orientaciones programáticas y los principios de reconocimiento de la fuerza: la voluntad de construir una oposición que se comprometiera con el equilibrio de poderes, la defensa de las instituciones y la Justicia, la protección de derechos ciudadanos elementales y el pluralismo político, en suma, todo lo que aparecía amenazado por el avance hegemónico del oficialismo sobre el propio partido y sobre el radicalismo, no hubiera podido desplegarse con éxito de no ser por esos recursos iniciales.

Al mismo tiempo que se producía este reposicionamiento, el FG tomó distancia de la resistencia sectorial a las reformas y dejó poco a poco de lado la idea del "frente social". Inicialmente, como vimos, el sector se había propuesto "canalizar políticamente" las protestas sindicales y sectoriales que, esporádicamente, cobraban vigor frente al avance privatizador y desregulador del gobierno. Esta línea de acción era defendida como principal razón de ser del FG por no pocos de sus integrantes, y aun siguió siendo así años después.[18] Ellos entendían que era necesario "articular un bloque social alternativo al del menemismo", lo que significaba que a la coalición de los grandes empresarios y los sindicatos burocráticos se le debía contraponer la alianza de los sectores populares, las clases medias y los empresarios "productivos" (Caputo y Godio, 1996: 73 ss.). Sin embargo, Álvarez y quienes acompañaron su iniciativa fueron marcando un progresivo distanciamiento de este esquema a partir de 1994. Mientras más crecía el respaldo electoral al frente, más evidente se hacía que él no podía reducirse a un catálogo expresivo de las protestas sociales y sectoriales.[19] El discurso de Álvarez, Fernández Meijide e Ibarra interpelaba el interés general de la sociedad y a los ciudadanos electores en términos universales, no sólo los "derechos adquiridos" de los afectados por las reformas, ni los intereses particulares de las víctimas del ajuste. Por lo tanto, su estrategia se desplegaba en un ámbito específicamente partidario y, en su avance, redefinía las relaciones con los sindicatos y demás organizaciones intermedias que, con mayor o menor intensidad, venían participando del espacio opositor.

Una de las organizaciones más afines a este espacio era la central sindical opositora, el Congreso de Trabajadores Argentinos (CTA). Incluso en un principio en él se había discutido la posibilidad de fundar un partido (siguiendo el ejemplo del PT brasileño) o participar como organización en los frentes electorales que se habían ido formando. Muchos de sus integrantes militaban a la vez en alguna de las corrientes y partidos que convergieron en el FG. En la fundación misma del FG y en las listas de candidatos del Frente para las elecciones de convencionales tomó parte muy activa la conducción y la agrupación interna mayoritaria del sindicato de los docentes, CTERA, uno de los puntales del CTA. Pero, como se comprobaría poco después, eso no significó una "corporativización" de la fuerza, sino más bien un proceso de partidización de ese sector gremial: Mary Sánchez, hasta entonces secretaria general del gremio, dejó ese cargo tras ser electa convencional, y pasó a integrar la conducción del frente (arrastrando consigo una parte de la estructura nacional del sindicato).[20] El pluralismo político imperante en CTERA, al igual que en ATE y otros gremios de la central opositora, favoreció también la separación entre el ámbito corporativo y el partidario. Este proceso, incluso, colaboró a que se marcara aún más la "distancia" entre el FG y el CTA. En los encuentros posteriores al 10 de abril entre la cúpula frentista y los jefes de la central fue cada vez más evidente que la política definida en el Frente en el terreno económico y laboral no reflejaría las posiciones de esta última. Los intentos de colocar en el Frente asesores sindicales para esas áreas fracasaron, y las diferencias se agudizaron a medida que Álvarez profundizó su giro (*Página 12*, 8-IX-1994). El CTA finalmente se manifestó "no comprometido" por la política del FG, más allá de que siguió existiendo ese flujo de militantes y dirigentes de una organización a la otra, y muchos siguieron teniendo doble afiliación. Ese distanciamiento se volvió a evidenciar en cada una de las medidas de fuerza que puso en práctica el CTA contra el gobierno: la dirigencia frentista se manifestaba solidaria con las reivindicaciones, y se hacía cargo de los reclamos en términos de derechos ciudadanos (derechos que el poder discrecional ignoraba)[21] pero se cuidaba de marcar los diferentes roles que tenían las fuerzas políticas de oposición y las organizaciones sindicales.

2. 2. La etapa de expansión: construyendo el barco en altamar

Contemplando el período que va de la formación del FG y las elecciones parlamentarias de 1993 a las sesiones de la Convención Constituyente, entre junio y agosto de 1994, advertimos que en el curso de unos pocos meses la oposición de centroizquierda había producido, aparentemente con bastante éxito, un giro sustancial en sus premisas y planteamientos estratégicos, alejándose de las posiciones de la izquierda revolucionaria y del proyecto del "peronismo verdadero", y redefiniendo su actitud ante la resistencia sectorial contra el ajuste y las reformas estructurales. Ello abrió paso a la afirmación de un perfil propio de la coalición, que se expresaba fundamentalmente en la palabra de Chacho Álvarez, principal motor del acelerado crecimiento de la fuerza en la estima del electorado y de su reorientación. A este fortalecimiento del perfil propio, al que nos referiremos a continuación, lo acompañó el desarrollo de intervenciones originales y audaces en la coyuntura política, que analizaremos al final de este parágrafo.

El gesto más relevante en el primer terreno fue la afirmación pública y reiterada de Álvarez de que no se trataba de construir una nueva "renovación peronista", sino una nueva fuerza política que buscaba "trascender el bipartidismo hasta entonces reinante". Conclusión del diagnóstico que se hacía del menemismo como un corte en la historia del peronismo y en la vida política argentina: de la mano de Menem el PJ había sido transformado en un instrumento de la "política neoconservadora" y de los intereses de los grupos económicos más concentrados, se estaba conformando un nuevo régimen económico y estatal, y estos cambios eran irreversibles. A ese proyecto debía contraponérsele una "nueva síntesis política y social", superadora de lo que se consideraban las taras del "bipartidismo tradicional".[22] Claro que estas afirmaciones no carecían de ambigüedad: por un lado porque, sobre todo cuando el público era la dirigencia y militancia de origen peronista del Frente, la conclusión se moderaba, y se dejaba abierta la puerta a la recuperación, si no del partido sí del "movimiento", a través de la distinción entre "el peronismo" y "la cúpula menemista"; por otro, porque no se tomaba una clara posición respecto del papel del populismo peronista en la historia política del país y en relación con las tareas de una nueva fuerza progresista, y ello daba lugar a una versión "moderada" y sutil del "peronismo verdadero", que alimentaba también la distinción entre el movimiento social y la partidocracia, ahora en términos de una contraposición entre la tradición y las promesas peronistas y la política "neoconservadora y neoliberal" de Menem.

Aun con estas ambigüedades, durante los meses del "giro" se volvió recurrente la referencia a los principios democráticos, modernizadores y republicanos que animaban la nueva estrategia del FG. La afirmación de una identidad de centroizquierda, que no implicara la limitación a un rol y a posiciones tradicionalmente marginales de la política argentina, operaba como condensación de estos principios y empezó a ser objeto de una referencia sistemática de parte de los líderes frentistas. La identificación como "centroizquierda" se escuchaba, esporádicamente, desde tiempo antes, incluso cuando todavía existían los "ocho"; pero entonces no era más que una referencia entre otras, y tenía un carácter genérico y difuso. Ahora empezaba a cargarse de significados políticos e identitarios. Uno de ellos era la posibilidad efectiva de conciliar la modernización económica (la estabilidad macroeconómica, la apertura comercial, la disciplina fiscal y la competitividad de los mercados, así como la atracción de inversiones poco a poco iban a ser aceptadas como precondiciones de todo proyecto político) con una democracia más amplia y una mayor equidad e integración social, que obsesionaba a los dirigentes frentistas. Se comenzó a perfilar de este modo lo que llamaremos un republicanismo social modernizador; republicano en tanto hacía hincapié en el equilibrio de poderes, la autonomía del Poder Judicial y la recuperación de una moral cívica; social en cuanto la otra seña de identidad que se ofrecía era la defensa de valores de equidad y justicia social que se contraponían con la tendencia en curso en el país desde mediados de los años setenta a profundizar la exclusión, la concentración económica y la desresponsabilización del estado de estos asuntos; y modernizador, por último, porque se asumía el imperativo reformista de la hora, que respondía al agotamiento de un modelo económico y estatal y a las nuevas condiciones internacionales del desarrollo y el crecimiento. La toma de distancia respecto de la tradición populista de la que hasta entonces participaban en general estos líderes y sus seguidores se observaba en las tres dimensiones, y era ilustrada en particular en la consideración del estado como conjunto de instituciones capaces de gestionar políticas públicas a distancia de intereses corporativos y sectoriales, y en la retraducción de la noción de justicia social en clave de derechos, igualdad de oportunidades e igualdad ante la ley, es decir, enmarcada en una concepción amplia de la ciudadanía republicana (al respecto son ilustrativos la "Declaración de bases programáticas", carta fundacional del Frente Grande, del 25 de mayo de 1993, el proyecto alternativo de reforma de la Constitución, presentado en diciembre de 1993 y expuesto en numerosos artículos y declaraciones por los líderes frentistas, y los documentos "Los aprendizajes políticos de una década de democracia" y "Atreverse a cambiar", de principios de 1995).

En verdad, en relación con la identidad y el programa no se sentaron posiciones demasiado claras durante este período, más allá de algunas definiciones generales. Y, como hemos discutido, este giro no supuso una *creatio ex nihilo;*

pero ello no quita que el cambio de orientación registrado aceleradamente entre mediados de 1993 y fines de 1994 fuera de una significación enorme para los líderes de esta fuerza, y para su desarrollo futuro.

Como parte de una apresurada "apertura al mundo", la búsqueda de contactos y afinidades con fuerzas políticas que se planteaban una orientación similar en otros países de la región (como el Frente Amplio de Uruguay, el Partido de la Revolución Democrática de México, la Concertación Democrática en Chile) y que también atravesaban un período de bonanza, en la oposición o en el gobierno, se convirtió en una preocupación permanente de los líderes del FG (véase al respecto el documento de diciembre de 1994). Se asumía como imperativa la necesidad de adecuarse a la nueva época que se abría en los noventa en todo el globo, y que en el país había inaugurado Menem, mal que a todos les pesara, con un espíritu que recordaba –también en ello había coincidencias– a los adversarios de los partidos afines de la región, Salinas de Gortari en México, Pinochet en Chile. Ese imperativo implicaba la revisión de las propias tradiciones y formas de ver el mundo, para poder ofrecer una alternativa no menos "actualizada" que el proyecto menemista (véase Mocca, 1995).

Dicha "apertura al mundo" contribuyó sin duda a afianzar el giro del FG. Alentó a confiar en la productividad de una estrategia que no lo llevara a proponerse como oposición de alternativa global a las reformas estructurales en marcha, sino que lo diferenciara por los principios republicanos y de equidad que buscaba incluir en su gestión y sus objetivos, y le permitiera de este modo adquirir una orientación de gobierno. La mayor información y la mejor comprensión del contexto regional e internacional hicieron evidente para los frentistas la ausencia de un paradigma alternativo y de ejemplos exitosos de oposición alternativista, lo que tuvo el doble efecto de acelerar el viraje en el sentido de aceptación de la irreversibilidad de muchos de los cambios que el gobierno estaba realizando, progresiva moderación de las críticas a las políticas de reforma y focalización de éstas a las formas de instrumentación y la distribución de costos y beneficios en el modelo resultante y, por último, desplazamiento hacia los temas republicanos. Dado que esto implicaba internarse en un territorio desconocido y relativamente virgen, los líderes frentistas pronto se enfrentaron a nuevas amenazas, como ser la "sobreactuación" del giro,[23] y a nuevos desafíos, como era la construcción de una diferencia sustantiva frente a un gobierno peronista que seguía disponiendo de un amplio "abanico populista", la compleja distinción entre el liberalismo político y el neoliberalismo económico y entre economía de mercado y "sociedad de mercado", en un país que no se había caracterizado precisamente por la sutileza de sus debates políticos; por último, la construcción de una relación "madura" entre los políticos y los grupos de interés. En todos estos terrenos se advirtió que desprenderse de las anteriores certezas constituía una enorme ventaja, pero que era una desventaja no menor tener que elaborar la nueva estrategia y los nuevos recursos políticos, no sólo para hacer oposición sino para acercar la posibilidad de ser gobierno, al mismo tiempo que se avanzaba, aceleradamente y por ensayo y error, en la coyuntura. Como sostuvo con elocuencia Carlos Auyero en una oportunidad, el Frente Grande debía "construir el barco al mismo tiempo que navegaba", y eso implicaba atender varios frentes de batalla a la vez.

Resulta curioso, pero muy comprensible, que estas preocupaciones y temas tuvieran más repercusión en los medios y en la opinión pública que en la vida interna del Frente: en ella seguían teniendo un peso importante —aun con matices y con menos rigideces que antes de iniciado el "giro"— las pautas y las certezas de la cultura política tradicional de la izquierda y el peronismo: el estado productor de bienes y servicios, la protección de la industria nacional, la indiferencia ante los problemas fiscales y de equilibrio presupuestario, la parcial incomprensión cuando no el rechazo de los principios liberales y republicanos, el aislacionismo frente al mundo, la contraposición entre un "bloque social popular" y un "bloque antipopular", etc. Se hizo habitual una actitud que suponía tolerar las declaraciones moderadas o "modernizadas" de los líderes de la coalición, justificándolas en la necesidad de adecuarse a un contexto muy poco favorable al verdadero ideario que en sus conciencias íntimas, se suponía, compartían las bases y los dirigentes. Tolerancia que expresaba también, al menos en parte, cierta disposición pragmática que se consideraba inevitable en una época en que el pragmatismo parecía ser la regla. Esta actitud se hizo patente, por ejemplo, en el desenlace del conflicto entre Álvarez y Solanas, cuando la mayor parte de los seguidores de este último prefirió continuar en el Frente a pesar de sus diferencias con el primero. El divorcio entre el discurso y la estrategia que públicamente desplegaban los líderes y el clima de opinión, la cultura política y los principios de reconocimiento predominantes en el frente interno, por esos motivos, no tuvo una repercusión inmediata ni en la estrategia ni en el discurso público de la agrupación, pero sería fuente de una serie interminable de conflictos y tensiones entre los máximos dirigentes y los cuadros y bases y, como veremos más adelante, dificultaría la institucionalización de la fuerza.

El éxito del giro iniciado por los líderes centroizquierdistas obedeció también, en buena medida, a la disposición favorable del electorado. Ella opacaba todas las dificultades y tensiones al garantizar el mejoramiento inmediato de la *performance* electoral de la fuerza, tal como se observó en 1994 y se repetiría en 1995. En parte, el FG reunía "votos castigo", que podían considerarse expresión de un ánimo "antipolítico", de rechazo a los partidos y los políticos. Ese electorado probablemente no se preocupaba demasiado si el Frente definía un discurso antirreformista o uno republicano. También convocaba expectativas definidas en términos de resistencia a las reformas promercado y la modernización menemista. Sin embargo, esos componentes "antipolíticos", tradicionales o "conservadores" del voto frentista eran los menos dinámicos y los menos consistentes. Y a medida que pasó el tiempo fueron cada vez menos relevantes en términos proporcionales. En 1991, 1993 y todavía en 1994, el voto "antipolítico" opositor al gobierno se concentraba en el MODIN. Por otro lado, los sectores bajos y medio bajos de la sociedad que entre 1994 y 1995 experimentaban con mayor virulencia las consecuencias de la desocupación, la caída de los salarios y el deterioro de los servicios de educación, salud y asistencia social, y reclamaban reparación y protección de parte del estado, probablemente descreían de "los políticos", pero seguían votando mayoritariamente al justicialismo (en las elecciones presidenciales de mayo de 1995, cerca de un 60% de los desocupados votaron al PJ). Ello implicaba una limitación (como se haría evidente en los comicios de 1995) pero también, y de momento, una ventaja para la coalición de centroizquierda: el FG no estaba formando una coalición defensiva, porque no era el partido de los damnificados por el ajuste; no debía atender, por lo tanto, demandas inmediatas de reparación, sino demandas más mediatas y complejas, más "políticas" y universales que sectoriales. No imperaba entre sus votantes una actitud reactiva frente a un cambio en el *statu quo*. Era entre los votantes radicales (y principalmente entre los alfonsinistas) donde tenían eco las posiciones más principistas y "conservadoras" frente a las reformas de inspiración neoliberal (Alfonsín alentó esta orientación sobre todo a partir del Pacto, al diferenciar a Menem de Cavallo y convertir a este último en destinatario principal de sus ataques). Quienes votaban al FG se distinguían por su preocupación por cuestiones institucionales y éticas, más que por su rechazo a las reformas o al programa de estabilización (véase sondeo en *Clarín,* 9-X-1994).

A este factor favorable al giro se sumaron las condiciones de la competencia política y las presiones que recibían los líderes frentistas de parte de los actores económicos, los mediadores con la opinión pública y el propio gobierno. Los medios de comunicación, y en especial los formadores de opinión empresaria, comenzaron tempranamente a requerir a la coalición definiciones respecto de los temas económicos, y actuaron como términos de referencia de las nuevas orientaciones de los frentistas en este terreno. En general, puede decirse que fue en esa interacción en la que se definió el ritmo y el tono de las tomas de posición de los líderes del Frente durante este período, aunque eso no significa que esas posiciones, ni mucho menos la estrategia en que se enmarcaban, estuvieran motivadas o seriamente condicionadas por aquellos actores. De todos modos, lo que aparecía a los ojos de la opinión pública y de los mismos militantes y dirigentes intermedios del FG, era que los líderes de la fuerza formaban sus juicios y tomaban sus decisiones sobre la base de conversaciones con periodistas, comunicadores, consultores e incluso grandes empresarios.

En cuanto al oficialismo, hacía tiempo había trazado una línea divisoria entre quienes apoyaban el −aparentemente al menos− exitoso programa de reformas y quienes habían quedado "atados al pasado", colocando en una posición de debilidad al conjunto de la oposición. Los sucesivos fracasos electorales, no sólo de la oposición de izquierda sino también del radicalismo, podían achacarse a que el gobierno contaba desde 1991 con esa carta ganadora. Recurso tal vez exagerado y algo simplista, pero lo cierto es que con esa divisoria de aguas Menem se garantizaba el apoyo de buena parte de los medios de comunicación, el *stablishment* en pleno, y amplias franjas de votantes independientes, además de los de su partido, de manera que mientras la conservara sería imbatible. Por lo tanto, aun cuando en la vida interna del FG predominaran ideas bastante tradicionales respecto de la economía y el estado, parecía razonable aceptar (muchos por un cálculo de oportunidad, pocos por convicción, en esos casos reciente) que era necesario ofrecer otro "discurso" electoral: distinguir la índole ineludible de ciertos cambios y las bondades de la estabilidad, del estilo de gestión con el que los había puesto en práctica el menemismo, desentenderse del estatismo y otras lacras del pasado, etc. En suma: los argumentos con los que a mediados de 1994 Álvarez había comenzado a tomar contacto con sectores empresarios, para disipar sus temores respecto de las posiciones antirreformistas del Frente. Es por ello que, si bien recibió críticas de algunos sectores de la coalición por el excesivo celo puesto en tranquilizar al *stablishment* y aun congraciarse con él, no hubo conflictos de significación por ese motivo: la competencia electoral lo justificaba y los resultados lo avalarían.

Respecto al segundo punto anunciado para este parágrafo, las intervenciones en la coyuntura que permitieron al FG desplegar su nueva estrategia, la participación en la Convención Constituyente de Santa Fe, la reunión de El Molino con sectores del radicalismo y del peronismo, y la convergencia con la Unidad Socialista y el "bordonismo" en el FREPASO constituyen los pasos más significativos. Debemos advertir, con todo, las limitaciones que encontró el FG en cada uno de ellos y en su rápido desarrollo: en primer lugar, la persistente falta de institucionalidad interna; segundo, el encasillamiento temático en función del éxito obtenido por las denuncias de corrupción en el gobierno; y tercero, la ambigüedad de una estrategia de crecimiento que bregaba por conformar una "fuerza transversal" y partía del supuesto agotamiento de las identidades y tradiciones de los partidos mayoritarios.

La Convención Constituyente que sesionó en Santa Fe entre mayo y agosto de 1994 fue una oportunidad decisiva para la consolidación de la coalición de centroizquierda. En ella se desplegaron las potencialidades de una modalidad de comunicación política muy ágil y desprejuiciada; de una agenda propia que incluía la reivindicación de la política como actividad "virtuosa", la calidad institucional y los equilibrios del régimen político, entre otros temas; y la eficacia de un pequeño núcleo de dirigentes como vehículos de dicha estrategia: Carlos Álvarez, Graciela Fernández Meijide, Aníbal Ibarra y Carlos Auyero. En verdad, el FG influyó poco en los contenidos de la reforma, ya acordados entre los partidos mayoritarios. Pero, sin embargo, logró que su voz fuera la más escuchada en el recinto de sesiones y en los medios de comunicación que transmitían los debates a todo el país. La denuncia de la corrupción y la concentración de poder permitió al FG hacerse del rol de oposición y de fiscal republicano, que un sector importante del electorado esperaba que alguien representara en el contexto de descrédito de la política y "defección" del radicalismo. A resultas de todo ello, en el momento de aprobarse la Constitución reformada, el FG era ya una fuerza desafiante de la hegemonía menemista.[24]

El 8 de agosto se realizó, como culminación de una serie de contactos, una reunión entre sectores no menemistas del PJ, encabezados por José Octavio Bordón, un sector progresista del radicalismo, opuesto al Pacto de Olivos y liderado por Federico Storani, y la cúpula del FG, en la confitería porteña El Molino, donde debatieron las posibilidades de una convergencia electoral y los lineamientos de una política alternativa a la del gobierno. Las repercusiones de esta reunión fueron notables. Ella generó una gran expectativa en la conformación de una coalición "transversal" antimenemista. Aunque los acontecimientos posteriores mostrarían que esto no era tan sencillo. Mientras tanto avanzaron las negociaciones entre el FG y la Unidad Socialista. Como ya vimos, desde 1991 se venía frustrando la posibilidad de presentar listas conjuntas de ambas fuerzas, en buena medida por el celo de algunos dirigentes socialistas en defender su identidad. Pero en la Cámara de Diputados sus bloques trabajaban desde tiempo atrás en conjunto, habían hecho lo mismo en la Convención Constituyente y desde mediados de ese año ya era un secreto a voces que se concretaría un acuerdo formal entre las dos fuerzas. Fue así como a mediados de diciembre de 1994 nació el Frente del País Solidario (FREPASO), en el que convergieron además del FG y la Unidad Socialista, la Democracia Cristiana y el partido Política Abierta para la Integración Social (PAIS), novel organización encabezada por Bordón. En febrero de 1995 se sumarían algunos dirigentes y militantes radicales, cuyo referente era Carlos Raimundi (a mediados de marzo de ese año se incorporó a ese sector el ex canciller Dante Caputo).

En cuanto a estos dos últimos socios lo más significativo era que no correspondían con las expectativas que la reunión de El Molino había generado. Bordón había perdido la mayor parte de sus aliados internos y seguidores al rom per amarras con el PJ y formar su propio partido en setiembre de 1994, y Storani había optado por continuar la lucha interna en la UCR.[25] Sólo unos pocos dirigentes radicales se integraron al FREPASO, en forma individual en la mayoría de los casos. En suma: no se consumaba el aguardado desbloqueamiento de los sectores "progresistas" de los partidos tradicionales. Ratificando, una vez más, la relatividad de los diagnósticos que cargaban las tintas sobre la decadencia e inminente descomposición de esas fuerzas.

Aun así, tanto el FG como el FREPASO avanzaron por una vía de rápido crecimiento. El liderazgo de Carlos Álvarez resultó fortalecido por la Convención Constituyente y los medios de comunicación comenzaron a barajar su candidatura presidencial. Más aún, después de El Molino y la formación del FREPASO, era la figura emergente a nivel nacional y su crecimiento parecía no tener límites. El "pase" de dirigentes medios y militantes de los dos partidos mayoritarios hacia la coalición continuaba. Este crecimiento se asentó, principalmente, en la sistemática denuncia de los peligros del "hegemonismo menemista", cuyos exponentes eran la corrupción y los abusos de poder. Es de destacar que esa focalización temática demostraba las dificultades para construir una diferencia política significativa en otras áreas, (v.g., la economía), en las que el Frente estaba intentando una profunda reorientación, o en las que se requerían recursos de los que el Frente carecía. En la medida en que no se resolvieron fácilmente esas dificultades, los líderes de la agrupación no tuvieron otra opción que "especializarse" en la temática de la corrupción.

En el curso de esos meses se planteó una disyuntiva a la dirigencia del FG que evidenció la tensión entre los dos grandes desafíos que enfrentaba: ¿podía el Frente encarar una campaña presidencial, y al mismo tiempo institucionalizar la fuerza y organizarla en todo el país? Atender la coyuntura ¿no dificultaba crear recursos organizativos estratégicos y reglas de juego internas más claras y eficaces que los "usos y costumbres" que espontáneamente se habían ido imponiendo en su seno? La postulación de Álvarez para la

111

presidencia, alentada por las encuestas y los medios, más la conformación del FREPASO parecieron resolver este dilema a favor de "seguir construyendo el barco mientras se navegaba". Aunque al interior del Frente no se saldó tan fácilmente el problema.

Determinar el curso de acción más oportuno exigía establecer el margen de libertad disponible para cada opción, teniendo en cuenta las expectativas que la sociedad estaba depositando en el Frente, dilucidar si verdaderamente podían crearse instancias institucionalizadas de toma de decisiones en un espacio en el que no existía una historia común ni tradición de convivencia, ni bases electorales definidas, ni tampoco una correlación entre afiliados y votantes, y tan sólo tenía peso y valor real la confiabilidad de un puñado de dirigentes que se comunicaba con la opinión pública a través de los medios (y que en buena medida no eran los que controlaban los pequeños aparatos territoriales ni los padrones de afiliados). ¿Qué tipo de institución debía formarse? ¿Debía apuntarse a unificar a todas las fuerzas integrantes del Frente en una sola estructura partidaria, o a dar fluidez a los mecanismos de resolución de conflictos entre los partidos miembros? ¿Cómo lograr cualquiera de estos dos objetivos al mismo tiempo que se atendía la coyuntura electoral?

Los pro y los contra de una mayor institucionalización variaban para cada integrante de la coalición, incluso a nivel individual. Y variaban también las alternativas de institucionalización que se barajaban. Existían, por un lado, grupos medianamente consolidados que contaban con suficientes recursos organizativos propios (locales partidarios, afiliados, etc.), como para estimar conveniente la fusión de todas las agrupaciones en una sola y el establecimiento de mecanismos formalizados de competencia interna para la selección de autoridades y candidaturas comunes (era el caso de algunos de los grupos provenientes del peronismo y los sindicatos). Por otro, los había más reducidos y con menores recursos, pero con un reconocimiento formal previo como partidos autónomos que, por distintos motivos (el control de recursos y cargos en el caso del Partido Intransigente y la Democracia Cristiana, a lo que se sumaba la protección de una identidad histórica en el caso de los socialistas), se resistían a disolverse en un todo abarcador en el que serían siempre minorías.[26] En suma, los partidos y facciones internas no parecían interesados en crear una estructura flexible y ágil adecuada al movimiento de opinión que el FG comenzaba a representar, sino que persistían en modalidades de organización y estrategias más bien tradicionales, porque de todos modos el espacio de la fuerza seguía creciendo independientemente de lo que ellos hicieran y esa era la manera más segura de mantener el control de ciertos resortes de poder.

Por otro lado estaban los líderes con peso propio en el electorado y las figuras independientes, técnicos y profesionales que se habían ido sumando a su entorno, que veían en una más rígida institucionalidad un riesgo para su libertad de maniobra, para la posibilidad de promover candidaturas en función de capacidades e imágenes valoradas por la sociedad y no del control del aparato partidario, y para decidir rumbos de acción sin tener que cumplir los pesados procedimientos de las burocracias internas. Algunos preferían dejar las cosas como estaban a intentar poner en caja ese tropel de grupos heterogéneos: dada la discordancia entre las concepciones programáticas y la cultura política predominante en los sectores internos, y la estrategia y discurso públicos con que se identificaba la coalición, la informalidad interna parecía proveer la cuota de flexibilidad imprescindible para evitar conflictos y para que los líderes y cuadros que los acompañaban pudieran actuar sin obstáculos.

A mediados de 1994 Álvarez, respaldado por Carlos Auyero y algunos otros dirigentes, había planteado fusionar los partidos miembros del FG en una única organización, el Partido del Frente. Se dieron pasos en dirección a la unificación, con relativo éxito: en varias provincias se creó el nuevo partido, el Encuentro Popular y el PC se fracturaron y quienes permanecieron en el FG (los sectores de Rodolfo Rodil y Alejandro Mosquera, respectivamente) formaron líneas internas o se sumaron a otras corrientes; la Democracia Popular y el PI de la Capital Federal se disolvieron e integraron a la nueva organización. En verdad, esto fue posible porque, a excepción del PC, ninguno de esos grupos poseía una identidad diferenciada que justificara su existencia como partido. Pero no por ello la situación cambió sustancialmente: las líneas internas que resultaron de ese proceso de "partidización" no abandonaron su conducta facciosa, ni el Partido del Frente logró institucionalizar nuevas reglas de juego. Hasta 1996 no se había formalizado la creación del Partido del Frente en Capital Federal, provincia de Buenos Aires y Santa Fe, los distritos donde existía mayor desarrollo, y donde la disputa interna era, por lo tanto, más feroz porque había más en juego. Cuando se formó el FREPASO la situación fue al mismo tiempo más simple y más compleja: hacia el interior del FG se simplificó la cuestión porque las decisiones comenzaron a tomarse en una mesa de conducción de la nueva coalición (integrada por un representante por cada parte firmante del acuerdo: el FG, el PAIS, la DC, el PSP y el PSD, a los que luego se sumarían los ex radicales de Nuevo Espacio), pero la resolución de los conflictos y la armonización de las heterogéneas y fluidas realidades de los socios fue aún más intrincada. Tampoco estaban claras las reglas para la conformación y el funcionamiento de esa mesa, lo que se evidenció cuando un sector remanente del PI logró hacerse de un lugar en ella, mientras los dos líderes más destacados, Álvarez y Bordón, tendían a negociar entre sí las decisiones.

La debilidad general de todos los grupos internos frente a la potencia de los líderes que encabezaban el FG y el FREPASO jugaba a favor de un pacífico y oportunista acomodamiento de las partes a las posibilidades que le ofrecía a cada cual el rápido crecimiento. Esto era válido tanto para los grupos más cercanos a los líderes, que formaban el núcleo más dinámico y numeroso, como para los demás sectores, ex radicales, ex peronistas, ex comunistas, socialistas, intransigentes o cristianos. Todos esperaban encontrar "un lugar bajo el sol" mientras siguiera creciendo el espacio común, por lo que no había motivos para emprender batallas a muerte contra los otros socios, ni tampoco para desvelarse por la consolidación institucional de la fuerza. Como fuera, influían no sólo los cálculos coyunturales de cada parte, sino también las concepciones y prácticas a que sus miembros estaban habituados. El movimientismo era el estilo político predominante, sobre todo entre los ex peronistas, y aunque en algunos sectores pesaba la idea del "partido de cuadros", la experiencia inmediata parecía dar la razón a quienes sostenían que la conformación de una nueva coalición, "transversal" a los partidos tradicionales, hacía no sólo tolerable sino imprescindible una alta cuota de informalidad. Ella era, incluso, indicio de la "apertura a la sociedad" y de la diferenciación de la clase política y de los partidos tradicionales: la crisis de representación que supuestamente azotaba a estos partidos avalaba la idea de que el movimientismo era preferible a la partidocracia (véase en particular, en este sentido, el documento de julio de 1994, en que se planteaba integrar movimientos temáticos y organizaciones sectoriales a una institucionalidad partidista que se pretendía abierta y participativa).[27]

Sin desconocer las dificultades que la coalición encontraba para institucionalizarse, cabe decir que, en términos organizativos y prácticos, el FG y luego el FREPASO, tal vez gracias a esas limitaciones, reunieron ciertos rasgos que son de gran utilidad en los partidos contemporáneos: ser difusos en la base, centralizados y personalizados en el vértice, capaces de adoptar ágilmente cambios de orientación y de representar corrientes de opinión móviles, dinámicas y una sociedad muy fragmentada. En suma: el frente de centroizquierda se conformaba como una fuerza más cercana al "partido de opinión" y al "aparato profesional-electoral" (Panebianco, 1990) que a los tradicionales partidos de masas, y eso no necesariamente era un déficit, habida cuenta de que los propios partidos tradicionales evolucionaban en esta misma dirección. Al menos esto podía ser un consuelo mientras el FG y el FREPASO no se vieran en la obligación de enfrentar desafíos mayores, como por ejemplo cumplir funciones de gobierno.

Es de destacar también que los líderes encontraron una forma muy eficaz de contrapesar esta debilidad organizativa en su relación privilegiada con el periodismo independiente y crítico del gobierno y en el uso de los medios de comunicación como terreno e instrumento de su acción política. Habida cuenta de las dificultades para desarrollar una movilización de masas consistente con la estrategia política general (dadas las contradicciones internas ya descritas y la escasa repercusión que tenían en la sociedad los intentos de alentar una movilización social y sectorial opositora) y la crónica escasez de recursos financieros, humanos y organizativos, las iniciativas políticas y las campañas electorales tendieron naturalmente a basarse en el activo más importante que tuvo a su disposición la conducción frentista: las simpatías del periodismo y el acceso a los medios. Motivado este último, en algunos casos, en simpatías empresarias hacia las posiciones de la oposición, y en otros en un ajuste de la oferta a las demandas de la opinión pública. Recordemos que aproximadamente por estos años parte de la prensa independiente y los periodistas radiales y televisivos que habían acompañado al gobierno nacional, o que al menos habían entendido como inevitables muchas de sus decisiones, comenzó a tomar distancia y a adoptar una tesitura más crítica, en particular en materias tales como la concentración de poder, la manipulación de la Constitución, la corrupción y la inseguridad jurídica. Sobre todo a partir del Pacto de Olivos, la amenaza de un poder hegemónico que no reconociera límites de ningún tipo se hizo palpable para el periodismo y los medios: recordemos, también, que fue por entonces que el gobierno nacional empezó a barajar la posibilidad de limitar la libertad de expresión para proteger a sus funcionarios de las denuncias de corrupción. Fue natural, entonces, que esos medios y esos periodistas entraran en sintonía con las figuras políticas que venían ofreciendo un discurso político opositor en clave progresista y republicana.[28]

De las consecuencias de esta "sintonía" no todas fueron ventajas. A resultas de ello el FG y el FREPASO fueron identificados por propios y extraños como "el partido de los medios", lo que para sus adversarios políticos, pero también para muchos de sus militantes y cuadros, tenía una carga peyorativa. La relación mediática y "espectacular" entre los ciudadanos y los políticos era uno de los rasgos de la tan meneada "crisis de representación". La "videopolítica" era, además, denostada como expresión del imperialismo que ejercían en el espacio público los grupos de interés más concentrados, a través de los multimedios (cuya formación y expansión habían permitido, precisamente, las privatizaciones y desregulaciones menemistas). Resultaba, por lo tanto, una contradicción difícil de tolerar que quienes propugnaban una alternativa nacional y popular, una nueva síntesis social y política, y la recuperación de la potencialidad transformadora de la actividad militante, centraran su estrategia política en ese espacio y privilegiaran esos instrumentos. Cuando Álvarez y los demás líderes demostraban tener un diálogo mucho más fluido con algunos periodistas que con los militantes e instancias orgánicas del Frente, y parecían tomar decisiones en función de aquellos contactos y no de las preferencias de las "bases", muchos no podían dejar de recordar la injerencia que otros periodistas habían tenido en la reconversión liberal de Menem, años antes. La contraposición en estos términos entre "los medios" y "la militancia" no expresaba sólo una diferencia en la modalidad de construcción política, sino también las tensiones resultantes del acelerado giro que estaban impulsando los líderes. Evidentemente, el éxito comunicacional de éstos era el motor principal del crecimiento de la fuerza, incluido el territorial y organizativo. Pero eso no era argumento suficiente para desarmar la oposición que se había instalado entre la política mediática y la acción militante. Aunque también esta tensión pudo ser morigerada en sus efectos por el reconocimiento de la necesidad de adecuarse pragmáticamente a las condiciones de la vida política contemporánea, eso no bastó para disimular la brecha cultural que se abría entre los líderes, dinámicos e innovadores, y su organización, crónicamente "retrasada" respecto de aquellos y escasamente eficaz para seguirles el paso o colaborar con ellos.[29]

Durante 1994 y 1995 se discutieron alternativas de institucionalización del FG y del FREPASO (véase al respecto el documento de julio de 1994; Castiglioni, 1996; Auyero, 1996). Pero a pesar de que se logró avanzar en la conformación de una dirección nacional e instancias de conducción distritales medianamente consensuadas y permanentes, los problemas de fondo siguieron irresueltos. Tampoco los resolvieron las internas que se realizaron en el FG en algunos distritos: el número de afiliados con que contaba cada corriente era insignificante respecto de la representatividad que había alcanzado el frente en la sociedad y ello permitía que se crearan, con unos cuantos cientos de votos en las internas, mayorías que no se correspondían con el aporte de cada grupo y cada dirigente al consenso social alcanzado. En muchos casos Carlos Álvarez siguió contando con el respaldo necesario para actuar como "supremo elector". Y en ocasiones esto era imprescindible, dado que demostraba ser completamente intransitable el camino del consenso entre las partes, estaba ausente un mínimo respeto de las reglas formales de resolución de conflictos entre ellas, o bien se comprobaba que el funcionamiento de esas reglas y aquel consenso producían resultados muy por debajo de lo deseable en términos de selección de candidatos. Los líderes nacionales pugnaban, en esos casos, por mantener abierto el frente y sus listas a la sociedad, por incorporar dirigentes sociales o de otras fuerzas políticas, personalidades de la cultura u otras actividades, que se correspondieran mejor con su estrategia y podían sin duda atraer más votos que el personal político que componía el activo interno de cada distrito. Finalmente, al igual que sucedió en ocasión del "giro", era la confianza en el liderazgo de Álvarez y la presunción de que fuera de la coalición no había futuro para ninguno de sus integrantes, mientras que permaneciendo en ella todos podrían beneficiarse de su rápido y continuo crecimiento, lo que actuaba como cemento unificador de ésta y bálsamo inhibidor de esos conflictos y tensiones. El problema sobrevendría en el caso de que ese crecimiento se interrumpiera.

La tradición movimientista se reflejaba no sólo en esta

crónica "seminstitucionalización" interna, sino también en la estrategia de crecimiento de la coalición. El núcleo de dicha estrategia era la noción de "transversalidad", término que, sobre todo a partir de El Molino, se transformó en un lugar común de todos los discursos frentistas (véase al respecto Portantiero, 1994; Álvarez, 1995; Bordón, 1995). ¿Qué significaba esa "transversalidad"?

Transversalidad: entre movimientismo e invención de una nueva identidad

El nuevo diagnóstico que animaba a los líderes frentistas tras el giro era que el gobierno de Menem había producido una vuelta de página en la historia política del país, y que la oposición a su proyecto "neoconservador" debía dar cuenta ante todo de la nueva situación. Esto los llevaba a adoptar una posición "actualizada" frente a la nueva época que se abría.[30] Pero también a perseverar en la premisa de una "crisis de representación", que ahora llevaba a concluir que el bipartidismo y los partidos tradicionales habían perdido su razón de ser. Siguiendo estudios académicos y versiones periodísticas de amplia circulación durante estos años, se afirmaba que, fruto de aquella vuelta de página, los partidos tradicionales habían entrado en una fase de crisis terminal, y que sus identidades históricas estaban en descomposición: por eso había tenido éxito el proyecto menemista en el peronismo, se producía la pérdida de cohesión y la "resignación pactista" de los radicales, así como la tendencia a conformar entre ambos un "partido único del ajuste" (Auyero y Colombo, 1995). Estos partidos, careciendo de programas propios y estando sus identidades moribundas, ya no eran capaces de representar a amplios sectores de la sociedad ni de dar respuestas a los problemas sociales y políticos del país. No encarnaban los clivajes ni las tareas que tenía por delante la política y, por lo tanto, estaba en duda su misma sobrevivencia en el futuro.[31]

Se descontaba, entonces, que algunos de los cambios

introducidos por Menem en la economía, el estado y la política eran irreversibles (por ejemplo, el desmantelamiento del estado paternalista y empresario, del régimen de economía cerrada, la conservadurización del peronismo o al menos de una parte importante de él, la subordinación del radicalismo —véanse al respecto los documentos de junio de 1995). Pero se acotaba el alcance del "éxito de Menem" en función de esa "profunda crisis de representación política": la desafección de los ciudadanos respecto de la política y su supuesta "resignación" ante un "proyecto impuesto por los factores de poder" y por la gravedad de la crisis, permitía explicar los triunfos electorales y al mismo tiempo sostener que la mayoría de sus votantes no se identificaba verdaderamente con Menem y su proyecto (véase Bordón, 1995). Así se "explicaba" la anomalía que suponía el apoyo popular a políticas consideradas "antipopulares" y se dejaba abierta la puerta a la reivindicación de las "tradiciones y las identidades históricas" del peronismo y el radicalismo, con las cuales, ante esta situación, debía construirse un "nuevo proyecto nacional".

Lo que se evidencia con ello es que la dirigencia frentista, a pesar de su esfuerzo por acomodarse a la época e incorporar pautas "modernas" —como la preocupación por los temas fiscales, la competitividad y las restricciones que imponía la economía de mercado globalizada—, o precisamente por dicho esfuerzo, encaraba la construcción del "nuevo proyecto nacional" con una visión movimientista del sistema de partidos, que tenía claras afinidades con las tradiciones populistas preexistentes. La idea de conformar una "fuerza transversal" que recogiera a los sectores "progresistas" y las tradiciones "populares y democráticas" que, aún en medio de la crisis, subsistían en los márgenes de los partidos mayoritarios y en otras fuerzas, era la expresión de esa disposición movimientista. En resumidas cuentas: si el conservadurismo neoliberal de Menem implicaba la muerte del bipartidismo peronista-radical, era necesario "trascenderlo" y al mismo tiempo recuperar los principios y valores que aparentemente había dejado caer por el camino. Los partidos tradicionales no representaban ya alternativas reales, eran cáscaras vacías a la espera de que se decretara su defunción. Y quien podía hacerlo era una "fuerza transversal".[32]

Conviene observar que este planteo movimientista convivía con una versión más matizada y *aggiornada* de la "transversalidad", en la que se valorizaba la competencia de partidos. Dentro de esta versión, se sostenía la hipótesis de una tendencia a la institucionalización y "normalización" del sistema de partidos argentino, con la transformación del peronismo en una fuerza de centroderecha de orientación populista-conservadora, el acotamiento del radicalismo a los límites del centrismo liberal-democrático, y la tendencia a la formación de un polo de centroizquierda que absorbería la dirigencia y los espacios de representación progresista y "populares" de aquellos dos.[33] La emergencia de una fuerza de centroizquierda electoralmente poderosa resultaba, en estos términos, indirectamente producto de la clausura de la "ambigüedad" populista del peronismo, clausura lograda por Menem (más allá de que, en lo inmediato, su despegue electoral había sido fruto, según esta apreciación, de la debilidad de la oposición radical). Sería así posible, por vez primera en Argentina, representar a los sectores populares y tomar como propias las tareas de la democratización y la equidad social desde fuera del peronismo. En este caso la estrategia "transversal" se justificaba por la misma necesidad de terminar de "normalizar" el sistema de partidos, abrevando de los recursos políticos existentes (humanos, identitarios, electorales, etc.), dada la debilidad del progresismo y la izquierda "autónomos" en el país. Puede cuestionarse cierto viso esquemático de este "transversalismo" moderado o partidista, por la simplificación del rol del radicalismo e incluso del peronismo menemizado (que seguían siendo partidos "atrápalo todo" muy eficaces, capaces de conformar coaliciones populistas muy amplias, y poseían una enorme capacidad de regeneración). Pero debe reconocerse que describía la naturaleza del "partido de opinión" emergente mucho mejor que las nociones movimientistas de "bloque social" o "alianza social alternativa al neoconservadurismo". Expresaba, además, bastante fielmente la evolución que estaban experimentando los líderes y cuadros frentistas, en tránsito acelerado desde sus matrices ideológicas y culturales anteriores hacia una nueva, de centroizquierda, actualizada, modernizadora y más propiamente partidista. Y también expresaba el hecho de que, en estos términos, la estrategia transversal daba buenos resultados; y los siguió dando.

En este marco, la denuncia de los rasgos más oscuros de la "política tradicional" (el clientelismo, el patrimonialismo y la demagogia) y el llamado a "recuperar la política" se desprendían de todo sesgo movimientista y adquirían un sentido republicano y antipopulista. En el discurso de batalla, de todos modos, siguió siendo frecuente el uso de los motivos movimientistas, y ello se explica fundamentalmente por cierto temor de los líderes frentistas a desaprovechar lo que creían era un generalizado clima de opinión ferozmente crítico de la "clase política" y los partidos. Según esa presunción, el Frente recibía un voto "antipolítico" proveniente de todos aquellos que creían que ser político y ser ladrón era aproximadamente lo mismo. Ese voto no podía ignorarse, y sólo paulatinamente podía transformarse en la opción por un proyecto alternativo. Además de que los supuestos en que se asentaba este temor eran muy discutibles (como ya vimos, las encuestas muestran que el clima "antipolítico", particularmente extendido entre los sectores populares, era aprovechado más por el oficialismo y por el MODIN que por la oposición progresista), pronto ese discurso se volvió incompatible con el desempeño de funciones de oposición institucional por parte del FG y el FREPASO. Dicho desempeño aceleró la adopción de un discurso más moderado y responsable hacia los otros partidos y respecto del valor de esas mismas funciones. El perfil republicano y partidista se vio por ello favorecido.

Con estos problemas a cuestas se arribó al momento en que debía resolverse la candidatura presidencial para las elecciones de mayo de 1995 y encararse la campaña electoral contra Menem. Se pudo comprobar, entonces, la enorme potencialidad de una fuerza transversal seminstitucionalizada. Y también se pudieron advertir sus graves problemas y debilidades.

Bordón, que había sido gobernador de Mendoza hasta 1991 por el PJ y ocupaba desde entonces una banca en el Senado, no había corrido los riesgos que corrió separándose del justicialismo animado por un rechazo principista al camino que seguía ese partido, ni con la vista puesta en un futuro lejano. Su expectativa era disputarle la presidencia a Menem en 1995, algo que era evidentemente muy difícil hacer desde dentro del partido de gobierno. El choque con Álvarez fue entonces inevitable, dado que en el clima de opinión que reinaba en las fuerzas del FREPASO, éste contaba con mucho mayor consenso que aquél, considerado (no sin razón) un hombre de centro-derecha, un advenedizo de cuya lealtad no se podía estar seguro, y un partidario decidido de las reformas promercado y las buenas migas con el *stablishment* empresario.

¿Cómo resolver esta disputa, en ausencia de una estructura común dentro de la cual medir fuerzas? La solución fue convocar a internas abiertas para decidir la fórmula y, para evitar el riesgo de un divorcio anticipado, establecer que el perdedor sería candidato a vicepresidente. La virtud fue, una vez más, hija de la necesidad. Las internas abiertas del 26 de febrero de 1995 lograron movilizar a la dispersa opinión pública que venía acompañando en forma creciente a la centroizquierda, transformándose en una masiva demostración de fuerza frente a los partidos tradicionales. Con escasísimos recursos organizativos se logró la participación de cerca de medio millón de electores, que inclinaron la balanza, por muy escaso margen, a favor de Bordón.[34] Los partidarios de Álvarez (el FG, los socialistas y algunas organizaciones sindicales) acataron disciplinadamente el resultado. Lo que también fue una muestra de la solidez alcanzada por la coalición. Otro indicador de esa solidez fue que el liderazgo de Álvarez no se esfumó a consecuencia de la derrota. Siguió siendo el mentor del FG, el sector más numeroso del FREPASO, el más activo y el que reunía la mayor parte de las figuras destacadas de la coalición (Fernández Meijide, Ibarra, Auyero, etc.). Álvarez además siguió actuando como bisagra entre los líderes y grupos de la coalición. De este modo, su liderazgo se integró a un esquema más amplio, en el que la capacidad de comunicación con la opinión pública seguía siendo la brújula que orientaba la estrategia y el principio básico de legitimidad.

La consolidación del frente de centroizquierda se produce con las elecciones presidenciales de 1995 y los hechos que les siguieron. Como ya podemos anticipar, ello no implica que se dejaran atrás los problemas que lo acosaban desde su origen, sino tan solo que comienza a percibirse que puede ser algo más que un *flash party*, que puede superar el síndrome que habían sufrido todas las terceras fuerzas desde 1983, el Partido Intransigente en 1987, la Unión de Centro Democrático en 1991, el MODIN en 1993: no poder adquirir una orientación de gobierno, ni sobrellevar fracasos coyunturales y conflictos internos, ser débiles ante la intrusión de los partidos mayoritarios en su espacio y no superar las limitaciones de una inserción acotada territorial y temáticamente. Porque el FREPASO supo resolver sus conflictos internos, aprovechó la coyuntura electoral para extender su presencia a todo el país y a todos los campos de la competencia política, y logró sobrevivir a la derrota frente a Menem. Incluso, pocos meses después, superó la fuga de su candidato presidencial, que protagonizó un nuevo y frustrado intento de repetir la maniobra de "salir-para-volver" del PJ, maniobra que, después de Antonio Cafiero en 1985, nadie había intentado con éxito.

2.3. A la conquista del gobierno: la centroizquierda se consolida y amplía sus horizontes

En mayo de 1995 la fórmula presidencial del Frente obtuvo 28,8% de los sufragios, superando ampliamente al binomio de la UCR (16,9 %). No fue suficiente para forzar una segunda vuelta, básicamente porque no logró desmontar la coalición electoral menemista: ni los votantes peronistas tradicionales, de los sectores bajos urbanos y del interior, ni los sectores altos incorporados a partir del plan de reformas, ni siquiera importantes sectores medios se dejaron tentar por la nueva opción; apostaron a la continuidad del gobierno, que obtuvo casi 50% de los votos. Aunque recibió bastante menos votos para sus candidatos a gobernadores, intendentes y legisladores (las listas de diputados nacionales reunieron 21% de las preferencias, ligeramente por debajo de las radicales), el FREPASO se constituyó en una fuerza con presencia en todo el territorio del país, que parecía ser capaz de disputar el poder político al peronismo y relegar al radicalismo a un tercer plano. Ganó representación en casi todas las provincias importantes: en Buenos Aires 8 diputados provinciales y 4 senadores, en Córdoba 7 diputados y un senador, tres diputados en Santa Fe, La Pampa y Neuquén, dos en Catamarca, Santa Cruz y Mendoza (en ésta también un senador), uno en Entre Ríos, Chubut, Río Negro y Santiago del Estero. Y un senador en Tierra del Fuego. Y en el Congreso Nacional reunió una bancada de 26 diputados y 2 senadores. La contracara de estos inobjetables indicios de crecimiento y consolidación no era solamente la incapacidad de perforar la coalición mayoritaria del menemismo. También se advertía una muy desigual inserción del Frente en términos territoriales y un persistente problema de desarrollo institucional. Las listas del FREPASO recibieron porcentajes muy altos en la ciudad de Buenos Aires, algunos partidos del Conurbano Bonaerense, Rosario y otros grandes centros urbanos, en algunos casos imponiéndose incluso al PJ, mientras que en las provincias periféricas y las ciudades y pueblos de menor tamaño sus porcentajes eran sustancialmente más bajos, incluso inferiores a los del radicalismo y los partidos locales. A esto se sumó que, dadas las características del sistema electoral argentino (la renovación parcial de los legislativos, principalmente), no obtuvo una presencia institucional proporcional a su peso electoral, siguió siendo una lejana tercera minoría en todas las legislaturas donde tenía representación y, en cuanto a puestos ejecutivos, sólo accedió a la intendencia de Rosario (en el mes de setiembre fue electo intendente de esta ciudad Hermes Binner, del socialismo).

Bordón le había permitido al Frente profundizar su ya marcado pragmatismo, adoptando posiciones ajustadas a la coyuntura. Aunque también en este terreno la agilidad para acomodarse al momento tenía su contracara: la fragilidad de una oferta política que exhibía un perfil definido sólo en algunos temas de la agenda, mientras que en otros su posición era bastante incierta o difusa; y que carecía de recursos estratégicos de poder, tanto institucionales como fácticos. Como había sucedido en elecciones anteriores, el Frente utilizó la campaña para intentar consolidar no sólo su estructura organizativa, sino también su identidad, su programa y su estrategia. Pero en cuanto a esto último el avance fue limitado. Básicamente, Bordón organizó su campaña electoral tratando de diferenciarse en la "forma de gobernar" y el "costo social del ajuste": haciendo hincapié en la corrupción y el estilo decisionista del gobierno de Menem, y destacando los déficit en materia social, evidenciados en la creciente desocupación y el aumento de la pobreza, se invocaba "un gobierno mejor con justicia social". Mientras que en el terreno de las reformas estructurales se intentó un perfil más bien bajo: temiendo perder votos por dos flancos, se evitaba una toma de posición definida, se manifestaba acuerdo con cuestiones muy generales y se planteaba una crítica moderada a la forma de instrumentación. Fueron tímidos los intentos de construir un discurso económico propio, sobre la base de la contraposición entre el supuesto "fundamentalismo de mercado" de Cavallo y la recuperación de capacidades estatales para desarrollar políticas activas, de promoción del empleo, las exportaciones y la reconversión productiva de las PyME. Finalmente se terminaba siempre en la conexión entre el fortalecimiento de la estabilidad y la resolución de los problemas de inseguridad jurídica y exclusión social. También se intentó, tibiamente, la apropiación e hilación de una serie de temas de la agenda política, para escapar del encasillamiento temático que suponía la hasta entonces obsesiva reiteración de denuncias de actos de corrupción y abuso de poder: la calidad institucional, la eficiencia y transparencia en la gestión, las políticas activas, la atención a los jubilados y la educación, la equidad e integración social debían mostrar que el Frente sí tenía programas y que existía una alternativa real de gobierno. Pero ello derivó en dispersión y no en una explotación adecuada de lo que era una seña de identidad fuerte: la cuestión republicana.

Aunque existió una acertada disposición a desarrollar un perfil gubernativo y a "superar" a Menem dejando fuera de discusión los logros de su gestión (estabilidad, apertura, equilibrio fiscal, etc.), en este terreno Bordón no tuvo mucho éxito. Y tanto en el aspecto "discursivo" como en la estrategia quedaba en evidencia una dificultad para superar el déficit de identidad y de recursos políticos propios, y por lo tanto para diferenciarse como opción política de un modo más fuerte y consistente. Ello se manifestó no sólo en el terreno económico, sino también en el intento de apropiarse de cierta simbología peronista y la apuesta por el corte de boletas a favor de la fórmula presidencial frepasista (alentada en provincias peronistas y radicales), corte que finalmente no se verificó. Más allá de los errores que se cometían, lo cierto es que no se contaba con la cohesión y fuerza de voluntad, ni con la representatividad institucional y el personal político y técnico adecuados para que la propuesta de un cambio más sustantivo de rumbo fuera percibida como una opción verosímil, confiable y viable por parte de un electorado que, al calor de la crisis financiera desatada a fines de 1994, se inclinaba por la prudencia que sugería la continuidad del gobierno en funciones. El FREPASO carecía además de vínculos estrechos con actores de la sociedad a partir de los cuales dar forma a una nueva coalición de gobierno. Frente a las muestras de respaldo de los sindicatos más poderosos, los grandes grupos económicos, los formadores de opinión empresaria y los organismos internacionales que recibía a granel el oficialismo, aquél no podía evitar transmitir cierta imagen de soledad. El apoyo de los medios de comunicación independientes, algunos círculos intelectuales y culturales y sectores medios urbanos no bastaba para compensar esas carencias, ni para sostener una coalición electoral alternativa. Como antes Álvarez, Bordón intentó aventar los temores que el Frente podía despertar respecto del control de las variables macroeconómicas ("no vamos a devaluar", "pienso hacer los máximos esfuerzos para que no se siga debilitando la convertibilidad", etc. —*Clarín*, 7-IV-1995). Pero aunque esos gestos tuvieron cierto impacto en la opinión pública, no lograron romper la alianza estratégica establecida entre los grandes empresarios y el gobierno de Menem. Bastó para desalentar a los frentistas (y a muchos electores indecisos) la declaración realizada por algunos voceros empresarios, tan sólo dos días antes de los comicios, en el sentido de que los mercados podrían reaccionar desfavorablemente al hecho de que la oposición llegara al *ballottage*.

Pasados los comicios reaparecieron otros problemas que se venían arrastrando desde tiempo atrás. La tensión entre Bordón y Álvarez no tardó en reactivarse. Como en el caso de Solanas, también ahora existía una disputa sorda pero persistente por el liderazgo. No sólo esto: había, también desde el principio, diferentes apreciaciones sobre la forma y orientación con que debía crecer el Frente, su futuro y su relación con el peronismo. La oportunidad para que esto se manifestara fue la discusión sobre la posible incorporación de Gustavo Béliz, ex ministro de Menem y aspirante a ser candidato, hasta entonces por el PJ, a jefe de gobierno porteño. Bordón encontraba en él, al igual que en Ramón Ortega (con quien también mantenía asiduos contactos), un potencial aliado, pues compartía sus puntos de vista centristas, cuando no centroderechistas, y su aspiración de tomar distancia del menemismo pero para reencontrarse en algún momento con la "familia peronista". Álvarez y el resto de los dirigentes del Frente advirtieron por su lado que ello implicaba vaciar a la coalición de su todavía precaria identidad y admitir el libre tránsito por un espacio electoral y político que debía urgentemente delimitarse y protegerse de las "incursiones" tan típicamente peronistas. El diferendo se convirtió entonces en un test de las respectivas fuerzas. La resolución fue rápida: la mayor parte de los dirigentes y agrupamientos del Frente ratificaron el rechazo a la incorporación de Béliz y Bordón tomó, el 9 de febrero de 1996, la decisión de abandonar el barco. El hombre que en unos pocos meses había logrado desbancar a Álvarez de la candidatura a presidente y reunido 5 millones de votos en la disputa contra Menem, desconocía así que el espacio de centroizquierda poseyera una identidad o una institucionalidad que merecieran alguna consideración a la hora de decidir un rumbo de acción. Era de esperarse que una crisis de credibilidad azotara a la coalición, y que nuevos conflictos siguieran a este desprendimiento. Sin embargo nada de esto sucedió. Incluso una parte importante de PAIS, el partido de Bordón, permaneció en el Frente (pasó a denominarse Nuevo Movimiento). Ni éste ni quienes protagonizaron la disputa con el ex candidato fueron culpabilizados por la opinión pública ante tan decepcionante desenlace. El principal damnificado fue el mismo Bordón, que pocos días después renunció a su banca de senador y debió retirarse, al menos momentáneamente, de la lucha política.

La sobrevivencia a la derrota electoral de mayo de 1995 y al retiro de Bordón en febrero de 1996 fueron las pruebas de que el Frente se consolidaba como fuerza y como espacio político medianamente institucionalizado. Nuevas competencias electorales mostraron que el consenso ganado por la agrupación y su espacio político se mantenía. En octubre de 1995 Graciela Fernández Meijide obtuvo una senaduría por Capital Federal con una amplia diferencia (más que duplicó a los candidatos peronista y radical) y en junio de 1996 la coalición encabezada nuevamente por Meijide alcanzó la primera minoría en la Convención Constituyente de esta ciudad (con 34,8% de los votos, contra 27,3% del radicalismo y 15% del PJ), pero poco después De la Rúa resultó vencedor y fue elegido Jefe de Gobierno de la Ciudad de Buenos Aires (el candidato frentista fue el socialista Norberto La Porta, que obtuvo sólo 26% de los sufragios, contra 40% del radical).

El FREPASO ante el síndrome de las terceras fuerzas

¿De dónde provenía la solidez mostrada por el FREPASO en estos trances? Por cierto que no de su organización interna, ni tampoco de una fuerte identidad compartida por sus miembros. Podía especularse que había alcanzado cierta cohesión interna gracias al cálculo de utilidades que, como ya comentamos, podían estar haciendo sus dirigentes y militantes: encontraban provechoso mantenerse dentro del redil y muy arriesgado aventurarse por su cuenta, porque el Frente parecía seguir teniendo un buen futuro más allá de todos sus inconvenientes, y no había espacio electoral para iniciativas más hacia la izquierda o hacia el centro, como probaba la escasa suerte corrida por Solanas primero y por Bordón después. Pero si esto era así, todavía debemos explicar el porqué de la firme lealtad de un electorado tan reciente.

Una explicación posible atiende al talento político demostrado por los líderes frentistas para adaptarse y salir airosos de las distintas coyunturas que enfrentaban: a pesar de todos los tropiezos y limitaciones descritos, ellos seguían ofreciendo en cada conflicto y ante cada elección una imagen creíble de oposición y renovación política. La disposición de Álvarez a "abrir el juego" aun a costa de sus propias expectativas (como sucedió cuando ofreció la primera candidatura a diputados por Capital Federal a los socialistas, en 1991, e hizo lo mismo para convencionales, en 1994; o cuando se selló el acuerdo con Bordón y luego evitó una fractura por el apretado resultado en las internas), la convergencia no competitiva con otros líderes innovadores, como Graciela Fernández Meijide y Carlos Auyero, la capacidad comunicativa y la flexibilidad demostrada por todos ellos en las más disímiles situaciones, hablan a las claras de esa capacidad. Sin duda esto da cuenta de una parte fundamental del asunto, pero sólo de una parte. Pues esos líderes necesitaron de algo más que de ellos mismos para tener éxito en su empresa y sobrevivir a los desafíos de la coyuntura.

Tengamos presente la desagregación de las tradiciones de origen de la dirigencia que componía el Frente, tanto la proveniente de los partidos mayoritarios como la de izquierda. Y la práctica inexistencia de una cultura de centroizquierda, socialdemócrata o de otro tipo, en Argentina, disponible para su apropiación. Dado que ninguno de los partidos tradicionales estaba, en verdad, "en descomposición" —como suponía erróneamente el movimientismo "transversal"— y pese a las dificultades que les generó la estrategia "transversal" del frente, rápidamente el justicialismo, y a partir de 1995 también el radicalismo, tendieron a cohesionarse internamente para contrarrestar o al menos acotar sus efectos. Sería entonces natural concluir que los líderes del FREPASO, más allá de su habilidad para enfrentar la coyuntura, serían afectados, tarde o temprano, por la carencia de principios de reconocimiento propios o disponibles para ser instrumentados, las debilidades organizativas e institucionales patentes y la ostensible animosidad revanchista que animaba a sus adversarios. Cuando sufrieran algún traspié político o electoral, enfrentarían un desafío difícil de sobrellevar, al tener que construir con sus escasos recursos algo que hiciera las veces del cemento unificador —que, hasta entonces, había sido el rápido crecimiento— para poder mantener la precaria unidad de la coalición (se temió que algo así sucediera con la huida de Bordón, y también cuando la UCR le arrebató la Jefatura de Gobierno de la ciudad de Buenos Aires, en junio de 1996). A su vez, en su afán por consolidar la identidad y definir más precisamente el perfil del frente, más todavía en medio de un proceso de adaptación que, como ya hemos descrito, se caracterizaba por la rápida evolución desde posiciones tradicionales hacia otras más modernas y pragmáticas, los líderes seguramente correrían otro riesgo, no menor que el de la indefinición de la identidad: favorecer a ciertos componentes frente a otros, agitar las diferencias internas y alimentar tendencias centrífugas, lo que también tenía altas probabilidades de desembocar en la dispersión de la coalición.

Sin embargo, un elemento que no suele tomarse suficientemente en cuenta en los análisis recientes sobre la centroizquierda operó en forma subrepticia pero persistente en contra de esta doble amenaza, proveyendo los principios de reconocimiento que actuaron como denominadores comunes de las piezas de la coalición y sostén de su consolidación como fuerza política. Nos referimos a la corriente de opinión que estaba alimentando su rápido crecimiento, una corriente de opinión consistente y sólidamente comprometida en el respaldo de los valores políticos con los cuales se identificaba al Frente y a sus líderes. La hipótesis es que los líderes del Frente tuvieron éxito en la difícil tarea de "construir el barco mientras navegaban", gracias a la disposición favorable de esta fracción del electorado y la sociedad civil, que en alguna medida ya existía en el momento de emergencia de la coalición, y que su desarrollo permitió fortalecer y ampliar.

En el respaldo al FG primero y después al FREPASO se habría expresado, en suma, la continuidad de la "apuesta" e identificación de una fracción considerable de la opinión pública con un proyecto democrático y progresista. El comportamiento de esta fracción o corriente podría rastrearse, con altibajos y bifurcaciones, desde la emergencia de la cuestión democrática en 1983 hasta la fecha, y se asienta en la adhesión a un conjunto consistente de valores y principios: la adhesión a las instituciones republicanas y los derechos individuales, una posición progresista en lo social y lo cultural, favorable a la modernización de las estructuras económicas y estatales del país, y a la renovación de las opciones político-partidarias. Una apuesta que en su momento representaron bastante eficazmente, aunque con diferente énfasis, Alfonsín y los renovadores peronistas, y que desde fines de los ochenta quedó relativamente vacante hasta 1994. Dicha corriente es, en nuestra opinión, la fuerza que anima y da vitalidad a la experiencia política original que se expresa en el FG y el FREPASO.

Esta motorización desde la opinión pública del "fenómeno frentista" supuso una suerte de "politización desde abajo" que se articuló con el desempeño innovador de los líderes de la fuerza. Éstos debieron hacer ingentes esfuerzos por no frustrar y por seguir el paso a dicha corriente de opinión, y fueron en ocasiones literalmente "arrastrados hacia adelante" por ella, a una velocidad y en una dirección que desmentía sus presupuestos, excedía sus capacidades organizativas y alteraba sus cálculos estratégicos.[35] Eso no significa que los líderes no fueran capaces, al menos en ocasiones, de intuir y aprovechar oportunidades, anticiparse y timonear la evolución del Frente y de su electorado, como mostramos sucedió ante ciertas coyunturas favorables: la firma del Pacto de Olivos y las sesiones de la Convención Constituyente, por ejemplo. Y también ante la sucesión de conflictos internos y, en general, en la confección de los perfiles y los discursos de los candidatos. Su agilidad y audacia para enfrentar la coyuntura hizo a la suerte electoral de la coalición, sin duda. Digamos también que esa capacidad de los líderes no provenía únicamente de su perspicacia política, derivaba en buena medida del hecho de que (como discutimos en el parágrafo 1.3.), ellos habían tomado parte activa de algunas de las experiencias en que se había manifestado aquella corriente de opinión pública desde los inicios de la transición a la democracia.

La presencia de esta corriente refuerza el argumento ya anunciado respecto de que difícilmente el FREPASO corra la misma suerte de otras "terceras fuerzas" que en la transición democrática intentaron romper el bipartidismo (como fue el caso del Partido Intransigente, también desde la centroizquierda, la Unión de Centro Democrático, desde la derecha liberal, o el MODIN, encabezado por "carapintadas" y sectores de ultraderecha nacionalista). Estos experimentos fracasaron porque representaron, en un momento determinado, la frustración de un sector de la opinión identificado con un problema muy específico, al que los partidos tradicionales no daban una respuesta adecuada (los derechos humanos en 1983-1987, la *débâcle* del estado en 1987-1991, la "desnacionalización" del peronismo y la desactivación definitiva del ejército como actor político, un poco después). Una vez que los grandes partidos reabsorbieron esos temas, o ellos tendieron a desactivarse, y estos sentimientos de frustración perdieron fuerza, los terceros partidos en cuestión rápidamente resignaron el terreno –por cierto relativo y acotado a un nicho electoral– que habían logrado ocupar.[36]

Algo más complejo es lo que ahora sucede con el FREPASO, que ha logrado hilvanar una "familia" de asuntos o *issues* de la agenda pública, identificados como propios por un sector bastante consistente del electorado, y que a la vez le permiten interpelar al conjunto de la sociedad en términos de sus "intereses generales" y no de algún problema particular o las demandas de un sector. Cuando nos referimos al republicanismo social y modernizador aludimos a un proyecto que, a pesar de lo reciente de su formulación, parece ser ya suficientemente consistente como para definir una posición ante los clivajes que atraviesan la sociedad y la política. Por lo que ahora vemos, la consistencia de dicho proyecto está asociada a la gestación de una identidad de centroizquierda, una "familia política" con encarnadura en la opinión pública, capaz de establecer diferencias significativas respecto de otras familias políticas en competencia, en terrenos decisivos como la calidad institucional, la exclusión social, la modernización económica y cultural.[37]

La dimensión cuantitativa del fenómeno electoral protagonizado por el FREPASO es también incomparable a la de esas otras experiencias. Ninguno de aquellos terceros partidos superó 10% del electorado a nivel nacional. El FREPASO alcanzó casi 30% en una elección presidencial, y logró de este modo romper efectivamente el bipartidismo hasta entonces imperante: peronistas y radicales, que en 1983 sumaban cerca de 90% de las preferencias y en 1993 aún reunieron 73% a nivel nacional, convocaron apenas a 57% y a 63% del electorado en 1994 y 1995 (si consideramos la elección presidencial, sólo a 56% en este último año). El Frente obtiene su caudal electoral principalmente de Capital Federal, Gran Buenos Aires, Rosario y algunos distritos menores,

134

como Neuquén; pero tiende a extenderse a todos los grandes centros urbanos del país.

Otro indicio de la consistencia y solidez de la corriente de opinión representada por el FG y el FREPASO es la acelerada circulación en su espacio de figuras preeminentes, en lo que atañe a su reconocimiento e identificación por la opinión pública. Al reducido número de dirigentes con que cuentan, se suma su heterogeneidad (de origen, de perfil ideológico, cultural y social, incluso de orientación política y capacidades) y lo que parece ser una fugaz o cíclica preponderancia de cada uno de ellos. Esto podría ser considerado, en una primera impresión, como síntoma de su potencial dispersión. Pero, en verdad, nos habla de que detrás de la fuerte "personalización" del respaldo que recibe el Frente existe algo más que la simpatía o credibilidad de algunas figuras, y ese algo unifica el campo en que éstas actúan. La primera figura destacada por su popularidad y reconocimiento electoral fue la del ex fiscal Aníbal Ibarra, que obtuvo en 1991 como candidato a concejal un caudal de votos superior al de los diputados. Sin duda, en ese momento representaba mejor que los recién emigrados del PJ el rechazo ético y republicano a las políticas menemistas ante la opinión porteña.[38] Álvarez, como vimos, comenzó a ocupar un lugar preponderante a partir de las elecciones de 1993. El triunfo en la Capital Federal en 1994 lo consagró como máximo referente, y ello se reforzó en la medida en que le imprimió una mayor solidez, dinamismo y "actualidad" al discurso y la estrategia de la coalición, durante las sesiones de la Convención y en el proceso de formación del FREPASO. Álvarez seguiría siendo el principal estratega del frente, pero sólo durante unos meses fue la figura descollante para el electorado. A principios de 1995 había sido eclipsado por Bordón, quien le arrebató en las internas abiertas la candidatura a presidente. Si con su repentina fuga Bordón no hizo mella en el consenso social del Frente fue probablemente porque no reconoció la relativa inelasticidad de la aludida corriente de opinión, y porque aun cuando en su momento fue eficaz para ampliarla, no lo fue para interpretarla y orientarla. Desde octubre de 1995, tras la aplastante victoria en las elecciones a senador por la Capital y el protagonismo adquirido en el conflicto con Bordón, la figura que ocupó el centro de la escena fue la de Graciela Fernández Meijide. A mediados del año siguiente Meijide definió a favor del FREPASO las elecciones de estatuyentes de la ciudad de Buenos Aires y su imagen se fortaleció aún más al presidir, con bastante éxito, las sesiones de la Convención del nuevo distrito autónomo. Álvarez siguió siendo durante este tiempo el líder partidario más destacado, pero la senadora era quien mayor adhesión pública despertaba. Su pase en 1997 a la provincia de Buenos Aires para disputar desde la lista de diputados el mayor distrito electoral al duhaldismo reforzaría esta tendencia, así como su proyección nacional hacia 1999.[39]

Lo que nos interesa destacar es que cada una de estas figuras es en sí misma un exponente de un mundo cultural y de una historia política peculiar, con perfiles diferenciados, incluso con temas específicos. Podría decirse que ellos representan, como común denominador, un núcleo de coincidencias que hace las veces de cemento de la conjunción de elementos heterogéneos. Ahora bien, si esta conjunción estuviera en riesgo de dispersarse, la sustitución de una figura por otra probablemente hubiera desatado fuerzas centrífugas ingobernables. Si ello no sucedió es, tal vez, porque entre las variaciones que cada una de ellas representa no hay conflictos que tengan sustento real, o bien porque las coincidencias entre ellas no son tan coyunturales ni frágiles como se ha tendido a creer. Nuevamente, esto reforzaría la idea de una "politización desde abajo" que mantiene unido al Frente, sostenida en un sector de la opinión pública que ha ido madurando en los tres lustros de vida democrática y que se encolumna ahora con constancia detrás de esta fuerza.

Todo esto nos lleva a pensar también que el FREPASO no constituye un episodio circunstancial, un fenómeno mediático de naturaleza necesariamente efímera, cuya precariedad institucional lo llevaría tarde o temprano a la disolución, y cuyo valor político sería exclusivamente negativo, es decir, la expresión de un rechazo "antipolítico" contra la decadencia de las instituciones y la moral pública que encarna el gobierno de Menem. Justamente la emergencia de alternativas posmenemistas en los partidos tradicionales podría haber implicado, de ser así, el agotamiento del "fenómeno", y eso no es lo que ha sucedido. El ascenso de Duhalde en el PJ, que busca captar a un sector peronista descontento con Menem, y el de De la Rúa en la UCR, como enseguida veremos, pueden considerarse efectos de la competitividad que les exige a los partidos tradicionales la presencia del FREPASO. Pero ninguno de ellos pone en riesgo la perdurabilidad de este último, aunque lo colocan frente al desafío de superar sus limitaciones.

Notas

1 Las primeras declaraciones públicas de rechazo a las privatizaciones datan de principios de diciembre de 1989: Carlos Álvarez y Germán Abdala encabezaron un acto en el mismo Congreso Nacional junto a otros diputados y dirigentes de los gremios estatales (FOECYT, ATE, CTERA, FATUN, Gas del Estado, Obras Sanitarias, FOETRA) en el que denunciaron "una política que intenta destruir el patrimonio nacional". Se reivindicó a Perón y al proyecto nacional frente al programa liberal de Menem, y Abdala cerró la reunión afirmando que "luchar para rescatar la empresa nacional es luchar contra el imperialismo y la oligarquía" (*Página 12*, 13-XII-1989). Pocos días después se creó la Fundación de Estudios Parlamentarios, que reunía a un grupo bastante amplio de legisladores justicialistas críticos: junto a los que luego serían "los ocho", participaban los diputados Flores, Dalmau, Gudiño, Ball Lima, Custer, Iribarne, López Arias, Paz y Domínguez (*Clarín*, 20-XII-1989). Aunque al poco tiempo casi todos ellos ya se habían alejado del sector crítico.

2 Darío Alessandro lo expresó en forma prístina: "no representamos al peronismo disidente, sino al verdadero peronismo" (*Clarín*, 16-VI-1990). En una serie de artículos de opinión publicados en *Página 12*, Álvarez dejaba traslucir estas premisas: "el sentido del voto del 14 de mayo fue traicionado [...] El ajuste termina con el carisma y la credibilidad de quienes ascienden expresando las demandas populares en un momento determinado y después gobiernan cobijando los intereses de los propietarios permanentes del poder. [Esto] lleva irremediablemente a acelerar la crisis de consenso" (10-XII-1989). "La política se rindió indecorosamente frente a las 'variables descontroladas' [...] la crisis de identidad parece terminal [...] suena cada vez menos posible que los sectores que el 14 de mayo votaron por el trabajo, la justicia social y el crecimiento se puedan sentir expresados por un proyecto gobernado por la mentalidad de Alsogaray [...] Existe una crisis de credibilidad y una sensación de esta-

fa y defraudación que no sólo cuestiona el proceder del gobierno, sino que comienza a colocar en peligro al sistema democrático [...] El único sujeto que puede reequilibrar la situación es el pueblo" (31-XII-1989). "Soy un opositor al vaciamiento ideológico y político del peronismo" (14-I-1990). "La enfermedad que el peronismo comenzaba a evidenciar ya en la época en que la renovación era hegemónica era la renuncia a discutir el poder con los sectores y grupos económicos que lo vienen usufructuando desde 1976 [...] Menem renunció al abrigo del patrimonio político cultural y doctrinario de las mayorías populares para ser aplaudido por el *stablishment*" (25-I-1990). "[...] somos parte del bloque de diputados justicialistas [...] es el Presidente quien se fue del peronismo" (13-IX-1990). Términos similares se utilizaron en el documento fundacional de la corriente (*Clarín*, 29-I-1990), en declaraciones públicas y en diversos artículos publicados en esos meses en la revista *Unidos*. Véanse también documento de marzo de 1994.

3 Aunque el bloque radical había establecido que no obstaculizaría las reformas, en parte por los acuerdos sellados para permitir el traspaso anticipado del poder en junio de 1989, y en parte por las diferencias que atravesaban a la UCR en cuanto a la posición que debía adoptarse frente a las mismas (diferencias a las que ya nos referimos brevemente en el capítulo 1), a medida que el gobierno de Menem avanzó en su implementación, más y más legisladores radicales adoptaron en forma individual o de acuerdo a sus alineamientos internos una posición crítica y de oposición militante (en particular los alfonsinistas y ex alfonsinistas se inclinaron por esta actitud).

4 Incluso la ampliación de la Corte Suprema sería considerada por Germán Abdala, retrospectivamente y sobre la base de la autocrítica que hicieron los "ocho" de la actitud adoptada, como el "hecho que demostró la incompatibilidad de ser coherentes con el mandato popular y bancar las medidas que necesita el gobierno para gobernar", con lo que se abrió la perspectiva de separarse del bloque PJ (*Página 12*, 16-VI-1990).

5 En uno de los primeros documentos de este partido, titulado "Crisis política, restricciones a la democracia y alternativas", queda claramente en evidencia la sintonía con las premisas de la traición menemista y la crisis de representación y con los lineamientos generales de la estrategia de oposición activa, desde una posición "socialista".

6 No sólo Auyero depositaba expectativas en un "frente social". Como se suponía que los partidos y los políticos habían perdido capacidad de representar a la sociedad, se estimaba que el rol de los opositores era movilizar y agrupar a las fuerzas sociales que resistían al proyecto neoliberal, para que dieran un impulso "movimientista y plural" (según palabras de Chacho Álvarez, *Página 12*, 26-II-1991) a la alternativa nacional-popular. Con esta premisa, los "ocho" habían apoyado las protestas de los estatales y el ubaldinismo (que, como vimos, no tuvieron los resultados esperados). A principios de 1991 participaron del Encuentro Multisectorial, que reunía a una serie de organizaciones sindicales, empresarias e intermedias, y a diputados del radicalismo (del sector de Federico Storani), socialistas y de otros partidos. Sin embargo, al aproximarse las elecciones, esta iniciativa también se desarticuló debido a las dificultades para acordar las listas (*Página 12*, 3-I-1990; 13-I-1991; 24-IV-1991; *Clarín*, 7-VI-1991; 24-VI-1991).

138

7 El FREDEJUSO intentó un acuerdo con la Unidad Socialista para esas elecciones, pero no pudo concretarlo, y mayoritariamente se inclinó por la candidatura de Solanas, sin integrar el Frente del Sur.

8 Al respecto se pueden consultar los numerosos artículos de opinión que publicaron en *Página 12* entre 1992 y 1993. Los temas de algunos fueron: atentado a la embajada de Israel (GFM, 2-III-1992), el "diputrucho" (Álvarez, 7-IV-1992), el pluralismo en los medios (Auyero, 10-IV-1992), la corrupción y la ausencia de Estado (Álvarez, 31-V-1992), la reelección y la Constitución (Álvarez, 3-VII-1992 y 3-III-1993, Auyero 4-III-1993), el estado de las cárceles (GFM, 12-VI-1992), libertad de prensa (Álvarez, 14-VII-1992), la cultura política de la centroizquierda (Álvarez, 30-VI-1992), el control de la TV estatal (Álvarez, 20-XI-1992), los negociados con créditos de la cooperación italiana (Álvarez, 6-VI-1993). Los hubo también contra la reforma educativa y previsional. Pero se centraban más en la metodología reñida con la división de poderes y la búsqueda de consensos, y en la desatención de los costos sociales, que en posiciones antirreformistas por principios (*Clarín*, 25-II-1993).

9 Hay que destacar que el éxito de la candidatura de Álvarez es significativo porque ya ha roto formalmente con el Partido Justicialista, de modo que expone sus propias credenciales políticas ante el electorado. En esa elección, además, el Frente Grande obtuvo cuatro bancas más en el Concejo Deliberante porteño.

10 El radicalismo quedó relegado al tercer puesto en Capital Federal y al cuarto en Neuquén, sumando sólo 20,5% de los votos a nivel nacional. La Unidad Socialista, que hasta 1991 había experimentado cierto crecimiento (estimulado fundamentalmente por la crisis de la UCR) en 1992 y 1993 sufre una sangría de votos a favor del Frente del Sur y el FG: en la Capital Federal cae de 6% en 1991 a cerca de 3 y 4% en los dos años siguientes. En 1994 se realizan nuevas tratativas para confluir en una lista conjunta con el FG, pero finalmente no se llega a un acuerdo. Como consecuencia de ello, en las elecciones de abril los socialistas terminaron de resignar su anterior posición predominante en el espacio de centroizquierda en favor del Frente: recibieron en la Capital Federal 7,7% de los votos y sólo se mantuvieron fuertes en Santa Fe. El FG sumó 31 convencionales en todo el país y los socialistas sólo 3.

11 También dijo que "hay que armar un equipo que, en principio, no politice o ideologice la economía", "a mí me da vergüenza cuando escucho a los opositores del gobierno por la izquierda hablar de economía, porque hablan de consignas, no dicen nunca los cómo, no hay sustentación técnica en lo que se dice, no hay números, no hay cifras y así no se puede discutir", "en la Argentina cambió una cosa: hasta Menem y Cavallo se podía ganar una elección sin plan económico. Ahora no se puede escribir cualquier cosa en la plataforma", y por último, "a Cavallo le reconozco el mérito de instalar una cultura de imposición tributaria en la Argentina y el mérito de la estabilidad, que ya lo reconoció la sociedad. A Tacchi se le puede discutir la regresividad de ciertos impuestos, pero logró que el evasor no sea considerado el vivo" (revista *Noticias*, 17-IV-1994, véase también *Página 12*, 12-VI-1994). El 5 de setiembre se inauguró el Centro de Estudios Programáticos del FG y Chacho Álvarez, acompañado por Carlos Auyero, reiteró los lineamientos de la nueva propuesta económica: reivindicó las bondades de la estabilidad, se comprometió a no modificar la

convertibilidad ni las privatizaciones, el equilibrio fiscal ni la apertura comercial, proponiendo medidas para bajar los "costos sociales del ajuste" y para reactivar la industria, así como una amplia investigación de los hechos de corrupción (*Clarín*, 6-IX-1994).

12 En el sector de Solanas convergían, curiosamente, quienes con más ahínco reivindicaban el "peronismo verdadero" y quienes se declaraban la "izquierda auténtica" porque compartían, como ya hemos dicho, una fe absoluta en las dos premisas de la estrategia de "oposición activa": la denuncia de la traición menemista a los principios del peronismo y la presunción de que era la crisis de representación y de la política la que explicaba la "resignación" de la sociedad ante las políticas de Menem. Para ambos grupos, por lo tanto, el enemigo a combatir era el plan de reformas neoliberales.

13 Además de la disputa por el liderazgo, el otro motivo inmediato del enfrentamiento fue la propuesta de Álvarez de institucionalizar el Frente disolviendo los pequeños partidos que lo integraban (*Clarín*, 24-V-1994). El desenlace de aquella pelea fue casi simultáneo con la ruptura del acuerdo con el PC, en agosto de 1994: Álvarez forzó a este partido, que había brindado al Frente la personería legal en algunos distritos, a optar entre disolverse o dejar la coalición. La cúpula comunista se negó a lo primero, pero muchos dirigentes y militantes prefirieron permanecer en el FG y conformaron líneas internas en su seno. Algo similar sucedió con el sector más moderado de Encuentro Popular y con grupos del PI.

14 En 1985 se produjo el desprendimiento de un grupo de intelectuales, confiado en que arrastraría consigo importantes contingentes de la militancia renovadora. Tuvo repercusión en las filas del sector renovador, pero el desgranamiento de militantes no se produjo. Álvarez acompañó de cerca este movimiento y participó en muchas de sus discusiones, pero sin integrarlo. El único efecto partidario concreto de esa escisión se produjo en la provincia de Neuquén, donde un grueso sector del PJ se separó de éste y formó un nuevo partido, de perfil "peronista renovador". El grupo rupturista es, en esencia, el mismo que, encabezado por Oscar Massei, constituye el FREPASO neuquino en 1997.

15 Así, por ejemplo, el grupo congregado en torno a la revista *Unidos*, de la que Álvarez había sido uno de los fundadores en 1983, y el nucleado en *La Ciudad Futura* y el Club de Cultura Socialista sostendrán un ininterrumpido contrapunto a lo largo de la segunda mitad de los ochenta. Cabe señalar que en estas controversias el grupo peronista entra en contacto no solamente con la tradición socialista sino también con sectores de ésta vinculados al alfonsinismo, que habían hecho su aporte más importante en la elaboración del "discurso de Parque Norte", pronunciado por el presidente radical en 1985. Para un interesante análisis reciente de los términos de este contrapunto, véase Aronson, 1997. Otros trabajos a mencionar que son representativos de esas controversias e interacciones son los Cuadernos y encuentros de la Comuna de General San Martín (Santa Fe) y los escritos por el sector democristiano encabezado por Carlos Auyero, como su libro *Desde la incertidumbre* (1989) y los artículos de Ariel Colombo en las revistas *Unidos* y *La Mirada*.

16 Ya en 1990 Álvarez define sus críticas al gobierno en clave antiautoritaria, aunque todavía y por bastante tiempo las vincula a la competencia en tér-

minos de "democracia social" con que contaría el peronismo. Por ejemplo, en marzo de ese año, tras denunciar "el sesgo autoritario y confrontativo que está adquiriendo la transformación del estado", agrega que ello podría haberse evitado con la "ventaja comparativa peronista"; esto es, su capacidad de sentar a los sectores sociales en una mesa a concertar las reformas (*Página 12*, 21-III-1990). En pleno proceso de ruptura con el peronismo, la valoración de las instituciones y la denuncia del patrimonialismo como estilo gubernamental se han apartado de un registro "justicialista" para aproximarse al estado de ánimo de un electorado independiente y progresista. Por ejemplo, en medio del debate sobre el envío de naves al Golfo Pérsico, Álvarez denunció "el profundo desprecio del Poder Ejecutivo por el Parlamento" (*Clarín*, 19-I-1991). Y en la campaña electoral de ese año advirtió sobre "la privatización de los poderes públicos y la progresiva invisibilidad del poder", cuya expresión era que "al costado del gobierno trabaja otro gobierno 'sin leyes ni frenos' gobernado por mafias, lobbies e inescrupulosos", a lo que agregaba por último "las relaciones carnales entre el Poder Ejecutivo y la Justicia, la inmoralidad de los funcionarios y el andar no sigiloso del narcotráfico por los pasillos del poder" (*Página 12*, 21-VIII-1991).

17 Pocos días antes de las elecciones de 1991, Fernández Meijide publicó un artículo demostrativo de esta orientación: "El cierre definitivo del largo ciclo de inestabilidad institucional, que para quienes protagonizamos la apertura democrática en 1983 significaba una promesa de transformación social y cultural, de democratización del poder y de las relaciones económicas, de seguridad jurídica y enjuiciamiento de la violencia y la muerte, hoy se ha reducido en la perspectiva de estos políticos asimilados al neoconservadorismo a la coadministración de una democracia rigurosamente vigilada". Llamaba entonces a "retomar aquel proyecto democrático de 1983 [...] para hacer públicas las profundas diferencias que existen entre una alternativa de democratización del estado y de la sociedad y los programas acelerados y turbios de liquidación del patrimonio público, entre la seguridad jurídica que todo ciudadano debe poseer en función de sus derechos humanos y sociales y la amenaza autoritaria que se pretende exhibir como solución a la inseguridad y la violencia, entre principios de justicia distributiva y un asistencialismo clientelar que perpetúa la pobreza"(*Clarín*, 5-VIII-1991). En su libro *Derecho a la esperanza* (1997) pueden hallarse las claves explicativas y la genealogía de esta potente apropiación de la cuestión de los derechos.

18 Al respecto, véanse el documento de marzo de 1994 y Caputo y Godio, 1996. Ello se emparentaba, como ya vimos, con el diagnóstico de una profunda crisis de la política y los partidos, que tenía el paradójico efecto de desvalorizar la capacidad y legitimidad del propio FG para desarrollar una estrategia de innovación política.

19 Sobre este punto, véase Portantiero, 1994.

20 Agradecemos a Isidoro Cheresky la posibilidad de consultar sus entrevistas a dirigentes de ese sector.

21 Para una discusión de estos aspectos véase Delamata, 1996. Agreguemos que el Frente se solidarizó con las protestas promovidas por el CTA en julio y noviembre de 1994, pero no participó de su organización.

22 También en este terreno, las posiciones que cobraron vigor en 1994 tenían antecedentes en la experiencia de grupos de militantes e intelectuales durante la crisis del peronismo y en el recorrido seguido por algunos de los "ocho" en los años 1991 y 1992. Germán Abdala, en un reportaje de junio de 1992, ya afirmaba que "hay que dar por agotada la experiencia de la disidencia dentro del peronismo", "nosotros quisimos ser la conducción del verdadero peronismo, pero en esto hay que ser sinceros: hemos perdido. En las elecciones de 1991 quedó demostrado que el Partido Justicialista como estructura es lo que hoy gobierna el país y el peronismo que intentamos expresar es ya sólo un dato histórico" (*Página 12*, 13-VI-1992). Recordemos que en la declaración que acompañó el lanzamiento del Frente Grande se definió la nueva coalición como "una alternativa de cambio frente al bipartidismo" (*Clarín*, 28-IV-1993). Poco después Chacho Álvarez había concluido: "el menemismo ha cruzado lo peor del peronismo, sus aristas más regresivas y autoritarias, con el peor liberalismo, aquél que subalternizó la democracia recurrentemente para ver instrumentados sus paradigmas económicos" (*Clarín*, 23-VIII-1993).

23 Poco después de las elecciones de abril, en una reunión con empresarios, Chacho Álvarez aclaró que nunca había estado a favor "de la lucha de clases", y ello opacó la siguiente definición, que el Frente se proponía "hacer política con independencia de los factores de poder" (*Clarín*, 8-IX-1994). Ese mismo día sostuvo en un reportaje radial que "de haber sabido que el plan iba a estabilizar la economía como ocurrió hubiera votado a favor de la convertibilidad" y dijo también que nunca había sido de izquierda. Lo que generó, además de protestas en la coalición, bastante confusión.

24 El hecho de haber pactado radicales y peronistas un paquete cerrado de reformas facilitó las cosas, porque "eternizó" la imagen del Pacto de Olivos y el FG pudo posicionarse como oposición al bloque peronista-radical. En materia de contenidos de la reforma, esto le permitió desempeñar un papel "constructivo" exigiendo (sin éxito) que los partidos del Pacto "desataran el paquete" del "núcleo de coincidencias básicas" establecido entre Alfonsín y Menem, para permitir una votación de las propuestas con las que el Frente concordaba. Y tomar parte en los temas habilitados que estaban fuera del paquete, la ratificación de tratados internacionales sobre derechos humanos, el reconocimiento de nuevos derechos, los mecanismos de participación como el plebiscito y el referéndum, etc., buscando acuerdos en ellos con el radicalismo.

25 Con poca suerte, pues fue derrotado meses después en la competencia por la candidatura presidencial.

26 Probablemente pensando en estos dos tipos de agrupamientos, Castiglioni (1996) afirmó que "el Frente (se refiere al FREPASO) no cuenta con una estructura territorial ni lejanamente comparable con la de los grandes partidos y por lo tanto no cuenta con sus beneficios a la hora de movilizar recursos y presencia social; pero su relativamente escasa militancia proveniente de los pequeños grupos que adhirieron al Frente Grande y de las otras fuerzas que forman el FREPASO tiene comportamientos semejantes a la de los grandes partidos. De tal forma arrastra la inercia de la rigidez estructural de los partidos tradicionales sin las ventajas de la gran estructura territorial, con el agregado de que, en perspectiva, no es de esperar un gran crecimiento de la organización".

27   Portas Tarela (1997), expresando una opinión bastante difundida, afirma: "las circunstancias que le dieron origen (al FG) están lejos de alcanzar el nivel de trascendencia histórica que tuvieron, en su momento, el radicalismo y el peronismo". A esa debilidad como movimiento se le agrega que tiende a empobrecerse aún más porque se cristaliza tempranamente en un partido: "desde el momento en que ese movimiento formaliza su organización en partido, como contrapartida, tiende a cristalizarse, a encasillarse, a monopolizar las ideas, a perder la riqueza y pluralidad de sus inicios, y somete todo al interés, ahora particular, del partido. El FG, por la particularidad de la coyuntura histórica de la que emergió, se ha visto en la obligación de estructurarse en partido político, antes de poder encarnar en un movimiento social que se transforme en el tercer punto de inflexión en la historia moderna de nuestro país". Lamentando lo que no es, se devalúa lo que efectivamente el FG puede ser. Institucionalizarse como partido sería para el FG, según esta opinión, correr "el serio riesgo de cristalizarse y envejecer prematuramente", adoptar "la organización partidaria territorial de los partidos mayoritarios [...] lo que facilita el desarrollo de las prácticas punteriles y prebendarias". En suma, existirían más riesgos en la institucionalización que en continuar existiendo *qua* movimiento, en forma inorgánica y difusa. Por supuesto, la perspectiva de acceder al gobierno no es contemplada como un desafío que exija otras cosas de parte de una fuerza política ("los grados de definición de un partido no son una condición excluyente para su posibilidad de gobierno"). Pero más allá de ese problema, lo que llama la atención es la convicción de que por medio de la expresión de un movimiento social una fuerza política cobra fortaleza y adquiere un "sentido histórico": "el FG no debe apresurar la definición de algunos aspectos inherentes y necesarios a la formación de un partido político, sino que debe rescatar elementos que definen más a una estructura de movimiento. No debería agotar prematuramente su etapa de crecimiento planteándose definiciones que lo cristalicen anticipadamente, hasta tanto esta necesidad esté planteada en el seno de un sector social movilizado con una demanda cierta de poder" (1997: 55).

28   Buena parte de la prensa independiente había acompañado hasta entonces con cierta consideración al gobierno nacional en sus usos y costumbres. Por ejemplo, en un comentario del decreto "desregulador" de noviembre de 1991, *La Nación* había publicado que "(el decreto) se puede resumir en estos términos: a la libertad política (conseguida desde 1983) sigue la libertad económica [...] estas dos clases de libertades se convierten en una sola [...] (ahora cita un empresario) '[...] puede ser una señal que el Congreso tome en cuenta para actuar debidamente'" (3-XI-1991).

29   Una de las expresiones de esta contraposición entre política mediática y militancia que operaba en el frente interno la encontramos en la revista *Aportes y Controversias*, representativa de la opinión de un sector del FG. En el editorial del tercer número (invierno de 1997) de dicha publicación se aludió a las limitaciones de la "comunicación interna basada exclusivamente en los medios de difusión" y a "la exagerada importancia otorgada a las jugadas mediáticas" (p. 5). En la misma revista y sobre este tema, véase el artículo de Barcia (1997).

30   Véase al respecto el argumento de Mocca sobre el "progresismo modernizador", 1996.

31 Son innumerables las declaraciones sobre la crisis del bipartidismo y de los partidos tradicionales. Entre otros, Auyero, 1989, el documento del Partido de la Democracia Popular (PDP) de marzo de 1994, "Un país para todos" de Chacho Álvarez (abril de 1995). Mocca, en cierto sentido, expresaba esta visión cuando decía que "desde 1983 ambos partidos han ganado elecciones pero es difícil afirmar que hayan gobernado; fueron, a lo sumo, las etiquetas con las que han ascendido diferentes elencos tecnocráticos a la conducción del estado" (1996).

32 El carácter movimientista de esta "transversalidad" se expresaba en ocasiones en términos "gramscianos", siguiendo el ya aludido esquema de los bloques sociales contrapuestos: véase Rubinstein (1995: 58 y 68); también Caputo y Godio (1996: 86 ss.). Según Storani, por ejemplo, el menemismo mostraba una vez más que en nuestro país los partidos eran sumamente débiles frente a las alianzas sociales, y por lo tanto era necesario una de ellas, no un partido, para enfrentarlo (1995). Mocca, por su parte, señalaba que la fuerza transversal "traspasa las fronteras de partidos y grupos" (1995).

33 Sobre la "normalización" del sistema de partidos, Tula, 1994; y Abal Medina, 1995. El mismo Mocca criticó, sobre esta base, el "formato populista-movimientista" que parecía adoptar el Frente y tiempo después objetó las diatribas contra "los partidos del sistema", abogando por la transformación del Frente en un "partido de gobierno" (1996b).

34 Los comicios fueron muy parejos, pero lo que resultó más significativo fue que, en tanto los núcleos más activos dentro del FREPASO votaron por Álvarez, entre el electorado independiente que se movilizó en la interna abierta predominó la valoración de la experiencia de gobierno y la moderación de Bordón. Más que la diferencia cuantitativa entre ambos fue este dato el que, de cara a las elecciones nacionales, determinó el resultado.

35 En ocasiones los líderes frentistas subvaloraron la extensión y consistencia de esta corriente de opinión. Fue el caso, por ejemplo, de las internas abiertas entre Bordón y Álvarez: convocadas para el mes de febrero de 1995, no merecieron una atención particular de los medios de comunicación ni mucho menos un aliento movilizador desde el Frente; el cálculo de los seguidores de Chacho Álvarez fue que muy poca gente participaría y que con "el aparato" se garantizaba el resultado. Se llevaron una sorpresa cuando varios cientos de miles de personas se tomaron el trabajo de ir a votar, y lo hicieron evaluando los posibles desempeños de cada postulante, de un modo pragmático (de hecho, muchos simpatizantes de Chacho Álvarez prefirieron apoyar a Bordón sobre la base de un cálculo de las oportunidades de cada uno de ellos en la competencia presidencial). Algo equivalente, aunque en un sentido inverso, sucedió ante la propuesta de Álvarez de realizar un apagón en protesta contra la política socioeconómica, en setiembre de 1996: el respaldo de la opinión pública superó todas las previsiones y transformó ese acto simbólico en un hecho político cargado de significaciones. Fue también demostrativa de la consistencia y autonomía de esta corriente de opinión la escasísima repercusión lograda poco después (el 20 de noviembre) por el "escarapelazo", convocatoria con la que Álvarez intentó capitalizar el descontento de parte del electorado con el Tratado de los Hielos Continentales firmado por Chile y Argentina (volveremos sobre estos hechos en el próximo capítulo).

144

36 Para una discusión de este tema véase el trabajo de González Bombal, 1994.

37 Como ya dijimos, la crisis de las identidades tradicionales no las disolvió, y puede advertirse que existen en el electorado "familias políticas" bastante homogéneas. En las encuestas puede advertirse una creciente cristalización de al menos tres familias políticas: una peronista, arraigada especialmente en los sectores populares, política y culturalmente conservadora, que respalda el plan de gobierno pero, en parte, sobre todo entre los más pobres, sigue siendo "económicamente populista" (espera la protección y asistencia del estado), y dos más progresistas o "liberales" en términos políticos, asentadas sobre todo en sectores medios, la radical y la "frepasista", que se diferencian por otros factores: los radicales son más tradicionalistas en términos culturales y más fuertemente opositores a las reformas promercado, mientras que los frepasistas son política, social y culturalmente progresistas y muy críticos del menemismo, pero moderados en sus posiciones sobre la política económica oficial (sondeos de MORI, abril-junio de 1997).

38 Aún en la elección de Convencionales de 1994 fue decisivo el papel de Ibarra, que realizó pocos días antes de la elección una resonante denuncia por corrupción contra Matilde Menéndez, interventora de la obra social de los jubilados (PAMI) y una de las candidatas del PJ. Ello influyó decisivamente sobre el resultado de los comicios.

39 El hecho de que este movimiento fuera el resultado de una iniciativa del propio Álvarez, hace patente la existencia de una continuidad en el núcleo con capacidad de creación de iniciativas políticas.

3. La Alianza y las elecciones de 1997

3.1. Viejos y nuevos desafíos

El exitoso desarrollo del frente de centroizquierda entre 1994 y 1995 podría caracterizarse como uno de esos casos en que la demanda excede a la oferta, y aquélla determina la velocidad y dirección de la expansión de esta última. Sin que eso desmerezca las virtudes de sus líderes que, como vimos, en general supieron aprovechar las oportunidades que la coyuntura les brindó. Pero lo cierto es que no puede compararse esta experiencia con la situación en la que crecen, por ejemplo, partidos y líderes que durante décadas pregonan en el desierto hasta que un día, también por una combinación de azar y méritos acumulados, finalmente logran la atención del público. En el caso del FREPASO los líderes más bien recorrieron el mismo camino que la corriente de opinión progresista configurada desde 1983, como parte de alguno de sus afluentes, y fueron adquiriendo ante ella un protagonismo partidario en la medida en que los partidos tradicionales perdieron capacidad de representar el abanico de cuestiones que define el mundo ideológico republicano, progresista y modernizador, y quedó vacante una demanda de oposición política definida en torno a esos temas. Esta diferencia atiende a un problema que es permanente en el FREPASO: la fuerza de las cosas, en cierto sentido, lo empuja hacia adelante, a una velocidad que en ocasiones supera las previsiones de sus dirigentes más perspicaces y optimistas, en ausencia de lineamientos estratégicos precisos y sin permitir que los logros coyunturales redunden en una progresiva y ordenada acumulación de recursos que haga viable a mediano plazo una estrategia más consistente. Esta situación habilitó el proceso de rápida expansión, pero podría estimarse que esa vía de "crecimiento fácil" se estaba agotando desde fines de 1995, en la medida en que el radicalismo lograba recomponerse y superar el trauma creado por el Pacto de Olivos, y en el justicialismo aparecía la estrella en ascenso de Duhalde. La coyuntura y la disposición de su electorado podrían seguir jugando a favor del Frente, pero los nuevos desafíos exigían un grado mayor de previsión y la disposición de recursos de los que se carecía.

Concluimos el anterior capítulo advirtiendo sobre esos nuevos desafíos que se le presentaban al Frente de centroizquierda en la coyuntura que se abre luego de las elecciones de 1995. Ellos se relacionan con los movimientos que tienen lugar en los partidos tradicionales para adecuarse a la competencia política que les plantea la presencia persistente del Frente. Y que apuntan a reabsorber los temas y las demandas que habían permitido, hasta entonces, el rápido crecimiento de la nueva fuerza. Encontraremos que los acontecimientos políticos que se suceden desde entonces y hasta fines de 1997 indican tanto logros como limitaciones de estos movimientos. En primer lugar, se hace patente que los partidos tradicionales están lejos de descomponerse o perder totalmente su capacidad de representación, y que incluso son capaces de regenerarse y producir nuevas ofertas políticas altamente competitivas. En segundo lugar, se advierte que existen obstáculos insalvables para que el espacio del Frente sea reabsorbido, incluso para bloquear su actividad o neutralizarlo. En tercer lugar, el FREPASO ya no logra crecer a costa del radicalismo, pero en compensación se encuentra en buenas condiciones para aprovechar los problemas crecientes de la coalición y del gobierno menemista. Como dijimos, para aprovechar adecuadamente esa oportunidad debe desarrollar nuevos recursos y encarar estrategias más complejas y de más largo plazo. Lo nuevo de este desafío es, fundamentalmente, el contexto en que se plantea, caracterizado por la intensificación de la competencia inter-partidaria y, sobre todo a partir de 1997, la posibilidad efectiva de disputar el gobierno; mientras que los contenidos de tal desafío no son tan nuevos: involucran la definición de una estrategia, un perfil y la consolidación de una organización, todas cuestiones que se venían arrastrando, como vimos, por lo menos desde 1993. Dicho de otro modo: todos los problemas que arrastraba el Frente desde su origen, de recursos humanos, organizativos, programáticos y coalicionales se transforman, en la nueva coyuntura, en componentes o especificaciones de un solo gran problema: la construcción de recursos de gobierno, terreno en el cual era significativamente pobre en comparación con los partidos tradicionales.

Si bien la coalición de centroizquierda logró reunir casi 30% de los votos en 1995, eso no le significó el acceso a instancias de gobierno, a excepción del municipio de Rosario (lo que contrastaba con la situación de la UCR, que gobernaba cinco provincias y 461 municipios en todo el país). La carencia de oportunidades en este terreno limitaba el desarrollo progresivo de una experiencia que es fundamental para ganar la confianza del electorado y los actores destacados de la sociedad. Acotada a la actividad legislativa, no tendrá incentivos especiales para adquirir recursos y una cultura de gobierno. Seguirá reclutando personal político (el flujo de dirigentes intermedios de los partidos tradicionales y fuerzas locales hacia el Frente continuó sin pausa) y creciendo en términos territoriales y organizativos, pero esos componentes irán, de todos modos, siempre rezagados respecto de las posibilidades que abrían los líderes en la coyuntura y la competencia electoral. Entre 1994 y 1996 se hicieron algunos intentos de corregir parte de estos déficit, a través de la creación de un centro de estudios y la integración de equipos técnicos para las distintas áreas de gobierno. Carlos Auyero fue el propulsor de estas iniciativas y coordinó las tareas de reclutamiento de técnicos y análisis de programas hasta su muerte en abril de 1997. También Bordón, en su breve paso por el Frente, acercó técnicos y profesionales con experiencia en la gestión pública, y llamó la atención respecto de la necesidad de ampliar la coalición y desarrollar, al menos, un discurso "de gobierno" durante la campaña electoral de 1995. Pero, de todos modos, no se logró revertir sustancialmente esta debilidad. Pocos meses después de la elección presidencial se generalizó la idea de que el FREPASO no estaba en condiciones de ofrecer alternativas de política viables y que, sumergido como estaba en sus disputas internas, carecía de recursos elementales para encarar la competencia política fuera de los medios de comunicación.

Es un hecho que el Frente se basaba, principalmente, en recursos comunicacionales, de los que hacía un uso muy intenso y eficiente. Por lo tanto, mientras la lucha política se acotara al ejercicio del rol de oposición y se definiera en un terreno comunicacional, estaba en condiciones de competir y crecer. Nos referimos ya en los capítulos anteriores a la "estrategia mediática" de la centroizquierda: ella permite poner en relación una corriente de opinión favorable y líderes con destacada imagen pública, haciendo una economía de recursos organizacionales y de personal político. En un principio, el Frente no tuvo otras alternativas a la mano, y dado que esta estrategia resultó ser muy redituable, como era de esperar, se abocó a su desarrollo.

El problema no terminaba ahí. En la medida en que la fuerza seguía obteniendo buenos resultados electorales en lo inmediato, sin destinar esfuerzos importantes a desarrollar otros recursos estratégicos, la necesidad de hacerlo se volvía, a los ojos de algunos de sus líderes, secundaria o postergable. Para peor, por las razones que ya enumeramos (coyunturalismo, concepción movimientista predominante en su seno, obstáculos a la institucionalización, dificultad de acceso a esos otros recursos), tampoco se compensaban esos déficit por la simple expansión cuantitativa, al menos no con la velocidad que era necesaria, dado el ritmo del crecimiento electoral. Tanto el FG como el FREPASO se especializaron durante estos años en la realización de conferencias de prensa y la utilización de programas televisivos, radiofónicos o entrevistas en la prensa como escenarios de enunciación de su discurso y de despliegue de su "política". Mientras que la estructura territorial, además de ser aún débil, estaba orientada mayormente a actividades expresivas de los conflictos sociales, testimoniales, o bien al clientelismo. En verdad, el FG y luego el FREPASO, en tanto "partidos de opinión", parecen tener una existencia algo fantasmal fuera de los escenarios mediáticos: como dijimos, no están presentes ni claramente articulados a las organizaciones de intereses, ni tienen un peso acorde a su representatividad en las cámaras legislativas, ni siquiera desarrollan políticas específicas, serias y responsables en las universidades u otros ámbitos particularmente permeables a sus posiciones. La dependencia respecto de los medios de comunicación le significa, además, otro tipo de dificultades: los periodistas suelen comportarse como su activo partidario, y aun cuando adoptan una posición más distante, son los intermediadores entre los líderes y su electorado; de modo que tanto ellos como los medios para los cuales trabajan terminan influyendo en forma excesiva en el clima de opinión interno y en el menú de opciones a disposición de los dirigentes. Para el Frente actúan como verdaderos coordinadores de la acción colectiva: habitualmente cuando los líderes adoptan una decisión imprevista para acomodarse a la coyuntura, dependen de los periodistas y los medios para lograr una buena recepción no sólo en su electorado, sino también en los cuadros medios y los militantes.

Observamos, en suma, que las debilidades de origen que arrastraba el Frente, pero también sus logros, en especial sus sucesivos éxitos electorales, actuaban inhibiendo el desarrollo de recursos estratégicos. En las presidenciales de 1995 ya se había escuchado una clara señal de alarma a este respecto. Cuando estaba en juego la capacidad de gobierno y la movilización de otros recursos de poder se ponían en la balanza, el Frente no podía seguir confiando en sus capacidades adquiridas. A partir de ello pudo incluso advertirse

que tarde o temprano encontraría dificultades para ser creíble como oposición si no mostraba que era capaz, si no de
gobernar, al menos de aspirar a gobernar. Pero como el resultado de esa elección fue leído como "todo un éxito", la
actitud de los frentistas no se modificó en lo inmediato. Algo más contundente debía suceder para que se modificara
una actitud que, a la luz de los resultados, parecía ser la correcta. Como había pasado en 1991 y 1993, fue un escruti-
nio electoral el que produjo, finalmente, la necesaria crisis
de confianza y la reorientación: nos referimos a la elección
del Jefe de Gobierno de la ciudad de Buenos Aires, de junio
de 1996. En ella el problema se hizo palpable. Aun cuando
el Frente gozaba de una amplia ventaja en el consenso de
los electores, su candidato fue superado con comodidad por
el radical Fernando de la Rúa. Tuvo un peso importante en
el resultado, sin duda, la muy buena imagen del candidato
radical. Pero era muy discutible que la situación hubiera variado de haber sido Álvarez o Fernández Meijide el postulante frepasista: simplemente sucedía que los electores no
terminaban de confiar en la capacidad de gobierno de la
coalición. El impacto público de la derrota en un distrito
que el Frente consideraba "propio" fue morigerado por el
triunfo en la elección de convencionales estatuyentes, pero
no sucedió lo mismo con el impacto interno. Las conclusiones que se extrajeron apuntaban claramente a modificar las
prioridades de la "agenda interna" y a reorientar la estrategia
pública del frente, a poner el acento en el fortalecimiento
de todos aquellos aspectos que las urgencias, hasta entonces, no habían permitido atender.

El desarrollo de recursos de gobierno abarcaba, dijimos,
varios rubros: personal político y político-técnico, capacidades organizativas, análisis y propuestas de políticas públicas,
y formación de una coalición de mayorías. Es difícil determinar cuál de ellos era el decisivo. En el caso del Frente
todos parecían ser igualmente importantes. En cuanto al
primero, consistía de varios momentos, desde el reclutamiento, pasando por el entrenamiento en funciones legislativas y administrativas, hasta la reeducación en una cultura

de gobierno no populista y modernizadora. El reclutamiento no era sencillo dado que la actividad política estaba sumamente devaluada en la sociedad y no convocaba a un personal que se destacara siempre por su capacidad y honestidad. De todos modos, el FREPASO había logrado atraer a muchas personas con experiencia política previa, provenientes de otras fuerzas políticas o que se habían ido distanciando de la actividad pública. Desde abril de 1994, y más aún a partir de la formación del FREPASO, se habían registrado permanentes "pases" de concejales, legisladores locales, e incluso algunos legisladores nacionales y ex funcionarios de relieve del PJ o la UCR a la coalición. Ella también atrajo a militantes y dirigentes de organizaciones intermedias, sindicalistas, defensores de los derechos humanos, etc. Y a una cantidad considerable de profesionales, técnicos y especialistas. El problema era que existieran las condiciones para aprovechar esas capacidades y experiencia y no desalentar las expectativas creadas. Y las debilidades de la organización conspiraban contra ello. En este contexto, los que más rápidamente lograron acomodarse y sacaron más provecho de la situación de "seminstitucionalidad" reinante fueron los militantes y dirigentes de los partidos tradicionales que migraron al Frente. Las reglas de competencia interna no eran tan distintas de las que predominaban en esas fuerzas, y ese personal tenía al menos cierta experiencia en la competencia electoral y en el desempeño de alguna función institucional. En cambio, el "activo social" que el Frente movilizó y reclutó, sobre todo antes y después de cada campaña electoral, salvo en los casos en que logró incorporar esas reglas y hacerse un lugar en la vida interna, o fue promocionado por los líderes en virtud de su imagen pública o sus conocimientos técnicos, o tuvo que resignarse a orbitar en la periferia o terminó alejándose desalentado.

La rápida expansión electoral del Frente permitió que existiera una suerte de sobreoferta de cargos, y muchas personas que no habían soñado ejercer una función pública destacada de pronto se encontraron ocupando un despacho legislativo, ejerciendo algún poder o atribución, con acceso a los medios de comunicación y a alguna cuota de presupuesto. En 1993 existía algo más de una decena de dirigentes del Frente que estaba en estas condiciones. Dos años después eran alrededor de doscientos, contando los cargos municipales, consejeros escolares, concejales, diputados, senadores y las autoridades de cámaras. En 1997 llegarían al millar, distribuidos en casi todas las provincias y en las más diversas funciones. Algunos (los menos) ocupaban cargos ejecutivos y de administración. El acelerado aprendizaje que realizó ese personal, mayormente sin experiencia previa, sin duda significó un cambio cualitativo para la vida interna y para el acopio de recursos políticos en el Frente, de cuyas amplísimas consecuencias tan sólo algunas se han hecho hasta ahora visibles.

Advirtamos, también, que no se trataba sólo de aprender a desempeñar ciertos roles, sino incluso, y en algunos casos sobre todo, de desprenderse de una cultura y un estilo de acción política heredados que en buena medida eran un obstáculo para el exitoso desempeño de dichos roles. La mayor parte de los militantes y dirigentes provenía de los márgenes del peronismo y de la izquierda, y de dicha filiación heredaba una actitud refractaria respecto de las responsabilidades institucionales. Llegaban, en casos extremos, a adoptar posiciones francamente antinstitucionales. Ser parte, de pronto, de una fuerza con masivo respaldo electoral, y que ofrecía posibilidades ciertas de desarrollar una carrera política, despertaba las reacciones más disímiles. Algunos pretendían actuar como siempre lo habían hecho y lo reivindicaban como un gesto de "militancia consecuente", con todo lo positivo y lo negativo que ello podía implicar. Otros incorporaban, de un día para el otro, la vestimenta, el lenguaje y los gestos que suponían inherentes al funcionariado, y con un pragmatismo extremo se desentendían de las inquietudes del pasado y de las del futuro. Por último, muchos trataban seriamente de comprender lo que estaba sucediendo y adecuarse lo mejor posible a los nuevos desafíos. La organización no siempre estimulaba esta última actitud y, por lo tanto, se desperdiciaban muchas oportunidades y esfuerzos en el proceso de formación y selección del personal. Además, el tipo y ritmo de crecimiento que experimentaba el Frente no alentaba de por sí a actitudes responsables: dado que el motor de esa expansión eran líderes nacionales y las posiciones que se adoptaban ante la política nacional —y luego los "beneficios" se "derramaban" en los distritos y a nivel local— en esos ámbitos se podía creer que el futuro estaba asegurado, independientemente de lo que se hiciera.

En el terreno de lo organizativo, los problemas y peculiaridades que describimos en el capítulo anterior persistieron. Las exigencias de la coyuntura hicieron que el Frente maximizara el aprovechamiento de los recursos disponibles que dieran resultados inmediatos. Eso conspiró, como vimos, contra la formación y acumulación de algunos recursos estratégicos; aunque también permitió crear otros. Montado en la cresta de sucesivas oleadas de opinión favorable y sin una historia ni una identidad en la que guarecerse, el Frente debió librar una seguidilla de batallas electorales en las que se jugó su subsistencia y su futuro. Ello lo llevó a crear algunas instancias organizativas, la mayor parte informales, pero todas bastante eficaces, como grupos de asesoramiento, equipos operativos, enlaces regionales, mecanismos de acuerdo entre los grupos internos, etc. En algunos de estos terrenos la ausencia de una pesada estructura burocrática permitió utilizar con gran flexibilidad y economía los recursos disponibles. Las campañas electorales del Frente fueron, en parte por ese motivo, mucho más baratas y eficaces que las de los partidos tradicionales. Lo cierto es, de todos modos, que la orientación coyunturalista de la fuerza conllevó la inversión de casi todos sus recursos financieros, organizativos y humanos en las tareas orientadas al corto plazo, vaciando las instancias y actividades que apuntaban al mediano y largo plazo.

Como dijimos al inicio de este capítulo, las exigencias de la misma competencia política pronto hicieron sonar la alarma respecto de la viabilidad de esta fuerza en el caso de persistir en este coyunturalismo. No bastaba tener un candidato atractivo, ni un discurso desprejuiciado o un pasado no comprometido con escándalos. La actitud ética y la simpatía de la opinión pública independiente, de muchos periodistas e incluso de algunos medios de comunicación eran puntos a favor, pero insuficientes.

Para colmo, el crecimiento galopante de los cargos públicos a ocupar, combinado con la difusa institucionalidad interna, hacían imposible que se estableciera un cierto orden de mérito o un curso de honor. Para algunos hubo una evaluación *a posteriori*, de acuerdo a los resultados que se obtenían en el desempeño de la función asignada, pero tampoco esa era la norma. En este sentido, cabe agregar que se actuó con celeridad en los casos —no fueron muchos— en que se cometieron delitos de corrupción (en abril de 1997 dos concejales de La Plata fueron expulsados al conocerse una denuncia por "coima" en su contra, y la misma suerte corrió un concejal de Lomas de Zamora al mes siguiente). Los líderes se esmeraron para que la organización hiciera lugar a figuras destacadas de la cultura y otras actividades sociales, antes que a los que manejaban los factores de poder interno (que en muchos casos no eran los mejores candidatos ni los dirigentes más innovadores), bregando al mismo tiempo para que se aprovecharan, en los roles institucionales, los conocimientos y la experiencia de los especialistas. Pero si debían intervenir personalmente en este sentido era porque, evidentemente, esas disposiciones (el control de la honestidad de los funcionarios y representantes, la selección de los más capaces, la asignación de funciones según destrezas, la evaluación de desempeños, etc.) no eran, al menos no todavía, una capacidad instalada de la organización.

Debemos también anotar el problema de los partidos miembros de la coalición y del funcionamiento de ésta. A fines de mayo de 1995, pocos días después de las elecciones, se anunció la institucionalización del Frente como una confederación de partidos, estableciendo mecanismos de representación de todas las fuerzas en una Junta Confederal Nacional. Esto se concretaría sólo en diciembre del año siguiente y, con un retraso similar, se crearon en las provincias instancias semejantes (esa demora se debió, principalmente, a la disputa entre Álvarez y Bordón). Es cierto que la formación de estas instancias de conducción indicó cierto progreso institucional. Y que en ellas se encontró la forma de canalizar muchos de los conflictos de intereses y las decisiones que hasta entonces seguían un curso informal. Pero el problema fue que ello implicó a la vez que se hiciera más patente el desequilibrio entre los distintos partidos miembros, y entre la orientación y el ritmo de expansión del FREPASO como tal, inspirados por sus líderes, y la existencia, bastante lánguida y poco innovativa, de esos partidos. En última instancia, la existencia de esas instancias tenía un efecto formal más que real porque el peso de los liderazgos y el aporte efectivo de cada partido desentonaban completamente con la representación otorgada a las fuerzas en ellas. Algunos siguieron pensando que era más razonable disolver todas esas pequeñas estructuras en una sola organización, pero los socialistas reivindicaban su identidad particular y otros, como el PI remanente, siguieron sacando provecho de preservar su autonomía como partidos.

Desde la fuga de Bordón, y más aún con la derrota del socialista La Porta ante de la Rúa y el ascenso rutilante de Fernández Meijide, el Frente Grande era la fuerza hegemónica del FREPASO. Reunía a los líderes de mayor prestigio, era la que más crecía y la más dinámica en casi todos los distritos. En diciembre de 1996 en Capital Federal y en mayo del año siguiente en provincia de Buenos Aires, el FG realizó internas abiertas para decidir sus autoridades y candidatos, y aunque en ninguno de los dos casos logró movilizar más que a unos pocos miles de personas, ello significó un paso adelante en el establecimiento de ciertas reglas de competencia interna. En realidad, el FG apenas conseguía seguirle el paso a sus propios dirigentes, pero era mucho más de lo que se podía decir de los otros socios frepasistas, que eran sensiblemente más pequeños y menos activos. Debemos, con todo, marcar las distintas situaciones y disposiciones presentes en ellos. Por un lado, en las fuerzas que reunían a otros ex peronistas y ex radicales, Nuevo Movimiento y Nuevo Espacio, las orientaciones dominantes eran similares a las del FG, en general lo acompañaban en sus posturas y, por ese motivo, tendían a borrarse las fronteras entre ellos. En el resto, el giro impulsado por Álvarez desde 1993-1994, la rápida expansión electoral y los nuevos desafíos y oportunidades que se presentaban, incluso la posibilidad de disputar el gobierno, no parecían haber hecho mucha mella. Los socialistas podían reivindicar su identidad histórica y un peso nada despreciable en el electorado de Capital Federal y Santa Fe, pero no parecían concebir su presencia en el Frente más que como la mejor solución, por el momento, para preservar esos recursos. Aquellos que entendían su rol en la coalición en términos más innovadores y productivos eran francamente minoritarios en la interna de esos partidos, y carecían de un referente que los aglutinara. Al igual que los otros dos socios (el PDC y el PI), los socialistas encontraban, con su permanencia en el Frente, la posibilidad de incrementar incluso su acceso a cargos, pero no abandonaban por ello su posicionamiento tradicional, bastante conservador y "vocacionalmente minoritario", en la vida y la lucha política.

Los líderes advertían que esta situación podía ser una bomba de tiempo. Pero no encontraban la forma de desactivarla. ¿Hacer del FREPASO una confederación de partidos era la solución institucional definitiva o sólo un momento de transición hacia el modelo organizativo más acorde a la realidad política de la fuerza? ¿Era posible dinamizar a los partidos miembros para que acompañaran más productiva y armoniosamente la estrategia que estaba permitiendo la expansión del FREPASO, o sólo cabía intentar anestesiar con algunos cargos electivos y puestos en una conducción más que todo formal la capacidad extorsiva de esos socios hasta tanto se pudiera forzar su dilución en una sola organización? El frente era, sin duda, una coalición porque reunía a dirigentes, militantes y electores de distintos orígenes e identidades. Pero para algunos no era tan seguro que en el mediano o largo plazo esa heterogeneidad se conservara, o que fuera deseable. La disolución de los miembros originales del FG y su transformación en un partido, así como la progresiva absorción de Nuevo Espacio y Nuevo Movimiento por el FG, alentaban esta suposición. En cambio, la resistencia que presentaban los socialistas a correr la misma suerte, y su exitosa defensa de la identidad, la organización y los espacios propios expresaban los límites de esa alternativa. La persistencia del carácter coalicional implicaba ciertos riesgos, sobre todo en la perspectiva de acceder al gobierno: en los conflictos por la integración de las listas los socialistas solían presionar con la posibilidad de abandonar el frente y aliarse con los radicales (así sucedió en junio de 1997 en la provincia de Buenos Aires, véase *Clarín*, 12-VI-1997). A partir de la formación de la Alianza, se reactivaron estas tensiones entre el FG y la US, y ésta última exploró más seriamente la alternativa de actuar por su cuenta, reclamando para sí un lugar en las instancias de toma de decisiones de la Alianza. Sin embargo, nada autoriza a pensar que estos peligros y conflictos se desactivarían forzando la unificación partidista del Frente.

La orientación coyunturalista del FREPASO también perjudicó −como no podía ser de otro modo− el tercer rubro de los recursos de gobierno, el análisis y formulación de políticas públicas. Una prueba de ello fue que, a pesar del esfuerzo de Carlos Auyero, no pudo evitarse la desactivación del Centro de Estudios Programáticos (CEP), institución por él creada para cumplir dicha función, y su reconversión en una instancia más de la logística de campaña. Entre 1994 y 1995 se convocó al CEP a una cantidad de profesionales y ex funcionarios con el objetivo de constituir equipos técnicos que analizaran las políticas públicas en curso y propusieran programas alternativos. Ellos formaron parte de los equipos de gobierno que el FREPASO presentó en sociedad durante la campaña presidencial. Posteriormente, en abril de 1996, el CEP los integró en el "gabinete en las sombras" que el Frente promocionó como un gesto demostrativo de su interés en desarrollar una orientación de gobierno. Durante los meses posteriores a las elecciones Chacho Álvarez alentó este trabajo y se formularon una serie de propuestas desde el CEP, atinentes al combate del desempleo y el desarrollo de políticas activas de producción, buscando compensar por este medio la carencia de cargos ejecutivos (y de paso remarcar las diferencias que existían con Bordón, véase al respecto el documento "Para salir de la crisis", que no fue respaldado por el mendocino –*Clarín*, 8-I-1996). Pero a mediados de 1996 la actividad del centro tendió a disminuir y se limitó cada vez más a tareas de apoyo en la coyuntura y las campañas electorales. Una de las mayores dificultades que Auyero encontró para sostener los objetivos iniciales del centro fue que, salvo en Chacho Álvarez, Fernández Meijide y alguna otra figura, su tarea no encontró una recepción interesada. Simplemente había otras urgencias.

Dado que el Frente estaba realizando una profunda redefinición de su postura respecto de las reformas estructurales, y pretendía al mismo tiempo preservar o, mejor dicho, construir una diferencia fuerte respecto de las políticas gubernamentales, era evidente que el análisis detallado de las políticas públicas en curso, los proyectos oficiales y la reflexión respecto de las condiciones y los instrumentos necesarios para poner en marcha políticas alternativas, poseían una importancia fundamental. Existían recursos humanos y fuentes de información disponibles para poner en marcha estas tareas. Pero, al menos hasta 1996, aparentemente no habían madurado las cosas como para que la dirigencia frentista advirtiera la necesidad impostergable de destinar esfuerzos específicos en este sentido, distrayéndolos de la coyuntura.

Agendar el análisis de políticas públicas y el desarrollo de propuestas programáticas como parte de las actividades prioritarias de la fuerza podría haber cumplido también una función de gran importancia en relación con los incentivos de la organización, el reclutamiento y la selección de recursos humanos, que no fue advertida por la dirigencia. Probablemente porque se prestaba más atención a otros incentivos tradicionalmente más potentes en la política argentina. En todo partido político operan tres tipos de incentivos: los de solidaridad (ideológicos o identitarios), los materiales (cargos, carrera política) y los de finalidad (logro de determinados resultados en términos de políticas públicas). La mayor parte de la dirigencia frentista tendía a ser, por tradición, más sensible al primer grupo, y por lo tanto a ponerlo en el centro de sus tareas de reclutamiento y organización. Si no logró alimentar un crecimiento de la fuerza acorde con sus posibilidades, sobre todo con las que se abrieron a partir de que comenzó a madurar la nueva estrategia impulsada por Chacho Álvarez, fue porque, al mismo tiempo, esa estrategia y el perfil resultante del Frente cuestionaban y debilitaban la identidad y las convicciones tradicionales de su personal político y el periférico. La solución para muchos provino de la rápida expansión electoral, que brindó la posibilidad de acceder a cargos; con lo que el segundo tipo de incentivos pasó a cumplir un rol mucho más importante. De todos modos, tanto Auyero como Fernández Meijide y Álvarez fueron advirtiendo el peligro que conllevaba un pragmatismo excesivo. Y que sería insuficiente la disposición de cargos para sostener una expansión acorde con los desafíos de gobierno en términos de la cantidad y la calidad del personal necesario. Debió pasar algo más de tiempo para que se convencieran, y luego convencieran al resto de la dirigencia de que, aunque crear incentivos de finalidad era difícil si no se cumplían funciones ejecutivas, ellos eran el instrumento más adecuado al tipo de organización que se quería conformar y a la orientación adoptada por la fuerza.

A pesar de estas idas y vueltas, desde 1995 se dieron pasos importantes en la elaboración y difusión de programas de gobierno. Y también en el desarrollo de intervenciones públicas del Frente focalizadas en políticas determinadas. El CEP realizó una serie de encuentros y publicaciones donde se analizaron áreas específicas de la gestión pública, en particular de la economía. También en los bloques legislativos se hicieron esfuerzos por incorporar personal capacitado y hacer un seguimiento más preciso del trabajo en las comisiones y de los proyectos del Ejecutivo. Se reconoció un papel importante, sobre todo en el terreno económico, a la opinión de los especialistas. En ocasiones incluso cayendo en un excesivo tecnocratismo, inspirado probablemente en la necesidad de contestar la pretensión del oficialismo de ser el depositario del "saber" económico y técnico.

Uno de los avances más significativos en el terreno de la evaluación y formulación de políticas públicas en esta etapa fue el reconocimiento de que el contexto de estabilidad modificaba completamente las condiciones en que ellas se instrumentaban y confrontaban. Esto tuvo dos expresiones. Por un lado, en el Frente comenzaron a diferenciarse políticas y disputas coyunturales de ciertas "políticas de estado" que, se aceptaba, debían tener continuidad más allá de los cambios de gobierno y mantenerse alejadas de la competencia partidista (en esta categoría se ubicaba la educación, las relaciones internacionales, el rol de las fuerzas armadas y el manejo de la deuda externa). Por otro lado, en el terreno económico se planteó que un proyecto alternativo debía superar la "falsa dicotomía entre modelo y antimodelo", con lo cual se reconocía implícitamente que no se modificarían algunos de los principios del plan en marcha y se apuntaría a construir una política diferente dentro de un marco de restricciones que se reconocía como denominador común de todas las fuerzas políticas (sobre el reconocimiento de esas restricciones véase el documento "Política y economía", y para un desarrollo exhaustivo de estos temas, el documento emitido por la Junta Nacional del FG en diciembre de 1995).[1]

En cuanto al último punto, la estrategia de alianzas para la conformación de una coalición de mayorías, sólida y consistente, debía ser la conclusión natural de la nueva estrategia y la orientación gubernativa del Frente. Si el FREPASO no podía generar por sí mismo, al menos no en el corto plazo, todos los recursos necesarios para disputar el gobierno y, menos todavía, para gobernar, era evidente que se hacía necesaria una política de alianzas que se los proporcionara. Así lo estableció el documento de diciembre de 1996 y lo reiteró Chacho Álvarez en cuanta ocasión se le presentó desde entonces. Una combinación de persistencia en el estilo de improvisación coyunturalista y consolidación estratégica encontramos en el proceso por el cual se concretó la alianza con la UCR en agosto de 1997. Con ella se inicia otra etapa en la corta vida de centroizquierda, signada por el desarrollo de una estrategia de acceso al gobierno.

3.2. La Alianza y la actualización del problema del gobierno

La disposición a conformar una alianza con la UCR nació en el FREPASO, al menos en parte, como respuesta coyuntural ante el desafío que suponían las elecciones presidenciales de 1999, y también las legislativas de 1997. Debe destacarse la percepción de que el radicalismo estaba recuperando terreno, y el temor de que el Frente pudiera quedar muy mal colocado en 1997, con vista a las presidenciales, si obtenía un magro tercer puesto a nivel nacional. Parecía que incluso hasta se podría encontrar dificultades para defender su electorado en la Capital Federal. La elección de De la Rúa como jefe de gobierno había demostrado que el radicalismo podía reconciliarse con parte, al menos, de los electores que lo abandonaran tras el Pacto de Olivos. La postulación de Rodolfo Terragno, otro radical opositor al Pacto, presidente del partido desde fines de 1995, como primer candidato a diputado por el distrito para octubre de 1997, así como la exclusión, tanto del gobierno de la ciudad como de las listas de candidatos, de los punteros locales comprometidos con negociados en el Concejo Deliberante, evidenciaban que la UCR podía seguir renovando su imagen para hacerse más competitiva. Algo similar sucedía en la provincia de Buenos Aires, donde Federico Storani, que había sido electo jefe del bloque de Diputados nacionales del partido, también como consecuencia de sus posiciones antipactistas y su perfil competitivo con el frente, aparecía encabezando las encuestas de intención de voto a principios de ese año (*Clarín*, 10-I-1997). Carlos Auyero, posible postulante por el frente en ese distrito, aparecía muy rezagado.

En el Frente, mientras tanto, se habían comenzado a depositar expectativas en el desgranamiento de votos de la coalición menemista. Los comicios de octubre de 1995 para elegir el senador porteño (en los que Graciela Fernández Meijide obtuvo 46% de los votos), demostraron que la centroizquierda podía perforar la clientela electoral del menemismo, aprovechando sus dificultades internas (las denuncias de Cavallo contra Alfredo Yabrán, empresario sindicado como cabeza de una red mafiosa y vinculado a través de varias concesiones y negocios a las principales oficinas del Ejecutivo nacional) y los problemas que estaban surgiendo para el programa de gobierno (aumento de la desocupación, pérdida de dinamismo del plan de reformas, etc.). Compensando así la mayor competitividad de los radicales (que en aquella elección porteña obtuvieron el segundo puesto, mientras que el PJ recibió un escaso 17,4% de los votos). El Frente estimó conveniente, entonces, con vistas a las legislativas de 1997, apuntar todos sus esfuerzos a la provincia de Buenos Aires, un distrito clave para disputar los votos peronistas. Pero lo cierto era que pocos se atrevían a augurar, luego de los trastazos de 1991 y 1993 y la amplia victoria de Menem en 1995, que el consenso electoral del gobierno se derrumbaría en el corto plazo. El escenario más probable, a los ojos de los más prudentes, era que el gobierno, aún debilitado, habría de conservar su preeminencia electoral y con ello fortalecer la candidatura de Duhalde como sucesor natural de Menem, frente a una oposición dividida (recordemos que las encuestas de la época, e incluso las que se hicieron pocos días antes de las elecciones de octubre de 1997, reflejaban que cerca de 50% de la población creía que Duhalde habría de ser presidente en 1999).

De todos modos, estos cálculos y especulaciones no reflejaban lo más importante. La novedad del momento era que todas las expresiones de la oposición estaban ganando terreno en la escena pública al mismo ritmo que el menemismo (aunque por el momento no todo el PJ) lo estaba perdiendo. La imagen del presidente Menem se deterioró sensiblemente y en forma acelerada a partir de que lograra su reelección. Y las consecuencias de esta situación fueron múltiples. Porque la oposición parecía tener dos o más caras que competían entre sí. Por un lado, el FREPASO y la UCR. Y por otro los sectores que desde el gobierno y el peronismo aspiraban a suceder a Menem, básicamente Domingo Cavallo y Eduardo Duhalde. En suma: a medida que el Presidente completaba sus objetivos y encontraba crecientes dificultades para proponerse otros nuevos que le permitieran mantener la iniciativa (con lo que parecía estar llegando al final del camino cuando todavía no comenzaba su segunda gestión), una porción creciente de la opinión pública empezaba a depositar sus expectativas en alternativas de reemplazo. En ese contexto, las distintas corrientes que, dentro y fuera del gobierno, pugnaban por suceder a Menem aceleraron sus respectivas estrategias para conformar una coalición y un programa que reflejaran el *mix* de continuidad y cambio que en cada caso se consideraba más adecuado para "superar" lo que Menem representaba. Pero, dado que éste permanecería durante varios años más en el gobierno y se negaba a reconocer un "sucesor natural", esas estrategias de sucesión no podían construirse más que en una disputa por el rol de la oposición. Todo ello provocó que la situación se tornara bastante confusa, pero también dinámica.

Para la oposición extrapartidaria el nuevo escenario que se abrió después de la reelección de Menem conllevó un cambio de horizonte, que incluía la posibilidad de disputar la mayoría electoral y el gobierno. Ahora bien, sólo mediando un derrumbe catastrófico del oficialismo las dos fuerzas de oposición podían aspirar a vencer al PJ compitiendo a la vez entre sí en las elecciones de 1997 y 1999. Dado que ese derrumbe era poco probable, para que aquella posibilidad madurara debía contemplarse la formación de una alianza opositora. Ingresó de este modo en la agenda la cuestión de la alianza, ya no como fruto de un cálculo coyuntural, sino como una cuestión estratégica, un paso necesario para acceder al gobierno. A medida que se acercaron las elecciones de renovación parlamentaria esta convicción se reforzó, alentada por la expectativa respecto de un cambio en la ecuación de poder hasta entonces imperante: 62% de los entrevistados en la provincia de Buenos Aires acordaba, en junio de 1997, con que "una mayoría opositora ayudaría a corregir el rumbo del país", y en julio 76% manifestaba su acuerdo con que era necesario que la oposición ganara las elecciones y el Congreso controlara más al Presidente. La que había sido hasta entonces la carta de triunfo del gobierno, la idea de que "Menem era el único que podía solucionar los problemas del país" recibía sólo 9% de apoyo (encuestas de MORI).

En lo que hace específicamente al Frente, la alianza con el radicalismo era la conclusión de la redefinición estratégica planteada en 1993 y la traducción de la necesidad de adoptar claramente una orientación de gobierno, que fuera viable y a la vez consistente con dicha estrategia. Ella conllevó un esfuerzo no menor al que se requirió para aquel giro. Implicaba una revisión del diagnóstico que hasta entonces se había hecho de los partidos tradicionales, y en particular del que se hacía del radicalismo. Una fuerza que era menospreciada por muchos de los disidentes justicialistas y por la izquierda, a la que hasta entonces se había condenado en forma pública y reiterada por su gestión de gobierno y por haber devenido socio "segundón" de Menem, motivos por los cuales se la consideraba parte del "partido único del ajuste" o se le extendía un certificado de pronta defunción. Implicaba además un aprendizaje de las experiencias recientes encabezadas por radicales y peronistas, y de los resultados de la propia estrategia desplegada hasta entonces. Pero también la convicción de que era posible formar una nueva mayoría, que ella debía ser consistente para evitar su temprana descomposición, como había sucedido en tiempos de Alfonsín, y que debía ser a la vez una coalición electoral y una coalición de gobierno, para evitar repetir la experiencia de Menem en 1989. Igualmente existía el convencimiento de que el Frente debía integrarse a una alianza más amplia, porque los partidos tradicionales no se estaban descomponiendo como se había previsto y el Frente por sí mismo no era capaz de cumplir esas tareas, y que debía completarse el abandono de las posiciones antirreformistas iniciales porque no contribuían a comprender ni los problemas que habían enfrentado los gobiernos radical y peronista, ni los que enfrentaría un hipotético gobierno con participación del Frente. Todos estos fueron los ingredientes que animaron a sus líderes a agendar, progresivamente y no sin algunas reticencias propias y resistencias de la agrupación, la búsqueda de un acuerdo con la UCR.[2]

Debe considerarse, además, que la superación del trauma del Pacto de Olivos en el radicalismo supuso una ventaja, además de la obvia desventaja, para el frente. La UCR podía volver a ser competitiva, pero al mismo tiempo existían condiciones ahora para que la coalición de centroizquierda encontrara interlocutores en ella con los cuales llegar a acuerdos más permanentes y establecer un juego más claro y colaborativo. Con todos los radicales, como partido, y no sólo con una facción (que finalmente utilizaba al Frente para resolver disputas internas, pero no avanzaba más allá de reuniones públicas y charlas que no daban resultados concretos, como había sucedido ya con Storani en 1994). No casualmente los primeros acuerdos parlamentarios posteriores al Pacto de Olivos se concretaron con Raúl Alfonsín, en torno al proyecto de creación de una comisión antimafia en la Cámara de Diputados, en agosto de 1995, con el cual ambos partidos buscaron fortalecerse como oposición de cara a las disputas internas del gobierno. Recordemos que, poco después, en octubre de ese año, el radical Ángel Rozas fue electo gobernador del Chaco por un acuerdo entre la UCR y el FREPASO de ese distrito.

Éstos eran algunos de los indicadores, junto a la elección de senador por la Capital Federal, que mostraban que la oposición extrapartidaria comenzaba a ocupar un lugar mucho más relevante en la lucha política y su gravitación crecía en la opinión pública. Al mismo tiempo, el oficialismo se debatía en conflictos internos cada vez más difíciles de resolver, mientras debía atender graves problemas en su programa de gobierno. Los conflictos entre Menem y Cavallo, primero, y entre el Presidente y el gobernador de Buenos Aires, después, afectaron seriamente la imagen del gobierno y la capacidad de conservar en sus manos la iniciativa. Pero también esos conflictos ponían en juego una dinámica de competencia y de ocupación de la totalidad del espacio político, el del gobierno y el de la oposición, desde el partido oficial, que tendía a hacer irrelevante a la oposición extrapartidaria. La denuncia de mafias enquistadas en el poder por parte del ministro Cavallo, que se hicieron recurrentes y explosivas en agosto de 1995, y posteriormente las diferencias que planteó Duhalde respecto de la orientación del programa económico del gobierno nacional, en particular en torno a la cuestión del empleo, el rol del estado y el desarrollo de políticas productivas activas, parecieron borrar de la escena a la oposición frentista y radical, a la que no le quedaba nada por decir.

Con todo, el desarrollo y la resolución de esos conflictos dejaría un saldo mucho más favorable para la oposición extrapartidaria que para el peronismo y el gobierno. Produjeron incluso, como un resultado inesperado, el acotamiento de la capacidad del peronismo de actuar a la vez como gobierno y oposición. Básicamente porque las fuerzas de oposición, y principalmente el FREPASO, fueron capaces de defender su espacio, bloquear los intentos de apropiarse de las que eran sus banderas distintivas, y transformar los conflictos internos del PJ y el gobierno en un instrumento para ganar consenso, ampliar su injerencia institucional y acorralar al oficialismo.

En cuanto al conflicto entre Menem y Cavallo, fue evidente que las denuncias del ministro, lanzadas primero como un recurso extremo para permanecer en el cargo, y luego sostenidas como justificación de su distanciamiento del Presidente, podían ser capitalizadas por el Frente más que por su protagonista. La entrevista concertada entre Cavallo y los líderes del FREPASO el 19 de agosto de 1995, en la cual el ministro expuso a los opositores los fundamentos de sus acusaciones, sirvió a éstos para presentarse como una oposición responsable ante las disputas salvajes en el gobierno, que ponían en peligro las instituciones y la estabilidad.[3] Y además les permitió justificar la creación de la comisión antimafia en Diputados y presentar ante la Justicia un pedido para que Cavallo testificara (*Clarín*, 20-VIII-1995, 23-VIII-1995). Los ataques de Cavallo contra el candidato a senador por el PJ, Erman González, por sus vinculaciones con Yabrán, fueron luego aprovechados por Fernández Meijide para interpelar, con buenos resultados, a 41% de los porteños que meses antes habían votado a Menem. Desde una posición moderada y responsable, Fernández Meijide asumió la defensa de las instituciones puestas en peligro por las feroces disputas en el oficialismo, y con ello pavimentó su resonante triunfo en los comicios.

No le sirvieron, en cambio, a Cavallo para fortalecerse en la interna oficial. Fue precisamente uno de los desencadenantes de la resolución de Menem de desprenderse de él, adoptada el 26 de julio de 1996. Si bien en la opinión pública las denuncias de Cavallo tuvieron una fuerte repercusión y le permitieron arrogarse, una vez fuera del gobierno, el rol de fiscal republicano (precisamente la fuerza que creó para candidatearse en 1997 se denominó Acción por la República), disputándole en cierta medida la demanda de transparencia, combate de la corrupción y seguridad jurídica al Frente, el alcance de su jugada no fue el esperado. Tan sólo logró atraer una franja acotada de electores porteños y cordobeses de centroderecha que venían apoyando al gobierno y un sector bastante menor de anteriores votantes frentistas. La dimensión de la nueva agrupación y del respaldo de la opinión pública que logró reunir estaban muy lejos de sus expectativas y de lo mínimo necesario para sostener una carrera presidencial en 1999.

El despido de Cavallo transmitió dos mensajes: la estabilidad y las reformas no dependían de su permanencia en el cargo, sino de la continuidad de Menem, primero, y el gobierno no se inmutaba ante las amenazas del ministro de hacer públicos los entretelones de los negocios menemistas y sus vínculos *non sanctos* con redes mafiosas. Pero lo que entendió la opinión pública de esos mensajes no fue exactamente lo que esperaba el gobierno. Del primero quedaría en claro que Menem podía prescindir de los servicios del ministro, pero a la vez también que la estabilidad y algunas de las orientaciones generales del programa económico, como la apertura, el equilibrio fiscal, etc., tendían a "despersonalizarse", incluso en detrimento de Menem.[4] Del segundo la recepción fue aún más desfavorable para el gobierno: él se mostraba incapaz de sacar de la disputa política la cuestión de la corrupción y las mafias, que ahora cobraba no sólo más contundencia, al ser denunciada por un protagonista clave del equipo de gobierno, sino también una relevancia política inédita, pues ya no era sólo un caballo de batalla de la oposición, sino un motivo de fractura del equipo de gobierno. El gobierno, simplemente, no podía o no quería hacer nada para resolver la cuestión.[5]

El otro frente de tormenta que encontró por entonces el gobierno fue la desocupación. Se había convertido en la piedra del escándalo del programa de gobierno y la principal preocupación de la opinión pública muy poco después de las elecciones de 1995. Dejando de ser un problema exclusivo de los individuos afectados. El deterioro de la cuestión social que había resultado de la crisis financiera de 1994 y 1995 no se revirtió con la recuperación económica de 1996 y 1997. Al menos no en un grado y a una velocidad apreciable en ese momento (en junio de 1996 el índice de desempleo abierto llegó a 17%, según el INDEC). Una de las consecuencias de ello fue el aumento de la protesta social, y un cambio de humor de la opinión pública ante ésta. Hasta entonces, como dijimos en el primer capítulo, los reclamos sindicales, las protestas callejeras y los estallidos en las capitales de provincia habían tenido un carácter esporádico y, lo que era aún más relevante, habían podido ser interpretados por el oficialismo como expresiones de la resistencia al cambio —y entonces debían subordinarse al "interés general" que el gobierno aparecía representando— o bien de la demanda de cambio, y servían por lo tanto para justificar la profundización de las reformas y el curso general adoptado por el gobierno. En ningún caso implicaban la reivindicación de derechos o intereses que pudieran impugnar la legitimidad de las políticas oficiales o forzar a su revisión. A partir de que cobró estado público la "hiperdesocupación" esa situación se modificó sensiblemente. La opinión pública comenzó a mirar con más simpatía las protestas, incluso las sindicales: especial repercusión tuvieron los reclamos docentes por salarios, por la creación de un fondo de financiamiento y por la revisión de la ley de reforma, que fueron acompañados desde abril de 1997 con el ayuno de grupos de maestros reunidos en una carpa, frente al Congreso. Hasta algunas manifestaciones de violencia como los cortes de ruta (en el curso de 1997 se registraron 104 episodios de este tipo en todo el país, algunos de los cuales se prolongaron por varias semanas) y los estallidos en ciudades del interior, protagonizadas en general por desocupados, merecieron la comprensión antes que el repudio de la sociedad (en las mismas encuestas de MORI ya citadas se recogió 73% de opiniones favorables a que los partidos apoyaran los cortes de ruta y 91% de acuerdo con que el principal problema del plan económico era que dejaba sin trabajo, educación o salud a muchos argentinos). Por ese motivo, los reiterados intentos del oficialismo de vincular a la oposición, en particular al FREPASO, con las manifestaciones de protesta, supuestos intentos de desestabilización e incluso el uso de la violencia, no surtieron el efecto esperado.

Como fuera, lo cierto es que Duhalde, apuntando ya en dirección a su carrera presidencial, intentó durante 1995 y 1996 reforzar la tarea social en su provincia, construyendo una diferencia fuerte entre él y el gobierno nacional en ese terreno. Por cierto que este esfuerzo dio sus frutos. La opinión pública reconocía al Gobernador su tarea de asistencia social y de gestión de obra pública. Pero Duhalde no pudo convertir este reconocimiento en recurso suficiente para sostener su proyecto de diferenciarse del menemismo, sustituir a la oposición y presentarse como el "sucesor natural". Conviene advertir aquí que el problema para Duhalde fue, desde un comienzo, que Menem no estaba dispuesto a resignar cuotas de poder en el Gobernador ni a reconocerlo como sucesor, ni en la presidencia ni en el liderazgo del partido. Y lo colocaba, por lo tanto, ante la difícil disyuntiva de resignarse a seguir ocupando un lugar subordinado a la espera de que aquél se viera obligado a hacerse a un costado, o bien forzarlo a recorrer ese camino, profundizar la toma de distancia y soportar los conflictos que se seguirían de ello. Duhalde progresivamente se inclinó por la segunda alternativa, y ello provocó crecientes cortocircuitos públicos entre ambas figuras. Sobre todo a partir de que Duhalde lanzara formalmente su candidatura presidencial, el 22 de noviembre de 1995, a lo que los menemistas respondieron con versiones, que se repetirían en el futuro, de que Menem podría buscar una nueva reelección. Esta situación desembocó en disputas por la conducción del partido, por la relación con los empresarios y los sindicatos (aquellos pretendían asegurar la continuidad de políticas que los habían favorecido en el caso de que Duhalde fuera presidente, y éstos intentaron recuperar algo del terreno perdido, en temas como las obras sociales y la flexibilización laboral, ofreciendo su apoyo a uno y otro adversario alternativamente), y el control de las demás provincias (la más escandalosa fue la desatada en Santa Fe en septiembre de 1995 entre dos candidatos peronistas a la gobernación, apoyados cada uno por uno de los líderes en pugna, que derivó en graves denuncias de fraude).[6]

Con este cuadro de situación en mente puede entenderse mejor por qué el efecto de la desocupación no fue el mismo para Menem y para Duhalde, y por qué ella actuó como un factor suplementario del distanciamiento que existía ya entre ambos. El gobierno nacional era identificado directamente como responsable de la crisis social, y tanto por la historia reciente como por sus actitudes presentes era considerado insensible e incapaz de darle una solución. Durante 1996, y aun en plena campaña, hacía esfuerzos por imponer medidas de flexibilización laboral con las que, según sus palabras, se facilitaría la generación de nuevos empleos, pero que la mayor parte de la población percibía que deteriorarían aun más las condiciones de trabajo y los salarios. Para peor, no lograba consenso de su propia bancada en la Cámara de Diputados ni tenía libertad de maniobra para imponer el decreto, con lo cual se profundizaba la imagen de un oficialismo dividido e inmovilizado. Duhalde, en cambio, cultivó y en buena medida logró hacer crecer una imagen de sí mismo según la cual representaba el costado social y reparador del oficialismo, un regreso al estilo paternalista y protector del peronismo, y era depositario de una vocación al menos un poco más "desarrollista" y "estatista" que la demostrada por Menem. De hecho, sus propuestas y políticas en el terreno laboral (apoyo a las PyME, programa de empleo para jefes de familia, moderación de la reforma laboral, etc.) se mimetizaban con las que impulsaba el FREPASO, cuyo perfil quedaba así desdibujado (véase, a este respecto, la coincidencia de los proyectos que uno y otro presentaron en la Cámara de Diputados a mediados de octubre de 1996, y el diálogo igualmente fluido que tenían con los pequeños y medianos empresarios y sectores sindicales como el MTA −*Página 12,* 16-X-1996).

Aunque esto le permitía a Duhalde sostener su estrategia mientras estuvieran en el centro de la disputa electoral la desocupación y la cuestión social, no fue suficiente para garantizarle al gobernador el éxito de una solución en clave de "abanico populista" al dilema que significó para su carrera presidencial el desafío electoral de octubre de 1997. El flanco más débil del duhaldismo, finalmente, era el mismo que el del gobierno nacional: la corrupción, las mafias y los déficit institucionales en general. Ello se agravó con el asesinato del fotógrafo José Luis Cabezas, el 25 de enero de 1997, en la provincia de Buenos Aires, que fue el disparador de una nueva escalada de enfrentamientos entre Menem y Duhalde y de un clima de opinión desfavorable para el Gobernador en el que los problemas de seguridad de la provincia, y en particular las mafias enquistadas en la policía del distrito, ocuparon el centro de la atención de la población. En marzo de ese año una encuesta arrojó que 54% de los entrevistados consideraba la seguridad el principal problema que debía resolver el gobierno provincial. En septiembre un sondeo de MORI que ya comentamos mostró el descrédito que sufría Duhalde en ese terreno: su gestión recibía 54% de apoyo en el terreno de las obras públicas, 42% en salud y 37% en asistencia social, pero sólo 11% en seguridad, prevención del delito y justicia. Ello permitía anticipar graves dificultades para enfrentar una oposición fuerte en la cuestión republicana. La investigación del asesinato (la periodística más que la judicial) muy pronto apuntó a bandas de policías provinciales que operaban en conjunto con bandas de ladrones y traficantes en la zona de la costa atlántica, y a Yabrán (al que los funcionarios menemistas no dudaron en dar apoyo). Esto se sumó a los avances en las investigaciones de los atentados a la Embajada de Israel y a la sede central de la AMIA, que condujeron también hacia complicidades de policías de la provincia de Buenos Aires. Duhalde adoptó una actitud vacilante ante esta situación. En un principio asumió el asesinato de Cabezas como una "afrenta personal", y se comprometió a hacer todo lo posible para esclarecerlo (incluso ofreció una recompensa millonaria a quienes brindaran información sobre los culpables). A medida que las sospechas empezaron a apuntar a "su" policía, el Gobernador intentó "despolitizar" el caso y defender a la que llamaba "la mejor policía del mundo" ("si alguien tiene interés en esclarecer este caso es la policía bonaerense" afirmó, *Clarín*, 19-II-1997). Tiempo después no pudo escaparle al escándalo desatado cuando se conocieron las irregularidades cometidas por el personal policial; nuevamente pretendió colocarse "al frente de la investigación" ordenando la cesantía de varias decenas de uniformados y alimentando, a la vez, las sospechas sobre la participación de Yabrán, con lo que se agudizó aun más la pelea con Menem.

Volviendo a la oposición, ya en 1995 se había comenzado a manejar públicamente la posibilidad de una alianza con vistas a las elecciones presidenciales de 1999, dado que la experiencia de Bordón-Álvarez había mostrado, a los políticos y a la opinión pública, la dificultad de enfrentar al peronismo con una oposición dividida. Pero se trataba más que todo de una especulación de algunos dirigentes, que sólo ocasionalmente se hacía explícita, y era resistida por la mayor parte del activo y la dirigencia de ambas fuerzas, que recelaba de la posible pérdida de identidad (Mocca, 1996b: 4). Y esperaba poder medir fuerzas en una competencia por el voto opositor en 1997 y aun en la primera vuelta de 1999. Además, en el Frente era todavía fuerte la idea de que se podía seguir creciendo transversalmente, por absorción de grupos de dirigentes y sectores del electorado de los partidos tradicionales, y que era necesario privilegiar el acercamiento de fracciones del peronismo (algo que, por entonces, seguía dando resultado, al menos en términos de reclutamiento de dirigentes y cuadros medios, sobre todo en el Conurbano Bonaerense).[7] Con todo, aunque en el terreno electoral se admitía tan sólo la posibilidad de acordar en el *ballottage* de 1999, el Frente y el radicalismo fueron avanzando en acuerdos concretos. En Diputados fijaron posiciones de común acuerdo sobre los "superpoderes" reclamados por el Ejecutivo, el paquete económico lanzado a mediados de 1996, el presupuesto de 1997, entre otros temas, y lograron convocar una sesión especial para discutir el problema del desempleo. De ello resultaría una comisión de enlace entre ambas bancadas. En agosto se concretó un pacto de gobernabilidad en la Estatuyente porteña, refrendado por De la Rúa y Fernández Meijide, que permitió agilizar el diseño institucional de la ciudad autónoma y la puesta en funciones del gobierno radical. Al mismo tiempo, Álvarez motorizó junto a Terragno el Foro Multisectorial, asamblea de organizaciones sociales, gremiales y empresarias, más las fuerzas de la oposición, que concretó una serie de creativas manifestaciones de protesta contra las políticas gubernamentales, algunas de ellas con una repercusión inesperada incluso para sus organizadores (como el "apagón" del 12 de septiembre de 1996 y el "cacerolazo" contra el incremento de las tarifas telefónicas, realizado el 10 de febrero de 1997). El éxito del "apagón" significó un punto de ruptura en el clima político, al poner en evidencia el crecimiento del consenso opositor, aun en el terreno económico —hasta entonces el punto fuerte del gobierno— y profundizó el acercamiento entre radicales y frentistas.[8] También los halló juntos la protesta convocada por la CGT el 26 de setiembre en Plaza de Mayo, que tuvo un masivo acatamiento. Los líderes del FREPASO, alentados por estos hechos, se fueron convenciendo de la necesidad de acelerar la dinámica de acuerdos con la UCR; en parte como respuesta a la amenaza que significaba un radicalismo reactivado, en parte por la previsión de que si Duhalde y el PJ superaban la prueba de 1997, difícilmente podría modificarse la situación dos años después; pero también porque se advertía que los tiempos se estaban acortando y debía encontrarse en lo inmediato una fórmula adecuada para canalizar el nuevo clima opositor.[9]

Cuando en octubre de 1996 Álvarez lanzó formalmente la propuesta de formar la alianza de la oposición para las elecciones parlamentarias del año siguiente, lo hizo impulsado por aquellos temores y por este clima, más que por la convicción de que tal alianza pudiera concretarse. La propuesta colocó a los radicales en un brete en que se agudizaron sus ya marcadas contradicciones internas, entre quienes eran partidarios de unir a la oposición (Terragno y en menor medida Fernando de la Rúa y Federico Storani), quienes preferían mantener la independencia (la mayor parte de los dirigentes del interior), y quienes sostenían la tesitura de un pacto de gobernabilidad con el oficialismo (algunos sectores alfonsinistas). Álvarez estimaba que, de todos modos, la propuesta permitiría que el Frente se posicionara mejor con vista a esas elecciones, que se presentaban como una prueba difícil de sobrellevar para seguir siendo la principal oposición.

La cuestión de la alianza se transformó rápidamente en un ir y venir de recriminaciones por las condiciones que cada una de las partes pretendía imponer a la otra para empezar a conversar (los radicales, incluso los más proaliancistas, estimaban que su partido debía ser reconocido como fuerza hegemónica), los mecanismos para formar las listas (la UCR proponía una interna abierta mientras que el FREPASO prefería un acuerdo sobre la base de encuestas de opinión), reproches luego por la no concreción del acuerdo, y por el favor que se le hacía al principal adversario, el gobierno. Al poco tiempo, los desencuentros y el cruce de acusaciones eran tan intensos que, según las palabras del propio Álvarez, amenazaban convertirse en el "culebrón del verano". Los líderes radicales más reacios a un acuerdo, el bonaerense Melchor Posee, vicepresidente del partido, y los gobernadores provinciales, hicieron lo posible por enturbiar las relaciones. También en el FREPASO existían sectores antialiancistas, en particular entre aquellos que seguían catalogando a la UCR como un "partido del sistema", veían en el Frente la alternativa a la política tradicional y comiteril que el radicalismo encarnaba, y por lo tanto consideraban el posible acuerdo una injustificada concesión al bipartidismo que se debía erradicar.[10] Parecía que las expectativas que se habían creado en torno al tema quedarían disueltas en poco tiempo.

El movimiento siguiente del Frente fue anunciar el "pase" de Fernández Meijide a la provincia de Buenos Aires para encabezar la lista de diputados nacionales de ese distrito. La senadora superaba ampliamente en las encuestas a los precandidatos de los otros partidos, Alberto Pierri o Antonio Cafiero, por el PJ, y Federico Storani por la UCR (en febrero, una encuesta le atribuía 38% de intención de voto, contra 21% de Pierri y sólo 10% de Storani, *Clarín,* 20-II-1997). Álvarez justificó la jugada en que era "la única candidata que puede ganarle al PJ", aunque era evidente que al mismo tiempo se buscaba resolver de este modo la "interna" de la oposición (*Página 12,* 25-I-1997; 26-I-1997). A partir de entonces el frente puso como condición para seguir discutiendo la alianza que Meijide y Álvarez encabezaran las boletas en los dos mayores distritos, mientras los radicales insistían con las internas abiertas (realizaron incluso una consulta callejera en febrero para respaldar su posición). El diálogo, ya de por sí accidentado, se deterioró aún más. La campaña electoral se inició, por lo tanto, condimentada por las acusaciones mutuas por el fracaso de aquello que, aparentemente, ninguna de las partes había creído en serio que pudiera concretarse. El efecto paradójico de esta situación fue que la alianza siguió siendo un tema de la agenda política, porque a ella continuaban refiriéndose los periodistas y el gobierno —enrostrando a la oposición sus contradicciones— y los potenciales aliados, para dar explicaciones que los exculparan.

La decisión de Fernández Meijide de concretar su "pase", anunciada el 3 de marzo, generó un gran revuelo. El Frente logró de ese modo superar la situación de debilidad en que hasta entonces aparecía ubicado. Encabezaba ahora las preferencias de los votantes en los dos distritos más grandes, Capital Federal y Buenos Aires, y por arrastre se especulaba que podría hacer una buena elección en otras provincias. De todos modos, peronistas y radicales no tardaron en reaccionar. Eduardo Duhalde no dejó pasar más de un par de días para decidir que se suspendieran las internas del PJ bonaerense y se ubicara al frente de la lista de diputados a su esposa Hilda "Chiche" Duhalde, quien conducía el Consejo de la Mujer y los programas de asistencia a los sectores más pobres del conurbano, lo que significaba el control sobre varios cientos de millones de pesos y miles de "manzaneras" (activistas barriales). Apenas unas semanas después, a principios de abril, en la UCR bonaerense se acordó que Raúl Alfonsín encabezaría la nómina de ese partido, sumando detrás de él a todos los sectores internos. No tanto los radicales, pero sí los peronistas recuperaron parte del terreno perdido a manos de Fernández Meijide: Chiche Duhalde volvió a colocar al PJ al tope de las preferencias en mayo (aunque por un margen estrecho, según encuesta CEOP, 19-v-1997). Dada esta situación, la elección se había nacionalizado y trascendía ampliamente la disputa legislativa: era a todas luces una anticipación de la pelea presidencial de 1999.

El FREPASO podía actuar ahora con la seguridad de que esa elección le depararía un buen resultado, consolidando sus posiciones en Capital y provincia de Buenos Aires y aumentando su presencia en las otras provincias. Pero, sin alianza, seguiría encontrando dificultades para ofrecer candidatos atractivos en la mayor parte de ellas y para disputarle al oficialismo en su terreno, el de la capacidad de formar una mayoría y ser gobierno. El 18 de abril de 1997 falleció sorpresivamente Carlos Auyero, lo que significó un golpe difícil de asimilar para la coalición y en particular para la lista bonaerense. El FREPASO no contaba con una figura comparable en la provincia de Buenos Aires, ni tampoco en funciones institucionales y partidarias claves a nivel nacional. A pesar de que el Frente recuperaba su ventaja en el campo de la oposición e incluso avanzaba sobre el electorado bonaerense del PJ (según una encuesta, 30% de quienes declaraban que lo apoyarían había votado en 1995 por el PJ; véase *Página 12*, 2-III-1997), el principal perjudicado sería nuevamente el radicalismo, y podía preverse, aunque acotada, una nueva victoria electoral del gobierno.

Mientras tanto, la cuestión de la alianza —aunque perdió centralidad en las declaraciones públicas, que se cargaron de reproches y acusaciones cruzadas entre los potenciales socios— siguió considerándose en el seno del radicalismo. La posición de los dirigentes intermedios bonaerenses (intendentes, diputados provinciales, etc.), hasta entonces, había sido contraria a un entendimiento porque implicaba abandonar una tradición acendrada y la posibilidad de resignar cargos. A partir de que se hizo evidente que con Alfonsín no se contrarrestaría el "efecto Meijide",[11] las cosas cambiaron. Era probable que la UCR perdiera posiciones a nivel local y distrital a causa del mal desempeño de la lista nacional. "Salir terceros sería un desastre", decían. También los que tenían la vista puesta en 1999 comenzaron a alarmarse. Hasta entonces se había especulado que las elecciones de 1997 servirían para recolocar a la UCR en una posición de fuerza frente al FREPASO. Ahora todos los que tenían algo en juego comenzaban a sospechar que podía suceder lo contrario.[12]

Lo más notable fue, sin embargo, que en la opinión pública y en los medios de orientación opositora —que una vez más actuaron coordinando la acción colectiva no sólo de los electores sino también de los políticos— siguió madurando la idea de la alianza. Ella se fue haciendo parte de un sentido común que, de modo pragmático, calculaba las alternativas para derrotar al PJ y conformar una nueva mayoría: en noviembre *Clarín* publicó una encuesta según la cual 64% de quienes votarían por De la Rúa en 1999 y el 72% de los que lo harían por Álvarez apoyaba el acuerdo. En febrero un sondeo de Sofres-Ibope arrrojó que 36% de la población apoyaba la concreción de la alianza. En junio ese porcentaje se había elevado a más de 40%. Fue así cuando se "agendó" en parte creciente del electorado opositor la necesidad del acuerdo. Como seguía siendo un tema de debate en los programas periodísticos y de consulta en las encuestas, además, los dirigentes tuvieron que ingeniárselas para argumentar en forma solvente y consistente sobre la cuestión.

No dejó de sorprender, de todos modos, que semanas después la alianza se concretara y se convirtiera en un fenómeno político trascendente. En suma: era el resultado, inesperado por cierto, de una feliz combinación de factores. Por un lado, el temor que despertó en ambas fuerzas la posibilidad de un nuevo triunfo del oficialismo y la consecuente disposición a establecer una colaboración de suma positiva, que no tuviera entre ellas un ganador neto y un perdedor neto; por otro, la preocupación suscitada entre los radicales ante la perspectiva –elocuentemente sugerida por las encuestas– de quedar nuevamente detrás del FREPASO en los distritos más importantes, que desactivó su tradicional antialiancismo; a lo que se sumó una creciente disposición favorable de parte de la opinión pública; y la atención particular de los medios y los buenos oficios de algunos periodistas. Por último, sin duda fue crucial la capacidad de decisión y cierta cuota de audacia puestas en juego por los líderes, especialmente Chacho Álvarez y Raúl Alfonsín.

Recordemos que Alfonsín había sido, hasta entonces, uno de los que más reparos había puesto a la alianza desde el radicalismo. Pero a fines de julio cambió abruptamente de posición (según algunas versiones, fruto de las encuestas, y según otras, convencido por Álvarez y algunos de sus colaboradores). Como fuera, planteó sorpresivamente el retiro de su candidatura para desbloquear las conversaciones (*Clarín*, 25-VII-1997).[13] La reacción inicial de los frentistas no fue favorable, y pareció que los recelos de unos y otros volverían a hacer naufragar el acuerdo, pero dos cruces sucesivos en programas televisivos el 29 y 30 de ese mes, el primero entre Alfonsín y Fernández Meijide y el segundo entre el ex presidente y Álvarez, crearon el clima de diálogo necesario para reanudar las tratativas. Aclaremos que, contra lo que estos episodios mediáticos podrían llevar a pensar, la conformación de la alianza no se produjo en los medios, e incluso sería erróneo decir que fue posibilitada por ellos. Fue a partir de la decisión de los líderes de ambas fuerzas de buscar un acuerdo a resguardo de la curiosidad periodística, garantizando el silencio de quienes llevaban adelante las tratativas y el disciplinamiento de sus respectivas fuerzas, que finalmente se pudieron conciliar las posiciones e integrar listas conjuntas, en un principio para los dos distritos más importantes, Capital Federal y Buenos Aires, a los que se agregaron poco después una decena de provincias (Corrientes, Chaco, Entre Ríos, La Rioja, Misiones, Santa Fe, Salta, San Luis, Santa Cruz, Santiago del Estero y Tierra del Fuego). El anuncio fue hecho el 2 de agosto, junto a las bases de un acuerdo programático de acción legislativa y pautas para la definición de la fórmula presidencial de 1999 (internas abiertas en las que el perdedor ocuparía la vicepresidencia). Mientras las listas de Capital Federal y Buenos Aires alternaban un candidato de cada fuerza, encabezadas ambas por los líderes frepasistas, en el interior los primeros lugares fueron monopolizados por la UCR. Esta situación generó resistencias internas, que en muchos casos fueron controladas por la cúpula nacional de las dos fuerzas, pero en otros impidieron que se llegara a un acuerdo. En particular en las provincias donde el FREPASO tenía posibilidades de obtener una banca, y donde los radicales controlaban el gobierno provincial (los gobernadores de Córdoba, Ramón Mestre, de Chubut, Carlos Maestro y de Río Negro, Pablo Verani, fueron particularmente refractarios a buscar un acuerdo), la alianza se frustró.

Aunque fue una sorpresa para propios y extraños, la conformación de la Alianza por el Trabajo, la Justicia y la

Educación no fue recibida como algo que requiriera explicación y, por las razones que hemos visto, el electorado de los dos partidos se manifestó mayoritariamente conforme (aventando los temores, que inicialmente tal vez fueran más justificados, de que se produciría una fuga de votos). A dos días de concretada, una encuesta arrojó que 60,8% de los bonaerenses y porteños apoyaba el acuerdo (CEOP, *Clarín*, 5-VIII-1997). Se completaba de este modo el ciclo de producción de un acontecimiento que había escapado desde mucho antes al control de sus protagonistas iniciales. En el momento de actuar, finalmente, lo que los líderes del Frente (y también los radicales) decidieron se explica más por lo que la coyuntura y la evolución de la opinión pública estaba esperando que por lo que ellos habían calculado o previsto hacer. Puede decirse que eso le pasa a todos los políticos que son representativos e innovadores: son protagonistas de acciones que no les pertenecen, de las que no son autores exclusivos y cuyos significados y resultados se les escapan. Ser representante es, en última instancia, no ser dueño de los propios actos. Sucede que este fenómeno está atenuado en partidos sólidamente establecidos, fuerzas donde los líderes actúan con las restricciones pero también con los instrumentos que les proveen fuertes tradiciones, marcos ideológicos y redes organizativas, partidarias, institucionales y sociales muy consistentes y resistentes al cambio. Pero en el caso de líderes personalistas con débiles estructuras partidarias, como son los del FREPASO, más aún en un contexto abierto a la innovación, existe un plus de descontrol sobre la evolución de las propias acciones. Ellas avanzan –por decirlo de un modo tradicional– en forma relativamente autónoma de la "conciencia política" de los actores, o –más a tono con estos tiempos– de su capacidad de cálculo estratégico. Volveremos sobre esta cuestión en las conclusiones.

Como fuera, la Alianza concretada en agosto de 1997 implicó un paso adelante fundamental para la coalición de centroizquierda. En primer lugar, porque proveyó al FREPASO el reconocimiento de un *status* que hasta ese momento las fuerzas tradicionales le habían negado: podían admitir que era una amenaza electoral, pero circunstancial, y de todos modos no era un "igual" con el cual negociar o pactar. Más aún, por las características de dicho acuerdo, el Frente pasó a ser un partido nacional en igualdad de condiciones con los tradicionales: se garantizó igualdad de atribuciones en la toma de decisiones y la negociación del programa, se conformó una mesa de coordinación entre ambas fuerzas (que integran por el FREPASO Carlos Álvarez y Fernández Meijide) y éstos ocuparon el primer lugar de sus respectivas listas. En segundo lugar, permitió en el Frente completar de un modo no traumático, pero acelerado, el tránsito del "movimientismo transversal" y la etapa de "crecimiento fácil" a un posicionamiento mucho más consistente y responsable ante los otros partidos y la asunción de los nuevos desafíos que suponía ser una fuerza de gobierno y no sólo de oposición. La Alianza puso además en evidencia, y a su vez potenció, los avances alcanzados en el terreno organizativo y de la identidad: estimuló el fortalecimiento de la fuerza en los distritos donde hasta entonces tenía poca presencia, forzó la marcha en cuanto a las definiciones programáticas (alentando un rápido acatamiento de las posiciones moderadas que aún despertaban resquemor en el plano interno) y aventó los temores de que una excesiva "desperonización" pudiera llevar al debilitamiento de los principios de reconocimiento y la identidad. Todo lo contrario, la Alianza favoreció una saludable maduración de la "autoimagen" de los miembros del FREPASO y de su posicionamiento de centroizquierda, republicano y modernizador.

Advirtamos que, de todos modos, en estos tres aspectos todavía quedaban muchos interrogantes pendientes. En primer lugar, porque seguía siendo grande el abismo que existía entre el clima de opinión y la "cultura política" predominantes en la vida interna del Frente, y los discursos y actitudes de los principales dirigentes en la escena pública. Hubo algunos conatos de resistencia al acuerdo y muchos grupos internos lo asumieron como una necesidad "meramente coyuntural". En segundo lugar, porque en cuanto a organización interna seguía predominando un criterio de informalidad movimientista que se veía estimulado por el ritmo de crecimiento, los acelerados cambios de la coyuntura y cierta disposición de los líderes a acomodar las cosas según acuerdos y conflictos del momento, a lo que se sumaba, sobre todo en los distritos pequeños, la presencia de grupos que se apropiaban de la sigla FREPASO pero en muchos casos eran un lastre para su desarrollo y crecimiento, antes que su vehículo (véase al respecto Castiglioni, 1996). Ello minaba las posibilidades de incorporación del activo social existente en esos distritos a las listas de candidatos, y generaba mayores conflictos y la necesidad de permanentes intervenciones de la dirigencia nacional. Y en tercer lugar, porque de todos modos se mantenía abierta la perspectiva "transversal" que animaba desde un principio a la coalición de centroizquierda, y la impulsaba a desvalorizar el juego interpartidario, ahora principalmente en relación con el peronismo. Agreguemos, por último, a este listado de deudas pendientes, la ya aludida carencia de recursos de estrategia (humanos, institucionales, programáticos y logísticos) y experiencia de gobierno.

3.3. Las elecciones

La Alianza proclamó que su objetivo era producir un reequilibrio del poder en el país en 1997, de modo de crear las condiciones para una nueva mayoría y un nuevo gobierno en 1999. En cuanto al primer paso, la denuncia de la concentración de poder y la reivindicación del Congreso como instancia de control y equilibrio fueron acompañadas por el enunciado de una serie de temas prioritarios, que orientarían la campaña y la futura tarea legislativa: aprobación del proyecto de Consejo de la Magistratura, del Ministerio Público y la ley de ética pública, creación de una comisión investigadora de la corrupción, sanción de la ley sobre la comisión bicameral permanente de control de facultades delegadas, vetos y decretos de necesidad y urgencia y de la ley de financiamiento de los partidos políticos, eliminación de los gastos reservados, programa de fomento del empleo, promoción de las PyME y desarrollo de las economías regionales, sanción de la ley de coparticipación federal de impuestos, la ley de financiamiento educativo y los fondos para la emergencia educativa; por último, modificación de la ley de solidaridad previsional e IVA diferenciado para productos de la canasta familiar (otras propuestas se referían a pesca, defensa de la competencia y combate de los monopolios, protección de los usuarios y entes reguladores, protección de la madre y el niño, etc.). Se planteó, además, hacer un seguimiento de la ejecución presupuestaria y un proyecto alternativo para el ejercicio 1998. Casi ninguna de estas propuestas se refería diretamente a las reformas, para impugnarlas ni siquiera para corregirlas. Tocaban sobre todo cuestiones de índole institucional y de equidad social.

La mayor preocupación que dejaban traslucir era el control de la corrupción y la seguridad jurídica. Por las razones ya discutidas, el gobierno fue incapaz de sacar de la agenda de la campaña esos temas, como había hecho en otras ocasiones. Tanto Menem como Duhalde intentaron recuperar esos ejes, el primero a través de la creación de una oficina de ética dependiente de la presidencia, impulsando también un proyecto de ley de ética pública, y proponiendo la regulación del financiamiento de los partidos políticos y un nuevo régimen de declaraciones juradas de los funcionarios. El segundo, ofreciendo garantías de que se investigaría el crimen de Cabezas y se depuraría la policía de la provincia. Estos intentos fracasaron rotundamente. No podían evitar ser vistos como barniz electoral de último momento, e incluso como gestos de debilidad.

En cuanto a las cuestiones económicas, la Alianza se definió, poco después de conformarse, por la continuidad de cuatro principios macroeconómicos establecidos por el programa oficialista (convertibilidad, privatizaciones, apertura y equilibrio fiscal), y planteó diferencias en otros terrenos, principalmente el manejo del presupuesto, la coparticipación, la promoción del empleo y el apoyo a las PyME. Es de destacar que algunas de las que habían sido propuestas importantes del frente en el terreno económico no figuraban en la agenda de la Alianza. La progresividad del sistema impositivo fue quedando por el camino (se planteaba, además de reducir el IVA a los productos de la canasta básica, incrementar la alícuota de ganancias; véase documento de agosto de 1996; pero pronto incluso el IVA pasó al olvido).[14] También se había planteado un control de los egresos de los capitales especulativos (al estilo del que existía en Chile), y una mejora de las relaciones entre empleadores y trabajadores con vistas a incrementar la productividad, la calidad de los empleos, su estabilidad y la formación profesional (propuesta dirigida a sustituir la flexibilización laboral impulsada por el gobierno y los empresarios). Nada de eso figuraba ahora en los documentos de la Alianza. Se podría suponer que estas ideas se habían dejado de lado por las presiones de los empresarios o por el desacuerdo de los radicales. Pero es más plausible creer que intervino cierta tendencia a la autocensura de parte de los líderes frepasistas. Tal vez ello pueda considerarse como una nueva "sobreactuación" del gesto conciliador dirigido a los grupos empresarios, como había sido años antes la afirmación de Álvarez de que se arrepentía de no haber votado la convertibilidad.

Como fuera, el *stablishment* se expresó con cautela primero (el presidente de la Cámara de Comercio, representante de los sectores más conservadores del empresariado, afirmó que "la consolidación de la Alianza en las elecciones de este año no creo que afecte las inversiones externas ni la credibilidad del plan económico [...] tener una oposición estructurada es bueno para el sistema democrático, y tal vez también para el gobierno, que deberá ser más riguroso respecto de las obligaciones que asumió con la sociedad", *Clarín*, 4-VIII-1997), y luego francamente complacido por los gestos de la coalición opositora. Los cinco integrantes de la Mesa de Coordinación: Álvarez y Fernández Meijide por el FREPASO, Alfonsín, De la Rúa y Terragno por la UCR, anunciaron a pocos días de integrada la alianza que se harían "correcciones al modelo" (políticas activas de estímulo a la generación de empleo, mayor atención al gasto social, a los entes reguladores, etc.) pero se respetarían la convertibilidad, la estabilidad y las privatizaciones (*Clarín*, 7-VIII-1997). Poco después José Luis Machinea, ex funcionario de Alfonsín y asesor de la Unión Industrial Argentina, fue designado coordinador de los equipos económicos aliancistas, y la Alianza se solidarizó con los reclamos pero no participó de la convocatoria a un paro general que hicieron las centrales sindicales opositoras, el MTA y el CTA ("una fuerza política no hace paros", se dijo), alentando aun más la buena disposición empresaria.[15] Por primera vez desde 1989 el *stablishment,* o al menos una porción significativa de éste, se declararía neutral en la disputa electoral. La rápida ofensiva aliancista quitó credibilidad a los intentos oficialistas de reinstalar la cuestión de la hiperinflación y conservar en sus manos la carta de triunfo de la gobernabilidad y los "cambios necesarios", e incluso sirvió para neutralizar las diferencias internas en el terreno económico (aunque durante el resto de la campaña Alfonsín se pronunció en varias ocasiones contra "el modelo" y sugirió que la Alianza debía "radicalizar" su propuesta económica) y los intentos del oficialismo de sacar provecho de ellas.

La Alianza se alimentó de, y a la vez alimentó una oleada opositora en la opinión pública. Nos referimos ya a datos de encuestas de opinión que reflejaban un cambio en el clima que se vivía, podemos decir desde mediados de 1995, y que se había ido profundizando desde principios de 1997. Con la conformación de la Alianza el porcentaje de entrevistados que se manifestaba de acuerdo con la oposición se consolidó: en septiembre 53% de los bonaerenses saludó el entendimiento y 56% creía que era conveniente que triunfara en las elecciones y controlara más desde el Congreso de la Nación a Menem. Un 51% descreía de que si ganaba la oposición la estabilidad y el crecimiento económico correrían peligro, 64% que fuera responsable de las protestas violentas, y 47% que la Alianza sirviera como oposición pero no para gobernar (encuesta de MORI). Las actitudes moderadas y responsables de la Alianza sin duda estaban ayudando a aventar el temor de que, de triunfar la oposición, se repitiera la escalada de inestabilidad e ingobernabilidad registrada entre 1987 y 1989 (los aliancistas, en especial Chacho Álvarez, hicieron explícitas referencias a ese tema). Por otro lado, la imagen de la Alianza como opción de gobierno superaba ampliamente la suma de las opiniones favorables de las fuerzas que la componían: 41% de los entrevistados creía que aseguraba el crecimiento económico, mientras que sólo 15% había opinado un mes antes que el FREPASO lo hiciera y 13% había opinado lo mismo de la UCR; lo que significaba que el "efecto alianza" arrastraba al bando opositor 13% de simpatías en ese rubro. La diferencia era de 12 puntos en cuanto a garantizar la estabilidad (la Alianza reunía 37% de confianza), en solucionar el problema del desempleo (44% confiaba en la Alianza), enfrentar la corrupción y asegurar el buen funcionamiento de la Justicia (en ambos, 49%), y subía a 14 puntos en cuanto a asegurar un gobierno más eficiente (45% de confiabilidad de la Alianza). Es de destacar, además, que salvo en el tema de la estabilidad (en el que el PJ igualaba a la Alianza), en todos estos rubros la coalición opositora superaba por entre 10 y 30 puntos al porcentaje de los bonaerenses que confiaban en el PJ.[16]

El "efecto alianza" se fortaleció con los gestos tranquilizadores dados por sus líderes en cuanto a que respetarían algunos de los principios del plan de convertibilidad, gestos dirigidos no sólo al *stablishment*, sino también a la opinión pública, y con ciertos acontecimientos que tuvieron un efecto demostrativo de la emergencia de una opción de gobierno y una nueva mayoría. Ambas fuerzas plantearon una posición crítica común en Diputados respecto del proyecto oficial de presupuesto para 1998 y propusieron, también de común acuerdo, un fondo de financiamiento de emergencia para la educación básica y media. El 24 de agosto se eligió en el Chaco legisladores provinciales y la Alianza obtuvo 56,8% de los votos, contra 30,9% del PJ. El 28 de septiembre la Alianza se impuso en los municipios de Santiago del Estero y La Banda, y en Cutral-Có, Neuquén, donde se habían producido violentas protestas semanas antes, superó al PJ aliado con el Movimiento Popular Neuquino (MPN), par-

tido local tradicionalmente vencedor en ese distrito (58,4%
a 37,7%). A mediados de octubre, el presidente de Estados
Unidos visitó el país y recibió a la plana mayor de la Alianza. Lo que había sido concebido como una demostración
de fuerza oficialista actuó en su contra como un *boome-
rang*.[17] En suma, el cuadro de situación había cambiado de
modo radical desde el mes de julio, y la novedad era básicamente que la oposición partidaria era cada vez más fuerte y
acotaba el margen de maniobra del peronismo y el gobierno. Y esto afectaba a Menem y a Duhalde en doble medida,
primero porque los colocaba a la defensiva, y segundo porque bloqueaba la posibilidad de que en su progresiva diferenciación se presentaran como "gobierno" y "oposición"
desde el PJ.

La estrategia del oficialismo fue vacilante y fragmenta-
ria. Existieron dos planteos, uno nacional y otro de las provincias, en particular de la provincia de Buenos Aires. Mientras el gobierno nacional jugó una vez más las que habían
sido sus cartas de triunfo en comicios anteriores (la contraposición entre un gobierno que estaba concretando transformaciones históricas y lograba resultados concretos en términos de estabilidad y crecimiento, y una oposición que se
mantenía atada al pasado y a fórmulas fracasadas, la consideración de los problemas de desocupación y equidad como tareas pendientes que se resolverían con la continuidad
del plan de gobierno, a lo que sumó la identificación del
Frente con las protestas violentas y de la Alianza con un
acuerdo circunstancial de corta vida), los gobernadores buscaron desentenderse de los temas que generaban el desprestigio del presidente (desocupación, corrupción, vinculaciones con la mafia, etc.) y defender los logros de sus gestiones
distritales. Duhalde advertía que en esa elección se jugaba
su carrera presidencial, y estaba convencido de que sus posibilidades de triunfar crecían en la medida en que se evitara
la nacionalización de la disputa y él pudiera mantener y
profundizar el distanciamiento de Menem. El eje de su
campaña fue, por ello, algo ambiguo: buscando hacerse
fuerte en su imagen de buen administrador de la provincia e

intentando proyectarse, a la vez, en forma diferenciada, al plano nacional, presentó un "modelo bonaerense" que corregía los defectos del "modelo" impuesto por el gobierno nacional y se ofrecía como alternativa que podía continuar y, a la vez, corregir las transformaciones realizadas en el país durante los años anteriores. El modelo bonaerense servía también para dramatizar la "invasión porteña" que significaba el "pase" de Fernández Meijide, y para reconstruir desde el distrito un discurso peronista con el que se esperaba recuperar los temas de la justicia social y las políticas activas del estado en la economía, que se consideraban banderas perdidas por Menem y de las que se aprovechaba la Alianza y, especialmente, el FREPASO.

El intento podría haber sido exitoso si no hubieran fallado algunas de las condiciones básicas en que debía asentarse, y que el duhaldismo dio erróneamente por supuestas. En primer lugar, se ignoró la fragilidad de la coalición oficial y el alto grado de institucionalización y de compromiso del partido de gobierno con la gestión en curso, por un lado, y la gravitación de una oposición partidaria encarnada en la Alianza, por otro. Estos factores impidieron que la diferenciación en relación con el Presidente fuera todo lo marcada que debía ser para brindarle al Gobernador la nueva credibilidad que pretendía adquirir en la opinión pública, y a la vez estuviera acotada a los márgenes de un "abanico populista" y no desencadenara una crisis de confianza de las fuerzas y del electorado propios. En segundo lugar, la opinión pública, en particular la que el Gobernador debía seducir para ganar la elección (votantes medios y medio/bajos del conurbano) demostró actuar con una distancia bastante marcada respecto de los patrones discursivos y principios de reconocimiento tradicionales del peronismo y ser mucho más permeable de lo que se suponía al discurso republicano, social y modernizador que enarbolaba la Alianza. Que Duhalde no advirtió a tiempo este problema lo prueba la fallida iniciativa de crear un "movimiento evitista", el discurso focalizado en "los humildes" de su mujer[18] y el recurso insistente al folklore peronista. Aunque, más allá de estos errores, difícilmente hubiera podido resolver el problema de fondo que enfrentaba. Con su "abanico populista" no podía cubrir las ofertas discursivas y prácticas que necesitaba desplegar para competir con la Alianza, sin poner en peligro la unidad del partido y la coalición de gobierno, y sin correr el terrible riesgo de no ser creído ni por unos ni por otros.

Esto fue particularmente evidente en el caso de su posición respecto de la corrupción y los negociados gubernamentales, y sobre los temas republicanos como la seguridad jurídica y la reforma de la policía. Y también en la cuestión social, en la que se intentó reflotar el imaginario peronista de la integración en términos más próximos al asistencialismo tradicional que a un discurso social de los derechos ciudadanos. Los intentos de mostrar que en la provincia no había la corrupción que reinaba en otras áreas de gobierno no necesitaron ser desmentidos por la oposición. Al igual que los esfuerzos por demostrar avances en la investigación del crimen de Cabezas y en la depuración de la policía provincial, bastaban por sí mismos para colocar al Gobernador en un escenario que era ideal para la Alianza, donde sólo podía intentar defenderse o prometer que haría algo en el futuro para corregir los problemas que no había podido atender en el pasado. Duhalde, como dijimos, buscó también construir su diferencia respecto de Menem en términos distritales y de discurso peronista tradicional, pero en ello la opinión pública tampoco le creyó demasiado: en la encuesta de MORI de julio de 1997 se registra que sólo 31% de los entrevistados creía que Duhalde encarnaba el regreso del "verdadero peronismo del que se alejó Menem" y 42% no lo creía. Además, 63% opinaba que el Gobernador era "para bien o para mal tan responsable como Menem de la actual situación del país" (otro dato interesante es que 52% creía que Duhalde no iba a poder solucionar el problema de la policía bonaerense). En cuanto a las limitaciones que imponía al "abanico populista" la transformación del PJ en un sólido partido de gobierno, es de destacar que la mayor parte de los bonaerenses, si bien podían reconocer diferencias entre

Duhalde y Menem, percibían a ese partido como una unidad, próxima a los factores de poder (los empresarios, los sindicalistas, las fuerzas armadas, la Iglesia) y lejos de "la gente", lo que se invertía en el caso de la Alianza, que encarnaba claramente a la "oposición enfrentada al poder" (datos de encuesta MORI, septiembre de 1997).

Uno de los motivos por los cuales Duhalde no fue creído en su intento de "abarcar" las cuestiones institucionales, de seguridad, justicia y combate de la corrupción, fue que la candidata aliancista encarnaba de modo incomparable esos temas, en términos de valores republicanos y derechos ciudadanos, que supo conectar hábilmente con los problemas de la provincia. Desde su elección a senadora, y más aún a partir de su exitoso desempeño en la Convención Estatuyente de la ciudad de Buenos Aires, Fernández Meijide se había destacado por su capacidad para traducir argumentos institucionales a cuestiones prácticas, y recuperar, sobre la base de un discurso de los derechos, los principios de la justicia y la integración social. También para complementar una imagen de honestidad y transparencia con una cuota importante de eficacia y razonabilidad. Era tal vez la figura más "representativa" de esa conjunción de espíritu opositor y vocación de gobierno que la Alianza buscaba transmitir. La confrontación con un discurso populista como el de Duhalde y su esposa sirvió, además, para fortalecer en esta candidata el perfil propio de la coalición opositora y aventar los intentos de disputar en el terreno del populismo.[19]

Entre las dificultades de Duhalde no fue la menor cierta ambigüedad de Menem respecto de la suerte electoral del PJ provincial. Si el peronismo aparecía debilitado frente a la Alianza a nivel nacional, pero Duhalde ganaba en su distrito, Menem debería resignarse a terminar su mandato en una situación de extrema debilidad ante su seguro sucesor en el liderazgo peronista y más probable reemplazante en la Casa Rosada. Sólo en caso de que le sirviera al PJ para imponerse claramente en todo el país, el resultado favorable de la provincia podía ser beneficioso también para Menem. Como esto estaba cada vez más en duda a medida que avanzaba la campaña, las tensiones entre ambos caudillos, en vez de suavizarse, se agravaron.

En parte por el impacto que tuvo sobre el futuro que el PJ había pensado para sí mismo, en parte por su contribución cuantitativa y cualitativa al triunfo nacional de la Alianza, y en parte finalmente por ser imprevisto, el resultado más contundente y significativo de la elección fue el de Graciela Fernández Meijide en la provincia de Buenos Aires. Obtuvo 48,3% de los votos, contra 41,3% del PJ. Sólo dos años antes la lista de diputados del justicialismo había sumado 52% de los votos y las de los partidos de la Alianza 42% (24 del FREPASO y 18 de la UCR). Éstos obtuvieron 19 bancas nacionales contra 16 del peronismo. La derrota de Duhalde no podía ser más estrepitosa: quedaba relegado incluso en municipios siempre fieles, como Lomas de Zamora y Morón, mientras que la Alianza se imponía en todas las secciones electorales. Además, obtenía la mayoría en varios Concejos Deliberantes de municipios gobernados por el peronismo y en la Cámara de Diputados provincial, con lo que el gobernador perdía el control de recursos de poder claves para su gestión y de importantes fuentes de recursos para sostener el aparato partidario. Inmediatamente Duhalde dejó de ser el "candidato natural" del peronismo para 1999, cosa que Menem se ocuparía pocos días después de hacer explícito.

Los resultados nacionales fueron: 36,4% para la Alianza (contabilizando los 13 distritos en que se había presentado) contra 36,2% para el PJ en todo el país. A los votos de la Alianza se podían sumar 6,8% que había obtenido la UCR y 2,4% del FREPASO en las demás provincias. En total, los partidos de la Alianza reunían 45,6% de los votos (dos años antes habían sumado por separado sólo 42,4%) y 61 bancas, contra 51 del PJ, lo que significó que éste perdiera la mayoría propia en la Cámara de Diputados de la Nación. De los 43 puntos que el PJ había obtenido para diputados en 1995, había perdido 7. Llegando a su piso histórico (sólo en 1985, en plena hegemonía alfonsinista y con el partido dividido entre ortodoxos y renovadores, había hecho una peor elección). En algunas provincias la caída había sido resonante. Además del caso de Buenos Aires, se destacaban Córdoba (12 puntos), Mendoza (16), Río Negro (8), San Juan (17), Tucumán (8), Capital Federal (8) y, curiosamente, La Rioja (14 puntos).

Es de destacar también que en las provincias en las que no hubo alianza, la UCR y el FREPASO obtuvieron resultados desparejos: en Catamarca, Formosa y Mendoza la primera mejoró sensiblemente su *performance* de 1995 mientras que el FREPASO perdió algunos puntos (muy probablemente en favor de aquélla); también mejoró la UCR de Chubut pero no a costa del Frente, que subió algunos puntos; en Córdoba se mantuvieron ambas fuerzas con prácticamente los mismos porcentajes; en La Pampa la UCR también se mantuvo mientras que el Frente cuadruplicó sus votos de 1995 (trepó de 6,5% a 24,6%, faltándole unos pocos cientos de votos para poder desplazar al radicalismo del segundo puesto), algo similar pasó en Río Negro, donde el FREPASO duplicó sus votos (de 11,6% pasó a 20,6%) y la UCR apenas se mantuvo; y el saldo fue aun peor para los radicales en Neuquén, donde no perdieron votos pero quedaron relegados al cuarto puesto mientras el Frente se imponía en la provincia. En suma, la UCR no perdía votos por ir sola, pero tampoco tenía asegurado poder aprovechar una oleada de votos opositores cuando ella se producía. Recordemos, además, que la elección de 1995 había sido particularmente mala para el partido radical, por lo que la mera retención del voto anterior en 1997 tampoco era como para vanagloriarse. En cuanto al FREPASO, se observa un resultado muy desparejo, que correspondía a caídas en algunos casos, como consecuencia de que no existía un efecto arrastre desde una candidatura presidencial como había sucedido en 1995, y los candidatos y las estructuras locales eran muy débiles, y a marcadas mejorías en otros, resultado de la emergencia de líderes locales (como Oscar Massei en Neuquén y Pablo Fernández en La Pampa), la consolidación del perfil y la organización de la coalición.

Ese desempeño desentonaba con el registrado en los

distritos en que se había concretado la Alianza. En la mayor parte de ellos el respaldo obtenido había superado la suma de los votos que en 1995 obtuvieran los dos partidos por separado: el "efecto alianza" contabilizaba 6% de los votos en Buenos Aires, 2% en Capital Federal, 23% en Chaco, 8% en La Rioja, 22% en Salta (aunque en este caso se explicaba en buena medida por la absorción del Partido Renovador) y 14% en Santiago del Estero. Era negativo el saldo, en cambio, en Corrientes (-8%), Jujuy (-4%), San Juan (-11%), y prácticamente neutro en Entre Ríos (1%), Misiones (1%), San Luis (-1%), Santa Fe (-1%) y Tierra del Fuego (-2%). En las provincias en que no se producía el "efecto" o bien existían partidos provinciales que actuaron como "colchón" de la oleada opositora, o bien, los partidos alZ"anlcistas eran particularmente débiles o atravesaban una crisis profunda. De todos modos, contabilizando los votos a favor en las trece provincias aliancistas, el "efecto alianza" significaba alrededor de 700.000 sufragios, que equivalían en forma aproximada a la ganancia de los partidos de la Alianza a nivel nacional respecto de 1995, y explicaban la mayor parte de la sangría de votos que había sufrido el PJ.

Podría especularse que, si no se hubiera concretado el acuerdo, el PJ no hubiera obtenido muchos más votos y las dos fuerzas de oposición igual habrían crecido. Las encuestas previas al lanzamiento de la Alianza no arrojan datos que permitan descartarlo concluyentemente. Pero tampoco lo contrario. De todos modos, sigue siendo plausible suponer que el cambio de escenario provocado por la Alianza y la expectativa creada en torno a su posible victoria, al menos en algunos distritos, traccionó votos hacia la oposición, favoreciendo la polarización. A excepción de Capital Federal, donde el acuerdo pudo haber beneficiado indirectamente con cierto flujo de votos opositores a Acción por la República, el novel partido de Domingo Cavallo (flujo motivado, también, en que la Alianza corría allí con una ventaja de cerca de 40 puntos sobre el PJ).

3.4. Las perspectivas

El saldo de las elecciones incluye dos novedades. En primer lugar, una creciente heterogeneidad de las situaciones en que se encuentran los distintos distritos y regiones: existen ciudades y provincias en las que la Alianza se formó y tiende a consolidarse como mayoría, otras donde no se ha formado ni existen indicios de que se forme en el corto plazo; el PJ aparece debilitado en los distritos grandes, pero se mantiene intacto en muchas provincias periféricas; por último, en algunos lugares renacen fuerzas locales, o se forman coaliciones difíciles de comprender más allá de los límites de la política local. En segundo lugar, y al mismo tiempo, se configura un escenario nacional bipolar, en el que se enfrentan dos coaliciones con "vocación de gobierno" y con fuerzas equilibradas (Cheresky se ha referido, en un reciente trabajo, a este último aspecto).

Menem innovó en la política argentina con la construcción de una coalición electoral y de gobierno bastante estable en el tiempo y capaz de enfrentar con éxito la competencia electoral abierta. Ese éxito, sin embargo, en buena medida se basó en la ausencia de una oposición capaz de imitarlo. Al haber modificado esta situación, la Alianza establece sólidas bases para el equilibrio de poderes y la posible alternancia. Que ha dado pasos significativos en esta dirección lo prueba no sólo el porcentaje de votos obtenido y la capacidad de arrebatar votos anteriormente favorables al PJ (en particular entre los sectores medio-bajos y los nuevos pobres, como se observa en el Conurbano Bonaerense; véase López, 1997) sino también la convivencia, en ese caudal de votos, de una intencionalidad negativa, de oposición al gobierno actual, y una intención propositiva, de proyección al ejercicio del gobierno.

Si el gobierno de Menem estuviera en descomposición, podría entenderse que el voto de la Alianza fuera un mero "voto castigo". Pero la Alianza y su triunfo son resultados de una innovación política en el seno de la oposición política, más que de un desenlace frustrante y caótico de la acción de gobierno del oficialismo. Y pretende trascenderlo, haciéndose cargo de la nueva agenda de la política argentina que se abre a partir de las reformas estructurales instrumentadas durante estos años, de los nuevos problemas pero también de las nuevas posibilidades que ellas han creado. De la Alianza podemos decir, en este sentido, lo mismo que del frente de centroizquierda: que es hija no sólo de los déficit y fracasos del menemismo, sino también de sus logros. Las condiciones de la competencia política y las perspectivas de su posible gobierno favorecen que ella pueda cumplir ambos roles, conciliando oposición y responsabilidad, crítica y proyectos de gestión. Está por verse si esos dos roles siguen siendo fácilmente compatibles de aquí a 1999, y en todo caso qué gradación de cada uno de ellos es necesaria para que la Alianza fortalezca su diferenciación y colabore a una transición ordenada hacia un nuevo gobierno.

Esta es, por supuesto, una tarea que recién comienza. La ampliación de la coalición aliancista y su consolidación están aún por concretarse. Una muestra de la complejidad de los procesos políticos que se están iniciando, en los que interviene una gran variedad de situaciones, en distintas provincias y en distintos sectores de la sociedad, la encontramos en los problemas que enfrenta la Alianza para extenderse a todo el país (en particular, a las provincias gobernadas por la UCR).

Por otro lado, si bien la coalición gubernamental ha entrado en un cono de sombra, no está en retirada ni en descomposición. Al fracasar el "modelo bonaerense" de sucesión, las chances de Duhalde de diferenciarse en términos "populistas" de Menem y agrupar al partido detrás de él disminuyen. Es posible que se produzca una cierta involución en el oficialismo, que expresa ya el renacer de las maniobras reeleccionistas. Y también que crezcan las dificultades para disciplinar y mantener unido a ese partido. Como sea, el justicialismo aún cuenta con los resortes institucionales necesarios para gobernar, y el Ejecutivo posee la voluntad de utilizarlos.

Otra novedad interesante es que, dada la situación de

creciente equilibrio, la competencia política se plantea para la oposición fundamentalmente en dos terrenos: el del ejercicio de los recursos institucionales y el de la ampliación de la coalición, lo que ayudará a moderar los conflictos. Inmediatamente después de las elecciones el Poder Ejecutivo anunció que llevaría adelante la privatización de los aeropuertos por decreto, y la oposición le contestó con la amenaza de anularla cuando llegara al gobierno. Si bien el oficialismo perseveró en su actitud y llevó adelante la privatización, a pesar de que con ello se violentaban normas constitucionales, la oposición prefirió moderar su actitud, planteó un recurso ante la Corte Suprema y capitalizó el descontento generado en el propio partido oficial. Probablemente se repitan situaciones de este tipo en el futuro próximo.

En cuanto a la ampliación de la coalición, tampoco debió pasar mucho tiempo para que comenzaran las tratativas del PJ y de la Alianza para obtener el apoyo de los partidos provinciales. Al peronismo no le resultó tan sencillo ganar ese respaldo como en años anteriores: algunos de estos partidos, como el Movimiento Popular Neuquino, Fuerza Republicana de Tucumán o el Frente Partido Nuevo (FREPANU) de Corrientes, se mostraban aún dispuestos a colaborar con el gobierno, pero otros (el Partido Demócrata de Mendoza, el Partido Demócrata Progresista de Santa Fe, el bloquismo de San Juan, y aun el Partido Autonomista Liberal [PAL] correntino) prefieren acercarse a la Alianza, la oposición comenzó a explorar, asimismo, la posibilidad de sumar a sectores descontentos del PJ, para muchos de los cuales la derrota de Duhalde, la prolongación del liderazgo de Menem y el renovado afán privatizador demostrado por el gobierno significaban un golpe a sus expectativas (sobre la "pata peronista" de la Alianza, véase documento del FREPASO de diciembre de 1997). Esto atendía dos problemas. Por un lado, reparar por anticipado la debilidad de un hipotético gobierno de la Alianza a partir de 1999, enfrentado a una mayoría justicialista en el Senado (garantizada, al menos, hasta el 2001), y a una buena parte de las gobernaciones que seguiría en manos del PJ. Por otro lado, incorporar a la coalición a sectores bajos y medio–bajos, evitando una polarización electoral que haría crónicamente débiles las bases de consenso de un futuro gobierno. Este último sentido se completaba con el interés del FREPASO por compensar el peso del aparato radical en la interna aliancista.

En un terreno aún más especulativo, la "pata peronista" aparece como antídoto del temor de reactivar la polarización peronismo-antiperonismo. Por los motivos que hemos desarrollado, este temor puede considerarse infundado: las identidades políticas, las instituciones partidarias y los clivajes que las enfrentan se han modificado profundamente durante las últimas décadas, y dado que no atraviesan actualmente un proceso de descomposición sino uno de consolidación, no es imaginable que esos cambios se puedan revertir de un día para otro, y pueda resurgir el formato político populista de veinte años atrás. Además, así como el PJ encontró dificultades para cubrir la oferta política de la Alianza con su "abanico populista", no parece probable que la Alianza vaya a tener mucha más suerte en un intento por construir un "abanico" propio, "progresista", para cubrir al peronismo. Algunos de los argumentos esgrimidos por Chacho Álvarez para justificar la "pata peronista" parecen ignorar esta dificultad: él sostiene que es necesario "sincerar ideológicamente (y también socialmente) la política argentina"; dado que hay sectores populares y políticos progresistas que apoyan aún al menemismo, y considera inaceptable que "las víctimas voten a los victimarios", y por cierto debe hacerse entrar en crisis esa relación, y ayudar a que decanten dos polos, "uno liberal, conservador, populista y otro polo con las mejores tradiciones populares, nacionales, democráticas y progresistas" (*Página 12*, 10-VIII-1997). Abandonada la idea, de clara filiación populista, de que los clivajes políticos corresponden a la realización del pueblo y la nación frente a sus enemigos, se adopta aparentemente otra en su lugar, según la cual es posible "corregir" las "distorsiones" históricas de los alineamientos políticos, provocadas precisamente por el populismo, que han hecho que hasta ahora no se agrupara "correctamente" cada uno de los bandos en pugna. La legítima y plausible voluntad de innovar políticamente, de actuar "sobre" los alineamientos sociales y políticos y no resignarse a actuar "dentro de" los límites de los ya establecidos, parece conducir a un razonamiento extremo: a no reconocer la opacidad propia de lo político, ni la complejidad de los procesos de agregación de intereses. Ignorando, además, que la potencia del frente reside en que es capaz de terciar en un sistema de partidos en consolidación, no en un pantano de identidades en descomposición.[20]

La situación poselectoral, en suma, nos habla de una reactivación de la política en todos los terrenos. En este contexto, el desafío de la Alianza es garantizar una transición no conflictiva hacia un gobierno de signo distinto. Y, para ello, debe completar la definición de un perfil diferenciado y un programa orientado a una modernización progresista. Deberá también enfrentar la disposición del gobierno a entorpecer esta diferenciación o tornarla "ingobernable". Ya se advirtió lo primero durante la campaña electoral, cuando pretendió presentar la moderación económica de la Alianza como un apoyo al plan de gobierno. Y se comprobó lo efectivo que puede ser en el segundo aspecto con la privatización de los aeropuertos.

Otro de los problemas que tiene por delante la Alianza es la transformación de una disposición acuerdista coyuntural en una vocación de gobierno compartido. Aquellos que aceptaron "tácticamente" la alianza para ganar en 1997 pero no consideran que sea "la alternativa más deseable", ni siquiera que sea posible gobernar en una coalición, no son pocos en cada una de las dos fuerzas. Incluso la incorporación de la "pata peronista" puede ser entendida por algunos como la oportunidad para reflotar la "transversalidad movimientista" y actitudes de escasa consideración por las instituciones partidarias, incluidas las de los mismos socios de la Alianza.[21] Con todo, el factor de cohesión más fuerte que actúa y actuará en lo inmediato en la Alianza será —como vimos que sucede en el interior del FREPASO— la posibilidad efectiva de un triunfo electoral en 1999, y el peligro cierto de que una ruptura entre los socios se los enajenaría.

Que éste sea un escenario bipolar no significa un regreso al bipartidismo. Por más suma positiva que pueda existir en la relación entre el FREPASO y la UCR, seguirán actuando como fuerzas autónomas y competitivas entre sí. Por lo que es inevitable que busquen fortalecerse como tales y sacar ventajas. No podrá evitarse una fuerte disputa por la candidatura presidencial para 1999 –que ya han iniciado Fernández Meijide y De la Rúa– por la definición de las orientaciones del futuro gobierno y el control de recursos de poder en él. El FREPASO cuenta con ciertas ventajas respecto de los radicales en estos terrenos, no por los recursos de gobierno ya disponibles, sino por los que puede crear en función de una orientación que ha adoptado desde hace tiempo, porque es desde su origen "aliancista" y en general los frentistas están más convencidos que los radicales de que no podrían gobernar solos. También podrá hacer un aporte importante, entonces, al fortalecimiento de la Alianza, de su estrategia de oposición constructiva y modernización progresista, y a la convivencia y colaboración entre sus miembros. Al mismo tiempo, el Frente deberá encontrar los caminos menos conflictivos posibles, es decir menos irritantes para los radicales y más acordes con su estrategia, para fortalecer su institucionalidad y desarrollar recursos propios. En resumidas cuentas: el fortalecimiento de centroizquierda y de la Alianza son dos objetivos inescindibles en la actual situación, pero no se subsumen uno en el otro.

Nos referimos recién al problema del fortalecimiento de la diferencia. Éste será sin duda uno de los desafíos que la Alianza más cuidadosamente deberá atender. El sentido de los actos políticos no está en los actos mismos: siempre se trata de una construcción que les sigue. La aparición de la Alianza y la victoria electoral fueron leídos e interpretados con la óptica de los propios aliancistas, que impusieron su versión de esos acontecimientos a una buena parte de la opinión pública. En principio está, obviamente, en la posición más favorable para que esto siga siendo así. Sin embargo, Menem es un competidor tenaz y peligroso en este terreno, como lo ha probado ya en muchas ocasiones, y lo repitió con aquella afirmación de que 90% de los votos eran a favor del programa del gobierno. A ello se suma que en la propia coalición y en la sociedad los aliancistas enfrentarán tensiones crecientes con sectores disconformes. Su actitud respecto de la protesta social, que no tiene visos de aquietarse, y respecto de las medidas reparadoras que se le exijan desde distintos frentes seguramente podrá cimentar o debilitar la diferencia que ha venido construyendo. El hecho de que la Alianza, como antes el FREPASO, gradualmente fue "sacando de la agenda" de cuestionamientos de la oposición varios temas de reforma (privatizaciones, apertura, etc.), puede ser más o menos sostenible en el futuro según cuál sea la evolución de las variables económicas, y puede ser, en función de esas variaciones y de la habilidad de los aliancistas, más o menos útil para construir una diferencia fuerte en términos de reformas neoliberales vs. reformas progresistas. Pero también puede ser un motivo para que el oficialismo reitere el argumento de que la Alianza no posee un programa alternativo. Sin duda la estrategia de la oposición se verá favorecida por una finalización no catastrófica del gobierno de Menem, pero esa misma situación puede colocarlo en el brete de tener que competir contra posiciones populistas promovidas por el PJ.

Recientemente Chacho Álvarez señaló que Menem podría ser el jefe de la oposición a partir de 1999, y que la Alianza contribuiría para que así fuera, pues iba a colaborar para que el actual gobierno termine bien su gestión. El implícito de esto es un escenario diametralmente opuesto al de 1989, cuando un partido de gobierno desarticulado entregó un "país en llamas" y pasó a ser una oposición inhabilitada para casi todo. Pero un implícito más importante de ese planteo, menos obvio en términos de perspectivas de gobierno, es que esos dos escenarios opuestos suponen consecuencias también opuestas en términos de grados de libertad para la innovación: la dosis tolerable de continuidad y ruptura es diferente en cada caso. Si hay crisis, que no es lo deseable, hay al mismo tiempo un margen mayor para la innovación; si hay una transición gobernada, que es lo deseable, los márgenes para la innovación, la discontinuidad y la ruptura son mucho más estrechos.

De todos modos, si hubiera crisis habría menos recursos para hacer políticas al asumir el nuevo gobierno. De modo que, aunque la muy probable falta de un factor fuerte de discontinuidad en 1999 acotará el margen de libertad, ello afectaría la posibilidad de adoptar orientaciones imprevistas, o de que se construya una coalición de gobierno muy distinta a la coalición electoral, pero no necesariamente el margen para optar entre cursos alternativos de acción, porque los recursos de consenso, fiscales y administrativos serán mucho mayores que en 1989 y aun mayores que aquellos de los que disfrutó el gobierno menemista.

En la mayor o menor amplitud del margen para optar entre distintas políticas de gobierno intervendrá también, seguramente, la definición de la fórmula presidencial y de la relación de fuerzas interna de la Alianza. Dicho de un modo excesivamente simplista: hasta ahora los dos partidos tradicionales respondieron a la lógica "corrimiento hacia la izquierda en la oposición, y hacia a la derecha en el poder". ¿Qué sucedería con la UCR compartiendo el gobierno de la Alianza a partir de 1999? ¿Puede el FREPASO alterar esa dinámica, o será absorbido por ella? Estas preguntas se enlazan con otra, referida al PJ: ¿puede él volver a desempeñar el papel de "progresismo populista" después de los gobiernos de Menem? Sin duda influirá en ello su capacidad de retener votos de los sectores medios y bajos de la sociedad, pero mucho más que de eso dependerá de la eficacia de centroizquierda y de la Alianza para seguir bloqueando los desplazamientos en términos de "abanico populista".

¿Qué conclusión podemos extraer de esta peculiar condición en que se encuentra la Alianza ante su adversario: el gobierno menemista? Ella no posee un espíritu fundacional. Su posible ascenso al poder no inauguraría un nuevo régimen. Significaría, más bien, la conclusión de la transición. Pero ello no le quitaría originalidad: sería el primer gobierno de una democracia consolidada, porque con él se rendiría el último test democrático, el de la alternancia desde el peronismo a un gobierno no peronista. Si, en este sentido, una hipotética gestión de la Alianza podría ser considerada como un "gobierno de la consolidación", en otros tendría claros rasgos transicionales. Implicaría la transición desde un programa de reformas neoliberales a uno de reformas progresistas. Conllevaría la retirada de un conjunto de redes de intereses particularizados y patrimonialistas y el ascenso de un programa de recuperación de lo público. El tránsito de un modo de relacionamiento entre economía y política a otro. Y de una forma de entender y practicar el poder a otro muy distinto. Esto quiere decir que su política deberá estar presidida por la necesidad de controlar y dar certidumbre al proceso de cambio.

Notas

1 En este último documento se planteaba que la oposición modelo *vs.* antimodelo era estéril, porque en esos términos "una propuesta superadora quedaría entrampada en un conjunto de falsas antinomias: si el modelo es la convertibilidad, la opción es la devaluación; si implica la apertura indiscriminada, lo contrario sería volver a cerrar la economía; si el modelo es sinónimo de privatizaciones y desregulación, lo opuesto sería reestatizar; si el endeudamiento externo crece, la solución sería la moratoria y si el requisito es un estado mínimo, la alternativa sería el viejo estado colonizado por los intereses corporativos" (sobre este tema, véase Álvarez, 1996). Advirtamos que allí también se sugería la posibilidad de salir del régimen de convertibilidad, progresivamente y en la medida en que no significara inflación o un trauma en los mercados, para recuperar el instrumento de la política cambiaria.

2 Hasta fines de 1996 la posición del Frente había sido impulsar una "alianza social", que se entendía en la clave de la crisis de los partidos tradicionales y la transversalidad movimientista. Consistía en la convergencia de los sectores medios y populares, los movimientos sociales y las organizaciones de intereses que podrían dar sostén a un gobierno del Frente (véase al respecto el documento del FG de diciembre de 1995). Además, en distintos trabajos se advertía, sobre la base de la experiencia con Bordón, que un frente electoral con fuerzas o líderes "centristas" podría ayudar a ganar elecciones pero no llevaría necesariamente a la sustitución de las políticas neoliberales (Auyero y Colombo, 1995). Recién un año después se planteó, una vez más por impulso de Chacho Álvarez, la posibilidad de un acuerdo con el radicalismo, en los términos de una "coalición política y social" para gobernar (véase documento del FREPASO de diciembre de 1996).

3   Tras la entrevista, Carlos Álvarez sostuvo: "no queremos participar de las internas del poder, sino que queremos que el país y las instituciones no queden prisioneras de la lucha por espacios de poder por la candidatura del '99" (*Clarín*, 23-VIII-1995), con lo cual se diferenciaba de Cavallo y castigaba a todo el oficialismo por igual. En términos similares se expresó Graciela Fernández Meijide, advirtiendo los peligros institucionales que se seguían de la interna oficial (*Clarín*, 6-X-1995).

4   Graciela Fernández Meijide lo expresaría claramente poco después, hablando ante inversionistas ingleses: "si Cavallo se fue y no pasó nada, nada va a pasar si se va Menem" (*Página 12*, 14-III-1997). En su momento también Álvarez aprovechó la oportunidad para destacar que "no hay imprescindibles" (*Clarín*, 30-VII-1996).

5   La oposición frentista, como vimos, supo sacar gran provecho de esta situación, reforzando sus denuncias de corrupción contra Menem, y argumentando que "el gobierno sigue sometiendo al país a la interna del Partido Justicialista". Los líderes del Frente denunciaban al mismo tiempo al Presidente por sus vinculaciones con la mafia y a Cavallo por no llevar su testimonio a la Justicia.

6   También ese escándalo fue capitalizado públicamente por el FREPASO, que destacó que ésa y otras irregularidades electorales que se habían venido registrando desde tiempo antes (como la aparición de documentos de identidad falsos, las denuncias de fraude en Misiones y algunos municipios del Gran Buenos Aires, etc.) eran un motivo de alarma para la salud de las instituciones y un peligroso desincentivo para la participación ciudadana.

7   En abril de 1996 Fernández Meijide dijo que la alianza con la UCR era "una utopía posible", pero poco después Álvarez aclaró: "en 1997 cada fuerza va con lo propio, va con su identidad y su proyecto alternativo" porque de otro modo "perderíamos nuestro fuerte, que es poder convocar a sectores de distintos partidos en torno a un perfil propio. Incluso es difícil que ocurra en 1999 [...] no sería conveniente volver a crear la contradicción peronismo-antiperonismo. Por otra parte tampoco resuelve el problema de fondo, que es cómo convocar a la base peronista a un nuevo proyecto" (*Página 12*, 26-V-1996). Fernández Meijide se vio en la obligación de aclarar también que la alianza se podría concretar recién en el *ballottage* (*Página 12*, 16-VI-1996), pero quedó flotando la sensación de que existían ideas encontradas sobre el tema. Álvarez, Auyero y la mayor parte del FG eran proclives a preservar la individualidad y buscar votos peronistas. Fernández Meijide y Caputo a buscar la alianza con la UCR (*Página 12*, 5-VII-1996).

8   El "apagón", impulsado por Álvarez y respaldado por Terragno y otras figuras políticas, consistió en una convocatoria a apagar las luces domiciliarias durante cinco minutos en reclamo de un cambio de rumbo en la política económica oficial. Concitó la adhesión de 6 de cada 10 porteños y bonaerenses (fue muy alta la repercusión también en el interior del país; encuesta CEOP, *Clarín*, 15-IX-1996). Como explicaría Fernández Meijide, el llamado a un gesto individual se transformó en un acto de reconocimiento colectivo de amplísima repercusión. Su éxito reforzó las posiciones de Terragno en el radicalismo. A partir de entonces se volvió más presente la cuestión de la alianza entre las dos

fuerzas. Y comenzó a ser un problema distinto para ambas el modo de enfrentar las elecciones de 1997. Terragno sostuvo que "si en 1997 o en 1999 las fuerzas que pudieron coincidir en un programa van separadas, esto puede favorecer al oficialismo" (*Página 12*, 15-IX-1996). Algo similar afirmó Fernández Meijide.

Pocos días antes Álvarez había dicho, refiriéndose a la Multisectorial, que "advirtió que ninguna fuerza, por sí misma, puede dar cuenta eficientemente de las demandas de la gente en términos de expresar la oposición y de pulsear en serio con el gobierno para cambiar las relaciones de fuerza. La gente está diciendo que no puede esperar hasta 1999 y está exigiendo un instrumento más potente, más amplio y más eficiente [...] aunque no haya coalición electoral en 1997 es importante que haya un acuerdo transversal de ideas programáticas" (*Página 12*, 1-IX-1996), y al día siguiente del apagón fue mucho más lejos: "no descarto en absoluto una alianza electoral" (*Página 12*, 14-IX-1996).

9 Aunque parezca contradictorio, fue la simultánea convicción de que si la oposición se presentaba separada el oficialismo volvería a ganar -porque no existía una masiva ola de deserción de sus votantes- y que al mismo tiempo el electorado opositor se activaba y convergía hacia los mismos objetivos, lo que hizo madurar la idea de la alianza. Esas fueron las premisas de las discusiones internas que tuvieron lugar en la UCR y el FREPASO a partir de octubre, y de las conversaciones entre Chacho Álvarez, Terragno, de la Rúa y Alfonsín (*Página 12*, 13-X-1996; *Clarín*, 16-XI-1996). En noviembre Álvarez agregó a estos temores que "se va a consolidar la idea de la invencibilidad del peronismo. Si el menemismo pierde la mayoría en diputados pero hace una buena elección en Buenos Aires no cambió nada. Toda la expectativa se traslada a La Plata [...] Si no hay alianza en 1997 no hay alianza en 1999" (Página 12, 24-XI-1996; véase también su artículo de opinión en *Clarín* del 23-XII-1996).

10 El mismo Álvarez denunciaría poco después, en alusión a César Jaroslavsky y no sin algo de razón, que sectores radicales no querían investigar a Yabrán y preferían pactar con Menem "para seguir siendo un apéndice secundario del PJ", *Página 12*, 7-III-1997).

11 En julio se conoció una encuesta que otorgaba 35,2% de intención de voto a Chiche Duhalde, 29,5% a Fernández Meijide y sólo 16,1% a Alfonsín. En la Capital Federal la situación era semejante: Terragno tenía 18,7% de intención de voto mientras que Álvarez sumaba 34,4% (CEOP, *Clarín*, 13-VI-1997).

12 En algunas provincias del interior, en parte por esos motivos y en parte porque el PJ era claramente mayoritario, se fueron concretando acuerdos electorales puntuales: en Entre Ríos se anunció a mediados de junio (*Clarín*, 22-VI-1997), y en julio se concretó en Salta, sumando también al Partido Renovador, y en Corrientes (*Página 12*, 22-VII-1997).

13 De un modo semejante a como había sucedido en el Pacto de Olivos, Alfonsín reaccionó frente a circunstancias adversas, en las que creyó ver la oportunidad de recuperar posiciones en el interior del radicalismo y en el escenario político, capitalizando en su provecho las posturas que otros habían impulsado en la interna, precisamente contra su opinión. En el caso de la Alianza con más suerte —agreguemos— que con el Pacto, ya que pudo agrupar más consistentemente al partido detrás de él y rescatarlo de una segura derrota.

14 Fue elocuente el hecho de que, cuando días después de anunciada la Alianza, el FMI propuso extender el impuesto a las ganancias a las rentas de las acciones y los plazos fijos, algunos economistas de la coalición opositora compartieron la negativa del gobierno a seguir ese consejo (*Página 12*, 12-VIII-1997).

15 Al conocerse la designación de Machinea, el Consejo Empresario Argentino, la UIA y la asociación de bancos, ADEBA, se manifestaron complacidos y destacaron que no existía ningún temor en el empresariado respecto de la alianza opositora. Machinea volvió a insistir con la distinción entre ciertas variables macroeconómicas y "el modelo", y anunció que la Alianza "discutirá temas relevantes pero no las reglas de juego". Entre los temas relevantes destacó la distribución del ingreso, la corrupción, la promoción de las PYME y el empleo, la Aduana, el control *antidumping* y la renegociación de contratos de concesión y privatizaciones. También se pronunció en forma favorable, en términos genéricos, a la reforma laboral y la desregulación de las obras sociales (*Clarín*, 8-VIII-1997). Esto último generó encendidas críticas de parte del MTA y el CTA, que fueron atendidas por los referentes de la Alianza: al día siguiente reiteraron su "solidaridad con los reclamos del paro", su oposición a "precarizar el empleo" y, por lo tanto, al acuerdo sellado entre el gobierno y la CGT sobre el tema; pero también aludieron a la necesidad de "modernizar las relaciones laborales, aumentar la competitividad y fomentar el empleo sin crear un estado de indefensión laboral" (*Clarín*, 10-VIII-1997). Esta misma posición se planteó días después en la cumbre de la Alianza con el "Grupo de los 8" (que reúne a las corporaciones representativas de los grandes empresarios, UIA, Cámara de Comercio, ADEBA, ABRA, UAC, Bolsa de Comercio, CAC y Consejo Empresario). Por supuesto no hubo acuerdo, y hubo en cambio reproches por las supuestas ambigüedades y el apoyo (tibio, pero apoyo al fin) dado al paro. Pero una encuesta publicada días después confirmó que los empresarios no temían que la Alianza afectara las inversiones ni la convertibilidad: 57 y 67% de los consultados dio esta opinión y 65% consideró positivo el acuerdo de la oposición (lo curioso era que las respuestas positivas se elevaban al 88% entre las grandes empresas y caía a sólo 58% entre las PYMES; véase *Clarín*, 20-VIII-1997). Conviene destacar que Machinea era, y siguió siendo, uno de los economistas más respetados por Álvarez, más que por muchos radicales.

16 La formación de la Alianza, además, catapultó a sus candidatos hacia la cima de la estimación pública. Incluso Graciela Fernández Meijide, que gozaba de una excelente imagen, subió entre 15 y 20 puntos de junio a septiembre en la confianza de los bonaerenses respecto de sus capacidades en todos los rubros recién enumerados.

17 En declaraciones que tuvieron nuevamente algo de "sobreactuación", los aliancistas sostuvieron que las prioridades de Bill Clinton coincidían con las suyas (cuestión social, empleo, educación). Fernández Meijide afirmó incluso que se sentía "del mismo palo que Clinton".

18 Al lanzar el "evitismo", Chiche Duhalde se despachó con lo que serían sus argumentos durante toda la campaña: refiriéndose a la Alianza sostuvo que "esos partidos no saben lo que es la pobreza porque a los pobres los ven por televisión"; agregó luego que "cuando dicen que se hace asistencialismo hablan con la heladera llena" (*Página 12*, 10-VIII-1997). Además, recurrió permanentemente a un discurso "antipolítico", oponiendo el "trabajo con la gente" a

"la política", a la que identificaba con la crítica y la discusión estériles, las "palabras huecas", etcétera.

19   La candidata aliancista hizo especial hincapié en contraponer la actitud "antipolítica" de Chiche Duhalde, que asociaba a una actitud autoritaria y conservadora (rechazo del debate público, del pluralismo, descalificación de la oposición, etc.), al proyecto de la Alianza, y específicamente del FREPASO, de "recuperar la política" y reivindicar la competencia entre oficialismo y oposición como fundamento del régimen democrático.

20   No es ésta una simple ocurrencia del momento. Fue el argumento con el que, a fines de 1996, se definió que se debía buscar simultáneamente un acuerdo con los radicales y un acercamiento a sectores del peronismo: "las divisiones en la política argentina obedecen muchas veces a situaciones de conveniencias tácticas, a confrontaciones del pasado, o a la necesidad oportunista de participar del poder cualquiera sea el signo y el sentido del mismo [...] El FREPASO debe hacer todos los intentos que sean necesarios para ayudar a sincerar los alineamientos por partidos, pero sobre todo, por concepción y programa, para que en un momento de concentración del poder económico, de fragmentación y fractura social, la política genere un movimiento centrípeto que nos permita colocarla en el centro de las decisiones. Es decir, volver a colocarla al mando de la economía sin caer en el voluntarismo ni en la tentación populista" (documento FREPASO, diciembre de 1996). El argumento continúa: "Un país normal, predecible y un sistema político coherente sería aquél que pusiese en competencia dos polos; uno mayoritario concentrado en torno a un programa de ampliación de la democracia, mejora del sistema institucional, desarrollo con generación de empleo y niveles crecientes de equidad. Y el otro, el que exprese las concepciones liberal-conservadoras". Este "camino de sinceramiento" aparece así como el de la construcción de una nueva mayoría nacional-popular. Un polo que se define a sí mismo, y por principio, como "mayoritario". Detrás de la idea de hacer la política más transparente subyace el equívoco de que si se muestran los clivajes "reales" de la sociedad es posible la oposición "transparente" entre el pueblo democrático y progresista y una minoría, que además de por sus intereses se define por su ideología liberal-conservadora. No se niega, por cierto, la legitimidad de la competencia partidaria, pero ella debe ser transparente, y eso significa que la mayoría debe ser el pueblo gobernando y la minoría los que han gobernado siempre contra el pueblo. Los partidos, si no representan esto, es porque han sido mal construidos. De este modo se desconoce paladinamente que las mayorías son siempre precarias, y que los partidos minoritarios siempre tienen posibilidades de volverse mayoritarios, y viceversa. La finalidad del argumento es justificar la necesidad de atraer a la Alianza a los peronistas desencantados con Menem. Esta finalidad puede ser muy plausible, pero el argumento conspira evidentemente contra los principios básicos del Frente y es francamente insostenible. En él, lo que describimos como la "transversalidad movimientista" se expresa en toda su significación.

21   Dentro del FG un ejemplo de esta posición la da la revista *Aportes y Controversias*. En el editorial de su número 3, de invierno de 1997, se dice que el FREPASO "llega a las actuales opciones no tanto por definir que sean las mejores sino por la frustración o las limitaciones de otros caminos ensayados" (p. 2). Y

208

luego agrega: "Otro de los elementos que provocan algún malestar en las consideraciones del momento es la posibilidad de que la alianza logre estructurar una mayoría electoral de la clase media para arriba, y deje en manos del menem-duhaldismo la representación de los más ricos, pero también la de los más pobres. A este corte social correspondería un corte ideológico de perfil gorila, basado solamente en los aspectos racionalmente positivos de esta jugada" (pág. 4). La razonable preocupación por la persistente lealtad de amplios sectores populares hacia el peronismo se engarza, así, a una visión bastante tradicional de los clivajes sociales y políticos que inspira una cierta desconfianza hacia la alianza.

4. Los dilemas de la centroizquierda

En nuestro país es inédito que una fuerza de centroizquierda esté en condiciones de disputar, con alguna posibilidad de éxito, por sus propios medios o en alianza con otras fuerzas, el Ejecutivo Nacional. Son inéditos también los desafíos a los que debió y deberá responder para que esa posibilidad se concrete. No obstante, es analítica y políticamente pertinente señalar que los desafíos y los problemas del FREPASO no lo convierten en un *rara avis* en la región latinoamericana. Por el contrario, comparte perspectivas y dificultades con otras fuerzas de izquierda o centroizquierda democrática de la región. En Brasil y México existen, como en Argentina, agrupaciones que cuestionan aspectos, más o menos centrales según el caso, de las reformas concretadas durante los últimos años en la economía y el estado, y cuentan con chances (desiguales) de acceder al gobierno central en un futuro cercano. Por lo tanto resulta muy útil discutir aquí las perspectivas y los dilemas de la centroizquierda argentina en clave comparativa. Lo haremos primeramente desplegando los rasgos comunes que, a nuestro entender, ha ido presentando esta problemática en los tres casos, para especificar luego la situación del FREPASO, destacando algunos elementos de contraste con las fuerzas análogas de Brasil (Partido dos Trabalhadores, PT) y México (Partido de la Revolución Democrática, PRD).

4. 1. Desafíos comunes

El primer desafío común a las fuerzas de izquierda y centroizquierda democráticas en la región surge de la brecha entre sus expectativas y la estrechez del espacio político disponible para realizarlas. En efecto, se esperaría que, llegado el caso, gobiernen rectificando el proceso de cambio, de modo tal de hacer posible que el desarrollo económico se combine con la equidad social y la integración de los excluidos, con el fortalecimiento de los derechos de la ciudadanía y con el afianzamiento de las instituciones representativas. Pero en el mejor de los casos esa rectificación parece destinada a llevarse a cabo dentro de márgenes bastante reducidos, debido principalmente a las fortísimas restricciones derivadas de la volatilidad financiera que caracteriza a los entornos macroeconómicos latinoamericanos.

El segundo desafío es consecuencia de las tensiones que plantea la transformación de la propia fuerza de centroizquierda en consideración. Por un lado, parece indiscutible que debe llevar a cabo un proceso de redefinición que deje atrás las raíces, ya sea populistas o intervencionistas, que podrían condenarla a una acción gubernamental regresiva (redefinición que debe comprender tanto las orientaciones como las estrategias de acción). Por otro lado, este cambio debe hacerse dando cuenta de, por lo menos, las siguientes cuestiones: permitir mantener y acrecentar las bases socioelectorales, hacer posible un nítido perfil propio en relación con las restantes opciones políticas, disfrutar de credibilidad, en especial pero no únicamente, frente a los agentes económicos. En conjunto, parecen requisitos esenciales para que un triunfo electoral pueda al cabo traducirse en la conformación de una adecuada coalición de gobierno.

En este contexto, nuestras fuerzas de centroizquierda democrática deberán actuar —tanto camino hacia el gobierno como en el eventual ejercicio de éste— sometidas a la triple tensión que surge de la necesidad de atender tres frentes políticos diferentes: el electorado, las propias bases organizacionales y el espantadizo mundo de los agentes económicos internos y externos. El núcleo del problema es, entonces, la viabilidad política de un giro que debe ser efectuado bajo esa triple tensión. En términos generales, una primera hipótesis considera que es posible, y conveniente, que los mencionados procesos de redefinición se concreten en el llano, en lugar de dejarlos para cuando llegue la hora de gobernar. La idea es que no solamente sería posible llevar a cabo estos cambios sin pagar un costo excesivamente alto frente a un competidor "populista", sino que también el precio en desidentificación (en relación con las propias bases sociales y electorales) y sobre reacción (para ganar la confianza de los agentes económicos) que habría que pagar por la postergación del giro hasta una vez iniciado el gobierno, sería excesivamente alto. Esto, a su vez, depende de otros factores: principalmente de la posibilidad de que a raíz de ese giro se conforme una fuerza de izquierda y/o populista capaz de competir con la centroizquierda (cuya raíz puede estar tanto fuera de las fuerzas de centroizquierda como dentro de ellas), y que una crisis de confianza en las reformas estructurales orientadas hacia el mercado coincidente con el acceso de esta fuerza al gobierno afecte la viabilidad de posiciones moderadas.

Puede mantenerse entonces que las alternativas que tienen frente a sí las fuerzas de centroizquierda son básicamente tres: el "inmovilismo", el "cambio" (adecuado en dirección y en momento) y el "sobrecambio". Examinemos brevemente cada una de ellas.

El inmovilismo presenta dos variantes: el inmovilismo consecuente y la *voodoo politics*. Ambas variantes tienen en común no girar y por tanto persistir en los componentes menos apropiados de las orientaciones históricas: populismo, *qualunquismo,* odio militante al mercado, intervencionismo, nacionalismo, defensa pre-política de intereses corporativos, etc. Lamentablemente hay factores que favorecen o incentivan el inmovilismo. Uno es el peso de sectores internos a la fuerza política que, manteniendo una postura recalcitrante, tienen o bien capacidad de dominar la evolución organizativa y programática del partido, o bien capacidad de vetar un cambio anhelado por otros sectores internos de éste. En este último caso, se produce una suerte de empate inmovilizador. El otro incentivo al inmovilismo es que —en un posible cuadro de agravamiento general de las variables macroeconómicas, deterioro social y desafección política— el partido enfrente fuertes competidores populistas que lo tienten a optar por llevar a cabo campañas también populistas por creerlas electoralmente más rendidoras. Este segundo incentivo se combina mejor con la variante "hechicera" (*voodoo politics*) de ocultar al electorado las auténticas intenciones para girar una vez alcanzado el gobierno.

Esta variante de inmovilismo, practicada sea con el objeto de mantener bajo control a las propias bases, sea para derrotar a un competidor populista jugando su juego, merece ser examinada porque, aunque sea menos probable, es la más riesgosa. El precio a pagar a mediano plazo por la búsqueda de réditos electorales inmediatos a través del "hechizo" de un populismo difuso y mezclado con una retórica antimercado, anti ajuste, sería extremadamente alto. Por un lado, esta opción afectaría la propia transición gubernamental, al sembrar la alarma, durante la campaña, entre los inversores y el público en general. Así empeorarían las condiciones de vida de los sectores populares, y el gobierno entrante tendría todo más difícil. Por otro lado, una vez en el gobierno, los líderes se verían en la necesidad de sobrereaccionar para conquistar credibilidad, lo que sin duda incidiría pésimamente en los resultados de sus iniciativas políticas. Por fin, el nuevo gobierno tendría problemas muy serios de indisciplina, resistencia y rebeldías por parte de importantes sectores de sus propias fuerzas, que ahora ya no estarían en el llano sino gozando de cierto poder institucional al ocupar bancas parlamentarias y cargos ejecutivos locales y provinciales, y por tanto tendrían mayor capacidad de bloqueo.

En el extremo opuesto, el sobrecambio consiste en una imitación oportunista de la estrategia en su momento empleada con éxito por algunas de las fuerzas gobernantes cuando, en razón de sus antecedentes populistas, enfrentaron serios problemas de credibilidad entre los actores económicos y el público. Para superarlos sobre-reaccionaron, es decir que en materia de orientaciones neoliberales, hicieron de la necesidad virtud, y en materia de reformas sustantivas fueron mucho más allá de lo conveniente (en las privatizaciones, en la apertura comercial, en la simplificación del esquema tributario, etc.).[1]

La centroizquierda podría estar tentada a utilizar una estrategia similar para acceder al poder, suponiendo que si fue exitosa una vez nada impediría que vuelva a serlo. También el sobrecambio puede consistir en un mimetismo "progresista" animado ya no por el oportunismo, sino por una reconversión ideológica y programática desesperada: el abandono de la noche a la mañana de la tradición populista o izquierdista puede animar una suerte de "fe de los conversos", que conduciría a no proponer una auténtica alternativa al neoliberalismo sino un neoliberalismo algo más racional, menos salvaje y corrupto que, en sintonía con la nueva ola de recomendaciones internacionales, se limite a administrar mejor y no a redefinir los términos del ajuste y las relaciones estado-mercado-sociedad civil. Cualesquiera sea la motivación del sobrecambio, tendría efectos no deseados: afectaría la capacidad de la centroizquierda para afirmar una identidad y una diferencia que dé sentido a la competencia política, permita articular en su provecho los clivajes presentes en el escenario político, y conformar así una coalición electoral consistente que pueda competir con éxito contra la coalición gobernante.

Entre el inmovilismo y el sobrecambio hay una opción difícil: la de un cambio adecuado, que implica combinar elementos de continuidad y de ruptura con las políticas en curso. Al respecto, siempre en términos de su viabilidad política, podemos referirnos a la existencia de al menos dos incentivos favorables. Primero, que las políticas llevadas a cabo por las fuerzas en el gobierno, los efectos sociales y/o institucionales de esas políticas, y/o la política de coaliciones montada en torno a ellas (según cada caso), han dejado, o tienden a dejar, vacante el espacio que comprende las franjas de centro y centroizquierda en la escena política. Vimos que esto tuvo una importancia decisiva en el caso argentino: el compromiso con una gestión de gobierno acotaba la eficacia y comprensividad de la representación populista del peronismo, dejando disponible un amplio espacio para interpelaciones políticas competitivas. Este dato contextual es un fuerte incentivo a favor de que las fuerzas políticas que ya representan a la izquierda o al "progresismo" busquen ampliar su electorado con un viraje o desplazamiento hacia el centro de la escena política.

El otro incentivo a favor del viraje o la reorientación está dado por el hecho de que, más claramente en algunos casos que en otros, el legado de las gestiones de gobierno que pusieron en marcha las reformas pro mercado no es unívoco. Queremos decir, que desde la perspectiva de la opinión pública en su conjunto, y aún del electorado de la centroizquierda, ese legado no consiste simplemente en un conjunto de males, sino también en algunos bienes que mayoritariamente se desean preservar. Y, por lo tanto, una campaña político-electoral organizada en la clave del inmovilismo será punida por el electorado al ser juzgada como una amenaza de vuelta al pasado. Un ejemplo donde se conjugan estos dos incentivos a favor de un viraje consistente en un *mix* de continuidad y rectificación en lo que se refiere al legado de las reformas estructurales neoliberales, lo proporciona la transición democrática chilena (y también podría ilustrarse con el New Labour de Blair en la Gran Bretaña de hoy).[2] Obviamente en Chile el centro político estaba fuera del alcance de la dictadura, pero también extensas porciones de votantes querían preservar parte de los cambios dolorosamente impuestos por ella; de allí que la ocupación del centro por parte de la Concertación Democrática requirió un *mix* de continuidad y cambio.[3]

Otro elemento que conviene incorporar aquí, pensando en la opción por el cambio apropiado, es que existen razones teóricas así como evidencia empírica que sugieren que para que estos giros sean creíbles (tanto por propios como por ajenos) y, en razón de esa credibilidad, sean capaces de suscitar los comportamientos (políticos, tanto como económicos) esperados, deben concretarse en gran medida en el nivel expresivo, en la esfera político-simbólica, a través de actos/acontecimientos de valor refundacional, que den cuenta de, y constituyan al mismo tiempo un, proceso re-identitario y de re-identificación, y deben ser experimentados por sus agentes al igual por sus destinatarios como un quemar las naves. Cuando hay muertos que se estremecen en sus tumbas por la "traición" de líderes que, sin embargo, consiguen referenciar con efectividad sus innovaciones en el legado de continuidad y cambio dejado por aquellos muertos, es que se ha estado caminando en la dirección correcta.

La concreción del giro adecuado en el momento adecuado incrementa el margen de factibilidad de gestiones alternativas al neoliberalismo. Por tres razones. Primero, porque si la política de innovación es creíble tanto para los agentes económicos como para los electores, disminuyen los peligros de reacciones preventivas (financieras y electorales) y en consecuencia se incrementa la capacidad de control de las variables macroeconómicas críticas por parte del futuro gobierno.[4] Segundo, porque al ampliarse la base electoral y social de la fuerza política del caso, se amplía el "mandato" que el gobierno recibe para llevar a cabo su programa de rectificación. Es deseable en ese sentido que este programa, en el que se combinan elementos de continuidad y cambio en relación con las reformas orientadas hacia el mercado, no sea elaborado o percibido como una mera yuxtaposición de componentes extraños entre sí, sino como un auténtico ensamble capaz de producir un nuevo paradigma.[5] Y tercero, y sobre todo, porque aquellos actores que no desean una reversión integral de las reformas estructurales, son a su vez heterogéneos en sus intereses, posiciones sociales y orientaciones políticas. Pues bien, en la medida en que estos actores perciban que el giro de la fuerza de centroizquierda es efectivo y auténtico, *en la misma medida predominarán entre ellos sus diferencias de intereses y tenderán por lo tanto a fragmentarse entre opuestos, neutrales y favorables* a acompañar el proceso de redefinición de los términos del ajuste estructural. Por el contrario, en la medida en que perciban al futuro o nuevo gobierno como una amenaza de reversión completa de las reformas estructurales, *en la misma medida tenderán a cerrar filas contra él, porque predominará en ellos el interés común de oponerse a esa amenaza.* Huelga decir en qué alternativa un gobierno de centroizquierda tendrá mayores chances de mejorar sustancialmente las condiciones de vida de los sectores populares.

4. 2. Respuestas diferentes

Ahora podemos referirnos a cómo se dan en el caso argentino estas dos cuestiones —desplazamiento hacia el centro y refundaciones simbólicas—, en contraste con la situación en Brasil y en México. En lo que hace al desplazamiento, en Argentina, o a la inglesa con Blair —a semejanza de México y en contraste claro con Brasil— el corrimiento hacia el centro está ya concretándose desde hace tiempo y ahora más rápidamente. En realidad, como se desprende del análisis realizado en los capítulos 2 y 3 de este trabajo, el giro *fue parte esencial del propio proceso de constitución del FREPASO como fuerza política.*

El caso argentino parece, desde 1994 y sobre todo en los últimos años, particularmente favorable para ello porque se conjugan los dos incentivos: por un lado, una enorme pérdida de popularidad presidencial y una voluntad de castigar, por parte del electorado, las dimensiones más negativas de la gestión del gobierno peronista, como el abuso de poder, la corrupción y el desempleo (dimensiones que ya han dejado de ser consideradas como costos transicionales y lo son como resultados de una gestión). Y por otro lado, un interés en preservar ciertos logros como la estabilidad, la solvencia fiscal, la apertura y la integración económica en el Mercosur (aquellos males no son considerados inherentes a cualquier modelo de mercado de la organización económica y estatal, sino a las formas en que el gobierno peronista llevó a cabo las reformas en esa dirección).

Con el PRD mexicano ha estado ocurriendo algo semejante. El partido estuvo sometido a un doble proceso de aprendizaje, en un eje vinculado a lo institucional y otro vinculado a sus orientaciones en materia económica.[6]

En el primero, el partido mantuvo una oposición frontal en materia de reforma electoral, no cedió a la oferta oficial de transacciones y esa resultó ser una buena apuesta electoral. Con la llegada de Zedillo y la atenuación de las restricciones, el PRD deja de rechazar la posibilidad de acuerdos, y el terreno de intensa disputa son los propios procesos de reforma electoral. Ésta constituyó una buena apuesta política, que le permitó crecer desde el piso, muy bajo, de las elecciones de 1994.

El mal resultado de esas elecciones abrió camino al aprendizaje en materia de reorientaciones económicas. La lección consistió en que hizo patente que el radicalismo "no paga" en términos electorales. Las corrientes moderadas ganaron espacio. El discurso económico se mueve desde la orientación tradicional desarrollista/intervencionista a reconocer avances y políticas imprescindibles. El cono de sombra para el radicalismo social-económico, y el énfasis en aspectos institucionales presenta así un sugestivo paralelismo con el caso argentino.

En lo que toca a este punto, parece evidente que el que tiene las cosas más difíciles es el Partido dos Trabalhadores (PT). Ya que el poder del sector recalcitrante frente a la renovación actúa como un fuerte veto al movimiento que sin embargo de modo evidente ansía llevar a cabo el otro sector. Con lo que se plantea un desagradable dilema entre el inmovilismo y la ruptura.[7] Y no es casual que sea el PT el que tenga más problemas para realizar el giro. Existen por lo menos tres razones para ello. Primero, de las tres fuerzas en consideración es la única que tiene un origen completamente ajeno a antiguos partidos tradicionales (el peronismo y el radicalismo, para el caso del FREPASO y el PRI para el caso del PRD). Por lo tanto, carece de contingentes significativos preconstituidos que, portadores de una orientación "pragmática", puedan actuar como un centro de gravedad que defina la relación de fuerzas interna a favor de un movimiento hacia posiciones moderadas y modernizadoras. Segundo, porque es un partido joven (formalmente el FREPASO y el PRD también lo son, pero gravita en ellos un legado organizativo y político previo). El PT es un partido joven cuya cohesión se ha constituido con fuertes ingredientes ideológicos y en una etapa (la fase final del régimen militar y la redemocratización) en que la creación de identidad y la expresividad eran de una relevancia muy superior a la tarea de desarrollar una cultura de gobierno (estos problemas parecen hoy día más importantes en sí mismos que la supuesta presencia de fuertes intereses "corporativos" dentro del partido). En tercer lugar, y principalmente, el PT no puede —por el momento— sacar provecho de pedagógicas derrotas electorales (como las del PRD en 1994 y el Frente Grande en 1991); esto es así porque las derrotas de Lula frente a Collor (1989) y Fernando Henrique Cardoso (1995) son diferentes, y pueden todavía ser interpretadas por la inmensa mayoría de sus integrantes activos como parte de una "larga lucha" en camino al poder.[8] Por lo demás, un desplazamiento hacia el centro por parte del PT, exigiría de éste un proceso interno de elaboración de sus orientaciones en materia institucional en clave republicana que aún no ha comenzado (aunque por cierto existen dentro del partido figuras en condiciones de liderar ese cambio).

Pero el PT tiene problemas para concretar este desplazamiento también porque el incentivo de un centro vacante, aunque está presente, es mucho menos claro que en el caso de Argentina y México, debido tanto a las orientaciones del Partido Social Democrático Brasileiro (al que pertenece el presidente Cardoso), como a los resultados hasta ahora alcanzados por las políticas implementadas por la coalición gobernante. En Argentina y México son las propias políticas llevadas adelante por el gobierno peronista y el régimen del PRI, y los efectos sociales e institucionales de esas políticas, las que han contribuido a ensanchar ese espacio político y electoral vacante, en tanto que en Brasil ello se debe más bien a la política de coalición con la que Fernando

Henrique Cardoso procuró resolver los problemas de gobernabilidad.[9]

En lo que se refiere al tema de las refundaciones simbólicas, éstas parecen estar encontrando tres escenarios apropiados, que se imponen en virtud del hecho de que los partidos llevan a cabo los giros en cuestión en contextos de fuerte y continuada competencia electoral. Esos escenarios son: la política de alianzas, la toma pública de posiciones en torno a cuestiones macroeconómicas cruciales y de reforma estructural, y las gestiones de gobierno a niveles local y provincial. Aquí aparecen nuevamente diferencias entre los casos.

En Argentina es donde parece haberse ido más lejos en materia de alianzas —con la Unión Cívica Radical— y en materia de posicionamientos públicos.[10] En el caso del PRD la política de alianzas está por hacerse (si se deja de lado el acuerdo puramente procedimental de nivel parlamentario concretado con el Partido de Acción Nacional, PAN), pero en cambio el partido cuenta con la oportunidad de exhibir su reorientación en la gestión de gobierno del Distrito Federal. Otra vez es el PT el que presenta el panorama más complicado: por un lado, porque la política de alianzas factible a la sombra del veto del sector tradicional (nueva candidatura de Lula, acuerdo electoral con el PDT, etc., como expedientes más probables para las elecciones previstas en 1998) es muy poco prometedora, en tanto no es más que la alianza electoral necesaria para mantener la unidad y el inmovilismo del propio PT, y no la necesaria para el cambio y para incrementar las chances de triunfo en las elecciones. Por otro, porque, entre tanto, la relación entre el partido y sus hombres con cargos gubernamentales es extremadamente difícil y está lejos de evidenciar la adquisición de una cultura de gobierno.[11]

Dado que el PT se mantiene en una suerte de inmovilidad política resistiendo su desplazamiento hacia el centro, la oportunidad creada por la existencia de este centro vacante tiende a ser aprovechada por otros actores. Básicamente, dos pequeños partidos de centroizquierda, el Partido Socialista Brasileño (PSB) y el Partido Popular Socialista (PPS), que hasta hace poco tiempo habían aceptado la preponderancia del PT subordinándose a él a la hora de definir posiciones electorales, han comenzado a cuestionar su inmovilismo y a definir sus propias estrategias. Convergiendo desde el polo opuesto, un pequeño grupo de dirigentes del PSDB (encabezado por el ex ministro de Fazenda Ciro Gomes) ha abandonado el partido acompañando este movimiento con críticas a la índole supuestamente neoliberal de la política de Cardoso, en la creencia de poder sacar provecho de una hipotética erosión de los respaldos electorales del actual gobierno. Con todo, la emergencia de una centroizquierda es todavía muy frágil, precisamente en virtud de que los "tucanos" disputan con bastante efectividad el espacio electoral de centro, por un lado, y, por otro, en razón de la propia capacidad del PT para retener dentro del partido al grueso de los sectores impotente para desplazarlo hacia el centro. Debido a esa tenaza, en ese fluido espacio de centroizquierda convergen por el momento figuras que aunque no son desdeñables, no parecen tener envergadura suficiente para conmover las bases electorales de los partidos preexistentes (Erundina, que se ha incorporado al PSB, Buaiz, que lo ha hecho al Partido Verde; y el propio Ciro Gomes, incorporado al PPS).[12]

Volviendo a la luz de estos contrastes al caso argentino, lo importante es que como consecuencia del alcance de ese giro y de la magnitud de las refundaciones simbólicas, el espacio político-electoral de centroizquierda, y los principios constitutivos de ésta se han consolidado en la Argentina. Lo que satisface una condición necesaria, aun cuando insuficiente, para llegar al gobierno.

Hemos discutido en capítulos anteriores que, en el caso argentino, la desactivación del clivaje peronismo-antiperonismo ha significado que la lucha política y el antagonismo tradicionalmente muy marcados en nuestro país se debilitaron, lo que se ha visto a su vez reforzado por el lugar central que ocupó la estabilidad macroeconómica en la agenda de gobierno y para la competencia política a partir de 1989.

La dificultad de las fuerzas políticas para diferenciarse en éste y otros terrenos durante los últimos años fue, en parte, una consecuencia de esta situación. Y la centroizquierda no fue en absoluto ajena a este problema: el desafío que enfrentó fue construir su diferencia sin caer en una posición principista e inviable, pero evitando a la vez desdibujar su perfil y la consecuente dilución del significado de su oposición al oficialismo. La paradoja es que la lucha política no podía ya plantearse en términos de alternativas estratégicas, de régimen político o socioeconómico, pero la oposición política pudo inspirarse en principios universales y en tradiciones culturales diferentes de los de la fuerza gobernante, y su vigor político provino esencialmente de la capacidad de actualizar su identidad en una crítica radical de la gestión de gobierno. Debió a la vez mostrarse como una alternativa, construir su "diferencia significativa" y disputar la hegemonía dentro de un marco común de valores democráticos compartidos y de restricciones contextuales (económicas, estatales, internacionales) que debieron ser reconocidas y hechas explícitas.

Por otro lado, si las propuestas programáticas alternativas dan todavía un sentido a la lucha interpartidaria, la verosimilitud de esas propuestas y la sustantividad de las "diferencias significativas" entre las fuerzas en pugna dependen en gran medida de los liderazgos que las representan. La figura de los líderes de las fuerzas políticas es una síntesis del sentido que se atribuye a un voto, a una propuesta, a una decisión política. Es allí más reconocible y significativo para los ciudadanos que en las diferencias técnico-programáticas a veces sumamente complejas o indiscernibles. El espacio de centroizquierda ha construido una diferencia significativa y cuenta con liderazgos que apuntalan su productividad político electoral: dos activos de crucial relevancia que pavimentan el camino hacia el gobierno.

La solidez de una diferencia y unos liderazgos que la encarnen no bastan; ambos aspectos deben ser percibidos colectivamente como los protagónicos de un nuevo proceso de cambios. Ello evoca el problema eminentemente político de la incertidumbre. La incertidumbre es en efecto un elemento que está presente en el momento inicial de un proceso de reformas, un ingrediente del contexto en que la reforma es lanzada: ese contexto es generador de incertidumbre y es una demanda de certidumbre que la política de reforma da respuesta (como fue patentemente el caso en nuestro país en 1989). Pero también es habitual que la incertidumbre se presente asociada al propio cambio de reglas: en tanto cambio genera incertidumbre en los distintos actores, y la sostenibilidad del cambio puede enfrentar problemas de profecías autocumplidas; hay sectores que pueden optar por esperar antes que adaptarse y, debido a ello, afectar la sostenibilidad de un proceso al que suponen no duradero. Estrictamente, la opción por el acompañamiento de un proceso de cambio orientado al mercado puede ser vista así como un problema de control de la incertidumbre: la incertidumbre de permanecer (en una situación de estancamiento e inflación) puede ser percibida como si fuera mayor que la de cambiar.

Así, la incertidumbre aparece vinculada al inicio del cambio y a la sostenibilidad de éste. Sin embargo, un aspecto diferente que también merece ser señalado es el de la incertidumbre vinculada a los resultados, es decir, el hecho de que las propias reglas, no ya el proceso de cambio de reglas, sean generadoras de incertidumbre. Paramio (1997) aborda este problema: la presencia de una incertidumbre intrínseca a las nuevas reglas. Esto en parte es propio de la lógica del mercado y en parte obedece a factores contingentes presentes en la dinámica política del cambio, pero esta distinción no es esencial aquí. Lo que nos importa es destacar que la dinámica política del gobierno de Menem puede ser vista desde esta perspectiva: una serie de factores concurrentes, entre ellos el vasto esquema de intercambios particularistas montado, ha reinyectado incertidumbre en los resultados del proceso de reformas, y la emergencia de una oposición con capacidad de gobierno se conecta con esta masiva reintroducción de incertidumbre en el cuadro político-institucional y económico social. Ahora hay "resultados" y estos resultados pueden ser colectivamente evaluados y ese es un terreno de disputa política. Los costos agregados y los beneficios agregados se hacen "materia de interpretación" (en el caso argentino puede decirse, por ejemplo, estabilidad y desempleo, recomposición de la autoridad estatal y abuso de poder, modernización económica y patrimonialismo, etc.).

Si la lógica del momento inicial del proceso de reformas fue de riesgo, la de la sostenibilidad (a partir de los éxitos de los primeros momentos) fue de aversión al riesgo, conservadora: si las cosas van bien, la gente no desea cambiar nuevamente de política.[13] ¿Cómo se pasa nuevamente a una etapa de disposición al cambio? Aquí importa el aspecto, en relación con los resultados, de reintroducir las pérdidas: éstas pueden ser percibidas ya no como costos de un cambio sino como un nuevo contexto de pérdidas; si es así, otra vez tiene lugar una situación en que hay costos que *ex ante* "se están pagando" en relación a un eventual nuevo cambio. Sólo que se trata de un cambio que se puede consentir únicamente sobre el piso conseguido en el cambio anterior. Las condiciones favorables al recambio político pueden estar vinculadas a este nuevo contexto. La clave es determinar cuándo la oposición consigue dejar de ser identificada como un retroceso para pasar a ser identificada como un impulso hacia adelante, sobre el piso de certidumbre alcanzada; sólo a partir de allí, cuando la oposición ofrece garantías de no reintroducir las pérdidas suprimidas en el cambio anterior, la sociedad mira al gobierno y le carga los "costos". Podrá decirse que "los gobiernos pierden las elecciones, no son las oposiciones las que las ganan", pero hace falta un reposicionamiento de la oposición para que pueda darse lo primero.[14]

A favor del gobierno argentino puede, eventualmente, jugar una variable: la recuperación significativa de los niveles de empleo en los próximos dos años. En este caso la recuperación de la reputación perdida por el gobierno sería a la vez más sencilla y menos seductora. Con Stokes y otros (1997) podría decirse que entonces se entraría, nuevamente, en el reino del "voto económico", donde "los votantes con-

225

sideran al gobierno responsable por la situación de la economía, y lo reeligen si la economía es saludable o lo desplazan si está en mal estado". Es obvio que al cabo de ocho años de gestión los votantes consideran al gobierno peronista "responsable" y juzgan por los "resultados" (como en los tiempos en que Salinas de Gortari llegó al poder en México). Una mejora en este indicador crucial del desempeño económico, en un marco de reactivación y estabilidad de precios, jugaría a favor de los peronistas y mejoraría sus oportunidades.

Sin embargo, las perspectivas, al menos por lo que parece luego de las elecciones de octubre de 1997, no son tan favorables para el gobierno en ese sentido. Y esto es así por la fuerza −tanto en el nivel de la opinión pública como en el de las expresiones políticas− de la oposición republicana y de la inédita capacidad que tienen sus interpelaciones de articular los temas económicos (reemplazando a la "estabilidad" en este papel, pero porque previamente las fuerzas que integran la Alianza se han hecho confiables en lo que se refiere a la preservación de ésta).[15]

4. 3. Alternativas de gobierno e incertidumbre

Volvamos ahora a los desafíos, ya planteados, que enfrentan las fuerzas de centroizquierda en nuestros países, pero sobre un eje diferente al de ganar elecciones: gobernar. Gobernar coloca abiertamente sobre el tapete tanto el primero de los desafíos, resultante de una brecha entre expectativas y posibilidades de redefinición del proceso de cambios, como el segundo de ellos, las tensiones inherentes a la transformación de la propia fuerza de centroizquierda.

Estos desafíos centrales de un gobierno o cogobierno del FREPASO, redefinir los términos del ajuste o, en otras palabras, "rectificar" el modelo, y sortear exitosamente las tensiones en el interior de la propia fuerza, pueden abordarse, el primero de ellos, sobre todo como un interrogante sobre los contenidos dominantes de aquella redefinición, y el segundo como un análisis de los problemas de gestión política que la tarea de gobierno con arreglo a aquellos contenidos podría plantear.

Redefinir el proceso de cambios

Nuestra impresión es que —aunque la brecha entre expectativas y posibilidades no es imaginaria— se ha reducido sensiblemente en virtud de dos movimientos convergentes: por un lado, un afinamiento en materia de orientaciones y objetivos políticos y económicos; por otro, una mayor comprensión de las restricciones o, en otras palabras, una reducción de las propias expectativas. Este segundo aspecto ya ha sido discutido anteriormente; más importante es destacar aquí el primero: al contrario de lo que habitualmente se estima, los objetivos de gobierno del FREPASO no son tan imprecisos o indefinidos; a nuestro entender el núcleo propositivo duro de la conjugación de los principios de republicanismo, progresismo y modernización es el de la *construcción institucional*. Esto es así tanto en términos propositivos como en términos de "diferencia" o adversatividad en relación con la actual gestión de gobierno. Y lo que es tanto o más relevante aún: parece existir una fuerte compresión de la crucial relación entre ambos aspectos, esto es, que el arco de posibilidades de acción es función directa de la tarea de construcción institucional que se lleve a cabo, porque el alcance y la efectividad en el logro de objetivos propios de cualquier política pública dependerá muy directamente de las capacidades institucionales que en ella puedan ponerse en juego.

En términos generales, nuestra impresión es que entre los líderes de la centroizquierda se ha ido conformando, a compás del giro que examinamos en capítulos anteriores, un consenso básico acerca de que ha sonado la hora de las instituciones y que sin instituciones sólidas difícilmente el crecimiento y la mejora en la distribución del ingreso puedan tener continuidad y la calidad de la democracia se aproxime a la anhelada.

Éste es también el eje de la adversatividad en relación con el gobierno peronista, en el sentido de que la arena (de construcción y reconstrucción) institucional es el lugar en el cual es posible aminorar sensiblemente la incertidumbre asociada a los resultados del proceso de reformas ejecutado por aquél. En efecto, la nueva incertidumbre (a la que aludimos en el apartado anterior) coloca a la política ante la necesidad de hacer opciones por el carácter de los intercambios, esto es, si han de ser más universales o más particularistas. Intercambios particularistas suponen asignar a la política la función conocida, como arena de la que depende la sobrevivencia precaria de las posiciones de muchos actores, grupos y sectores sociales.[16] Por el contrario, controlar y reducir la incertidumbre a través de la implantación de intercambios más universales supone una tarea de construcción institucional muy vasta. En suma: romper el círculo vicioso entre incertidumbre y sistema de intercambios particularistas exige instituciones fuertes. Una política enderezada a la integración social y la ciudadanía, en clave universalista, sólo puede ser llevada a cabo sobre la base de ese desarrollo institucional. Es esta política la que es capaz de ensamblar la demanda de integración social con la demanda de derechos ciudadanos en clave liberal-democrática. La ciudadanía social es un objetivo cuyo alcance sigue dependiendo de la acción política, pero esta acción ya no es un campo de dominio privilegiado de la movilización política, de la intervención "directa" del estado en la economía o de la pugna entre intereses sociales; aun cuando, desde luego, todos estos campos no desaparecen como campos en los que la política funciona como tal, es decir, como una lucha por definir o redefinir las reglas de las interacciones, el ámbito de mayor productividad en tal sentido parece ser hoy día el de la construcción institucional.

Cuestiones como la inseguridad jurídica, la corrupción, la baja efectividad de las políticas sociales y de las políticas públicas en general, el ejercicio efectivo de derechos de ciudadanía, tienen en común, en el terreno de la política activa, precisamente la necesidad de fortalecimiento institucional. En el terreno económico, por ejemplo, cuando las figuras del FREPASO o la Alianza evocan las "falencias del mercado" en el campo social y en lo que se relaciona con la sustentabilidad del crecimiento, el meollo de la cuestión es: ¿de qué instituciones se está hablando?[17] Complementariamente, hay sobrada experiencia nacional e internacional en lo que se refiere a la inutilidad de incrementos en el monto del gasto que no estén acompañados por incrementos correlativos en la eficiencia de gestión; esto es particularmente cierto en materia de políticas cuyo blanco son los sectores carecientes.[18] Por otra parte, aunque las instituciones por sí solas no bastan, y es imprescindible un plus de "confianza" que tampoco se produce por sí solo dentro de éstas, las instituciones son *conditio sine qua non* para que esa confianza pueda florecer y desarrollarse.[19]

La gestión política de la redefinición

No obstante, la implementación de un curso general de gobierno con norte en la construcción-reconstrucción de instituciones presenta varios problemas de gestión política. Veamos aquí algunos de ellos.

El siguiente no es el menor: una reorientación de tal naturaleza parece estar forzada a desenvolverse en un marco de gran indefinición o ambigüedad. Esto es independiente de la eventual claridad y precisión con que se formulen las propuestas programáticas (en ese sentido no es contradictorio con lo que hemos dicho en el punto anterior, en cuanto a que los objetivos del FREPASO no son tan difusos como habitualmente se estima). Por mucha precisión política y técnica que esas propuestas puedan ganar, eso no resuelve el problema de la inexistencia de un "paradigma de política" (en el sentido de Hall, 1993) en el que sea posible referenciarse. Es la existencia de un paradigma de ese tipo, y su prevalencia (ideológica, política, cultural, conceptual), la que hace que los agentes económicos y los grupos sociales puedan percibir como nítida una orientación política general, lo que tiene un valor de extraordinaria importancia en el momento de coordinar la acción colectiva. En 1983 en Argentina la cuestión democrática conseguía articular verosímilmente hasta las propuestas en materia económica; en 1989 el paradigma neoliberal ofrecía un camino para salir de la hiperinflación. En 1999 "lo que quieren los argentinos" será más difícil de precisar de una forma tan contudente, y por lo tanto la pregunta sobre "qué quiere el FREPASO" o "qué quiere la oposición" acompañará la confrontación político electoral. En una sociedad que tiene una elevada aversión al riesgo y la incertidumbre ese es un *handicap* importante.

El hecho de que conceptualmente sea concebible un paradigma centrado en "la hora de las instituciones", y de que más o menos claramente las dimensiones vinculadas al fortalecimiento institucional sean las que estén colocándose en el centro del debate internacional, es un paso adelante; ciertamente hay algunos vientos internacionales que soplan a favor, y no sería difícil colocar las velas al impulso de esos vientos, como el énfasis que están poniendo desde hace unos pocos años los organismos internacionales de financiamiento para fortalecer el sector público, o la recientemente denominada "onda rosa", que pone en cuestión las aristas más destructivas de la globalización. Pero de cualquier modo eso no es suficiente como para considerar que existe algo así como un paradigma alternativo al neoliberal o al del "mercado". Mientras esto no cambie, las fuerzas de gobierno y oposición (según el caso) en nuestros países se verán en una situación más apretada y deberán prestar una gran atención a los términos del debate global actualmente en curso.

Sin embargo, estas dificultades no configuran un cuadro forzosamente adverso para una gestión gubernamental de centroizquierda. El análisis de los problemas de gestión política puede desagregarse, por lo menos en cuatro aspectos interrelacionados. En los apartados anteriores de este capítulo están planteados los aspectos que conviene retomar aquí en ese sentido; ya dijimos (parágrafo 4.1.) que el FREPASO tiene que actuar de cara a los agentes económicos, las propias bases organizacionales, y ante el electorado y/o la opinión pública; a ello agreguemos la nueva faceta representada por la interacción con su socio —o socios— en la Alianza.

A. LA SOLIDEZ DE LAS PROMESAS VINCULANTES

Ante la opinión pública y el electorado, el giro dado por el FREPASO consiste, en esencia, en la formulación de una nueva "promesa vinculante": la promesa de redefinir los términos del cambio estructural, no de impugnarlo globalmente, con centro en orientaciones como la recuperación de la ética política, el fin de la corrupción, que originariamente en el discurso de centroizquierda aparecían como articuladas a la oposición frontal a las reformas (en tanto la corrupción y las reformas neoliberales eran consideradas como dos caras de una misma moneda), y se desprendieron de esta articulación para rearticularse a una propuesta general de redefinición del ajuste.

De este modo, las orientaciones y representaciones en las que el FREPASO ha ido centrando la recomposición de su identidad como expresión del proceso de "politización desde abajo", al que hicimos referencia en capítulos anteriores, resultan particularmente apropiadas para redefinir el proceso de reformas en términos de una reconstrucción institucional que infunda un carácter más universal a los intercambios. En efecto, el hecho de que, por las razones ya explicadas, el puñado de dirigentes nucleado a inicios de la gestión menemista se viera obligado muy tempranamente a explorar alternativas al cerrarse las opciones que al principio se veían como más fáciles para hacer oposición "progresista", los reconectó con el movimiento difuso que, con raíces en las postrimerías de la dictadura militar, hoy día puede articular sus valores y orientaciones en torno al fortalecimiento de las instituciones.

La clave aquí es la potencia y viabilidad de la "promesa vinculante"; a nuestro entender, la nueva promesa vinculante está claramente definida al cabo de un giro más lento y gradual si se lo compara con otras experiencias. En torno a cuestiones tales como estado de derecho, gestión honesta de lo público y derechos sociales universales como derechos de ciudadanía, ha tenido lugar una reformulación bastante coherente del discurso político, que permite hacer compatibles las señales de identidad partidarias con las nuevas estrategias reformistas, de modo tal que existe cierta claridad en torno a la definición de formas alternativas a las actualmente vigentes de concebir el poder, la política y la acción política gubernamental.[20]

B. LIDERAZGOS, VIRAJES Y DISCIPLINA PARTIDARIA

En lo que se refiere a las propias bases organizacionales, el problema hace a las tensiones que inevitablemente una gestión de gobierno plantearía en el interior de la fuerza. El punto central aquí es asegurar el respaldo de la fuerza a la política gubernamental.

Para discutir esto comencemos recordando que todo giro, o viraje, plantea diversos problemas en su gestión. Habitualmente, virajes de ese tipo son encarados por líderes, es muy difícil que puedan ser llevados a cabo por las "bases" partidarias.[21] Las fuerzas políticas son vehículos, sirven para moverse, pero son rígidas, tienen un componente de inercia muy grande (aun cuando sean partidos "atrápalo todo"). Los liderazgos pueden sacarlas de esta inercia, y en realidad es difícil que esos cambios sucedan de otro modo. Pero esto conlleva una serie de problemas. Según las circunstancias, las fuerzas políticas pueden acompañar o bloquear los cambios.

El acompañamiento es lo que da sentido, justifica, la "negación" de parte de las creencias y representaciones ideológicas anteriores; como nos recuerdan Jeambar y Roucaute (1990), las actitudes individuales tienen unos límites muy precisos: "Las negaciones no tienen sentido si no arrastran a fuerzas representativas de un sector de la opinión pública". Pero esto debe forzosamente extenderse a los seguidores de quienes "niegan": deben ser acompañados al menos por una parte de las fuerzas que participaron —junto a él— de la promesa originaria y encarnan por tanto su "fuerza vinculante".

En ese sentido la situación de la centroizquierda en Argentina no es tan mala. Algunos elementos juegan a su favor. Comparemos sus dificultades con las que enfrenta el PT en Brasil. El problema del PT no es, como habitualmente se dice, "ser una oposición que no ofrece alternativas" (esto lo explota hábilmente la retórica del presidente Cardoso, pero no es lo que importa); por el contrario, su problema es ser, y ser plenamente identificado como, una alternativa global a la propuesta del gobierno, que el propio PT rechaza con el mote de "modernización conservadora" (en la más suave de las calificaciones). La situación del FREPASO en Argentina es diferente, porque el despliegue de esa "negación" fue, como ya vimos, parte de su propio proceso de constitución como fuerza política, y el FREPASO no es percibido como una alternativa global. No sería tampoco creíble como tal, al contrario del PT, que sí lo es, en el sentido de que es considerado muy capaz de aferrarse a una línea de política gubernamental ortodoxa.[22] Y allí radica una parte importante del capital político del FREPASO.

Los problemas del PT en Brasil parecen ser una consecuencia de las características de su identidad y cohesión interna. Estamos hablando de un partido político que tiene una fuerte identidad, una gran cohesión y al mismo tiempo las dimensiones ideológicas que son un elemento central de la constitución de esa identidad y esa cohesión, así como de sus orientaciones. Todo esto se expresa en el hecho de que rápidamente afloran graves obstáculos internos a la hora de escoger candidatos y propuestas de gobierno o a la de gobernar; para sortear estos problemas, sin resolverlos, el partido parece condenado a la oposición. O bien se convierte en opositor de sus propias gobernaciones, o bien escoge candidatos como una respuesta a sus problemas internos y no en función de mejorar sus posibilidades de alcanzar el gobierno. Como tiene disidencias internas muy grandes, Lula es el único candidato aceptable para todos; pero Lula es un candidato perdedor. La alternativa virtual de escoger un candidato con *appeal* externo aunque implique una fuerte tensión interna, está más allá de lo que el PT concibe: si el partido tuviese elevada cohesión y fuerte identidad, pero un peso menor de los ingredientes ideológicos en la composición de estas dimensiones, entonces la tensión interna podría sobrellevarse; pero como no es el caso, el peligro real sería una ruptura. Lula es una garantía contra ese peligro por el hecho de ser un dirigente extremadamente conservador; en ese sentido es un antilíder.[23]

En contraste con el panorama que presenta el PT, el FREPASO da una impresión de elevada flexibilidad. Tiene líderes innovadores, y éstos disfrutan de un gran margen de acción que es consecuencia de la débil institucionalidad e identidad y la escasa cohesión organizativa del propio FREPASO. Debido a que la identidad es tenue y la cohesión baja, los líderes tienen amplios grados de libertad, tienen menos impedimentos para transformar las orientaciones globales de la fuerza política y mayor facilidad de adaptación a las nuevas circunstancias.

Con todo, esto es así en tanto domine la lógica de la constitución partidaria en la oposición y como oposición; se modifica cuando cambia la etapa —desde las elecciones de 1997 en adelante la etapa ha cambiado— y se entra plenamente en la lógica dominada por la probabilidad de acceso al gobierno.

Cuando una fuerza política tiene una identidad fuerte y una gran cohesión, cambia poco y lentamente, sus transformaciones internas son trabajosas, y el FREPASO no tuvo estos problemas. Sin embargo *estas ventajas pueden traducirse en serias dificultades a la hora de gobernar.* Identidad y cohesión partidarias cuando se trata de gobernar no necesariamente equivalen a bloqueo; también la cohesión puede significar disciplina y ser un instrumento sólido de respaldo a gobiernos innovadores.[24] Es más difícil si, como dijimos, la identidad y la cohesión están elaboradas con un ingrediente ideológico muy fuerte, como es el caso del PT, pero si no es así, predomina la disciplina, como fue el caso del Partido Justicialista desde 1989 ante el viraje de Menem (los problemas del PSDB en Brasil de hoy con Fernando Henrique Cardoso lo colocarían en un punto intermedio entre ambos casos). En cambio, para gobernar esta falta de consistencia es un problema porque puede traducirse rápidamente en indisciplina. Ésta puede ser una dificultad seria en un eventual gobierno del FREPASO.[25] Una de las razones por las que a la hora de gobernar la fluidez puede dejar de ser una ventaja para convertirse en una desventaja, es que el séquito, que se ha beneficiado del crecimiento electoral producido por los liderazgos, tiene ahora poder institucional: bancas parlamentarias, tal vez intendencias, quizá gobernaciones.

A principios de enero de 1998, tuvo lugar un episodio que ofreció una confirmación nítida de este problema. Algunos miembros del bloque de diputados del FREPASO anunciaron la presentación de un proyecto de derogación y nulidad de las leyes de punto final y obediencia debida.[26] La iniciativa no solamente tomó de sorpresa a la conducción política del FREPASO, sino que también la dejó malparada frente a sus pares radicales en el seno de la Alianza. Sin entrar aquí en la sustancia política y jurídica específica del asunto, debemos sí señalar que el hecho hace patente que, al menos por el momento, el FREPASO está lejos de contar con un bloque parlamentario disciplinado como el que ciertamente necesita. No sabemos cuál puede ser el procedimiento más adecuado para obtener esta disciplina, pero sí estamos seguros de que, como mínimo, crisis como la del caso constituyen a un tiempo amenazas y oportunidades: si los líderes las encaran con decisión dejan definidas relaciones de poder interno para el futuro; si no lo hacen, contorneando el problema, abonan el terreno para futuras fracturas.[27]

Al mismo tiempo, este episodio da cuenta de la existencia de problemas que son, al menos en parte, consecuencia de las opciones escogidas en la etapa de expansión política del Frente, que (como discutimos en el segundo capítulo de este libro) se presentaba como un dilema entre profundizar la institucionalización sobre la base de los agrupamientos existentes (lo que conspiraba contra la flexibilidad que los líderes necesitaban para dar continuidad al giro político con el que ensanchaban su base electoral y su representatividad) o perpetuar la labilidad organizativa imponiendo una dirección al conjunto a golpe de iniciativas personales que tenían por sede privilegiada los medios y la opinión pública.[28] Esta segunda alternativa dejaba sin resolver el problema de la consistencia de la organización, incubaba eventualmente resentimientos y, en última instancia, habilitaba ese *modus procedendis* para otros con menos luces políticas pero capaces de aguardar pacientemente la ocasión oportuna.[29] El hecho de que la opción haya sido la segunda (a nuestro entender ciertamente la correcta) exige ahora enfrentar los problemas a ella aparejados. Como siempre y en todas partes, los políticos no escogen entre una opción "apropiada" y una "inapropiada", sino entre los cuernos de un dilema.[30]

C. CONSENSO DIFUSO Y CREDIBILIDAD

Respecto de los agentes económicos, ya hicimos explícito que uno de los problemas principales de un gobierno de centroizquierda es el de la credibilidad que puede disfrutar frente a éstos en sus políticas y sus intenciones. Esto reabre la cuestión del "consenso difuso" (Cheresky, 1995), y los márgenes que existirían dentro de él para innovar en política económica. A nuestro entender, la inocultable presencia de elevadas restricciones puede ser contemplada desde un ángulo diferente. Si las fuerzas que constituyeron la Alianza debieron demostrar muy claramente su compromiso con un conjunto de elementos que pueden considerarse "parametrales", y en ese sentido, en términos "negativos", como restricciones, ello admite una lectura complementaria. Ese compromiso puede ser entendido como integrando un fuerte consenso interpartidario en torno a la continuidad de políticas que abarca a las tres fuerzas partidarias relevantes. En otras palabras, que de hecho y tácitamente, se habría dejado fuera de la competencia interpartidaria un conjunto cuantitativa y cualitativamente significativo de políticas. Si es así, y si reunimos este elemento con aquel otro de la capacidad mostrada por la centroizquierda (y la Alianza) de construir una diferencia significativa, entonces habría quedado atrás la etapa de "consenso difuso" para pasarse a una en la que los límites entre el consenso y el disenso están mucho más claramente marcados, de modo tal que puede haber a la vez un sólido piso tácito de cooperación o no competencia junto a una diferencia y una competencia más marcada. Si haber hecho el giro implica asumir la naturaleza no reversible de un conjunto de cambios, también implica la posibilidad de diferenciarse nítidamente, en realidad cuanto más se ha asumido aquellos cambios, más pueden diferenciarse nítidamente los perfiles propios. En otras palabras, en la medida en que el "piso" de consensos es más sólido, en la misma medida las fuerzas políticas están menos expuestas a problemas de credibilidad y por tanto tienen un margen de acción más amplio para llevar a cabo las políticas en las que estriba su diferencia.[31]

Podemos dar aquí un ejemplo: una de las orientaciones de la centroizquierda argentina que infunde credibilidad entre los agentes económicos es su compromiso con la ley y, dentro de ello, la promesa de ofrecer la construcción de un marco institucional que proporcione mayor seguridad jurídica (no sólo para los agentes económicos, claro está). El *mix* actual de capitalismo y patrimonialismo quizá sea sustentable, pero seguramente lo es sólo para un puñado de privilegiados, y recrea constantemente la necesidad de mayor particularismo y de un uso selectivo de la ley. Pero la promesa de cambio en este punto es también un eje de conflicto (claramente inscripto en la esfera de las nítidas diferencias que son posibles a partir de la existencia de aquel "piso" más sólido): un gobierno de estas fuerzas comprometería la red de negocios particularistas, y por ende sus titulares son parte de los "enemigos" *par excellence*. Todo esto hace posible un antagonismo muy específico, circunscrito, y a la vez muy plenamente político. Como lo explica Álvarez: "A nadie se le escapa que nos combaten también porque peleamos en territorios prohibidos, porque trascendimos zonas que estaban vedadas para cuestionar, zonas de complicidades, de acuerdos, de negociados, de distribución de espacios. Empezamos a discutir en serio el sentido del poder en la Argentina, y el cómo de la construcción de un nuevo poder desde la política en Argentina".[32]

En verdad, cuestiones como la discusión del sentido del poder y la construcción de un nuevo poder *desde la política,* no son nuevas en el discurso ni en las orientaciones del Frente. Sólo que se han resignificado perceptiblemente. Veamos. Para empezar puede decirse que un diagnóstico sobre la colonización de la política, y la consecuente invocación a recuperar su autonomía frente al poder económico, constituyen la pieza argumental y programática que muestra mayor continuidad en la historia del Frente.[33] Este diagnóstico se enlazaba, como puede verse, con las premisas de la estrategia inicial del sector. Pero ello no impidió que, tras el giro protagonizado por los líderes frentistas, se mantuviera vigente esta caracterización, que sería objeto de una transformación a tono con el propio giro. El eje de esa resignificación estriba en que el antagonismo ya no es concebido en clave "social" (lo que supondría asignar a la política el papel de reproducirlo y procesarlo), sino específicamente política: se trata del antagonismo existente entre dos formas de relacionar entre sí el estado, la política institucional y el mundo de los negocios. A la relación que, según este diagnóstico, ha sido típica del gobierno menemista, esto es, una en la que el estado y la política se han subordinado al poder empresario y, dentro de éste, a los grupos más concentrados, estableciendo además con ellos vínculos notoriamente particularistas, se opone otra en la que el estado y la política recuperan autonomía y su interacción con el mundo de los negocios tiene lugar a través de pautas más universales.[34]

Si se piensa bien la cuestión, esta pretensión del Frente es perfectamente viable: el contexto general dentro del cual pueden formularse políticas públicas ha cambiado radicalmente en una década, y un eventual gobierno de la Alianza no tendría que plantearse (como el gobierno peronista en 1989) la necesidad imperiosa de construir una coalición de reforma bajo el agravante de estar afectado por graves problemas de credibilidad.

En términos generales, el consenso neoliberal de 1989, en virtud precisamente de la concreción de una gran parte de sus pautas programáticas, ha dado paso a un disenso significativo dentro del propio campo de los agentes económicos. Esto no significa que algunos sectores importantes de éstos estén ahora cuestionando los contenidos de aquel consenso neoliberal; aquel consenso, en lo que es básico, sigue existiendo; pero justamente en la medida en que lo básico ya es parametral tanto en términos de las nuevas reglas de la economía y el estado, como en términos del (tácito) consenso interpartidario, en la misma medida afloran las diferencias más allá de ese "piso".[35] Desde luego, la tarea de rectificar el modelo plantea una necesidad político-coalicional ineludible, pero no hay razones para pensar que esa política tenga que revestir las características (de "alianza estratégica") de la que fue montada por el gobierno peronista en 1989. Esto es así en virtud tanto de las "luces" como de las "sombras" presentes en los resultados de las reformas menemistas: como ya dijimos muchas de las nuevas reglas son hoy día parametrales tanto para las fuerzas sociales como para los partidos —y una reedición de la "alianza estratégica" sería inocua: una alianza sin adversarios. En lo que hace a las "sombras", ahí sí se encuentran, en efecto, antagonismos latentes de importancia, pero en general sus líneas de conflicto no colocan a la totalidad de los empresarios en uno de los polos —ni siquiera a la totalidad de los empresarios que integran diferentes sectores.

Más todavía: algunas de las políticas públicas de mayor importancia en términos de rectificación del modelo (v.g., provisión de bienes públicos "clásicos"), podrían ser convertidas en *políticas de estado* por un gobierno de la Alianza; ello desde luego no supone ausencia de conflictos y de necesidad de formular cursos de acción que den viabilidad política a los objetivos, pero como parte de una tarea en la que el papel de la política y de los recursos institucionales será mucho más central que anteriormente y por lo tanto su dependencia de "aliados estratégicos" será menor.[36]

Siempre habrá, claro, restricciones y condicionamientos estratégicos: los que derivan de las cambiantes circunstancias internacionales y de las formas en que éstas van alterando el poder de los distintos actores *vis à vis* el estado y unos con otros. En cada etapa ello irá definiendo diferentes "interlocutores privilegiados", y tendrá ineludiblemente impacto en la configuración de cambiantes coaliciones. Esto no es nuevo para ningún país latinoamericano, pero es un condicionante aún más fuerte en el marco de la globalización económica y financiera. Y afecta por igual a gobiernos de cualquier orientación política, desde la Alianza Democrática chilena hasta el México presidido por Zedillo.[37]

Una vez más la formulación de cursos de acción a la luz de esas restricciones y cambios contextuales, no dependerá solamente de la competencia técnica, sino, y muy especialmente, de la *virtù* política.[38]

D. De partidos coalicionales a coaliciones de partidos

Los problemas de gestión que plantea la relación con los socios del FREPASO en la Alianza, hacen a la dinámica política de sostenimiento y consolidación de ésta una vez llegada al gobierno. Conviene abordar este punto comenzando por discutir una noción que estaría cobrando fuerza hoy día en medios periodísticos, políticos y académicos. Nos referimos a la de que, en virtud de la formación de la Alianza, la política argentina habría regresado a una pauta bipartidista. A nuestro entender esto está muy lejos de ser cierto en el presente o en un futuro previsible. Y de ello se derivan consecuencias de relieve en términos de políticas de gobierno.

En pocas palabras: de lo que se trata es de que, aun en el caso de que la Alianza se mantuviera (lo que es sumamente probable) y triunfara una fórmula compartida en las elecciones presidenciales de 1999 (elecciones que no están ganadas), lo que tendríamos de ningún modo sería un partido gobernante sino una coalición electoral con posibilidades (pero sin garantías) de constituirse en una coalición de gobierno, y su carácter coalicional se expresaría, con sus problemas específicos, en todo el escenario institucional. La relación entre el Poder Ejecutivo y el Poder Legislativo, por ejemplo, estaría decisivamente afectada por el carácter coalicional del nuevo gobierno: el respaldo parlamentario de éste consistiría, ya no en las típicas mayorías cohesionadas y relativamente disciplinadas que conoce nuestra historia política, sino en bloques y subloques cuyo peso relativo sería siempre insuficiente para formar, por sí solo, un respaldo sólido al Ejecutivo o una fuerza política con centro de gravedad en el Parlamento. Tendría lugar, por lo tanto, una suerte de "brasileñización" de las relaciones entre el Ejecutivo y el Legislativo, ya que el Presidente se vería forzosamente ante el imperativo de estructurar una coalición parlamentaria en lugar de darla por descontada y, más aún, la necesidad de esta tarea de formación coalicional tendería a presentarse incesantemente.[39]

Esta tendencia se reforzaría y alcanzaría mayor complejidad si, como es probable, la Alianza se abriera, de cara a 1999, hacia las fuerzas peronistas.[40] Está por verse la forma concreta en que puede cobrar fuerza una eventual incorporación de peronistas a la Alianza −desgranamiento de figuras individuales o desprendimientos de sectores internos o agrupamientos regionales− pero en cualquier alternativa es difícil que eso no tenga, a su vez, el reflejo de un tercer subbloque parlamentario. Desde luego también está por verse qué capacidad de disciplinamiento tendrán los líderes de la Alianza y de sus respectivos sectores *vis à vis* los subloques y los diferentes subgrupos dentro de éstos.

Esta nueva situación no es en sí misma ni buena ni mala, ni en términos de la consolidación democrática ni en lo que se refiere a la formación de coaliciones con capacidad de gobierno. Simplemente se trata de que los partidos del caso deberán adaptarse a las nuevas circunstancias, aprendiendo a desarrollar las estrategias de interacción adecuadas y sacando provecho de los incentivos institucionales creados por la Constitución de 1994.[41]

E. GOBERNABILIDAD Y BUEN GOBIERNO, ¿DE LA MANO?

Como ya ha sido expresado, el ascenso de la centroizquierda tanto como la constitución y el triunfo de la Alianza atienden en parte a una suerte de malestar genérico contra el poder. Responder efectivamente –como gobierno, no ya como oposición– a este malestar será esencial en términos de creación de condiciones de buen gobierno (*governance*): no tiene mucho de paradójico que el estado recupere capacidades si el gobierno es capaz de cerrar la brecha de legitimidad existente entre la sociedad y los poderes públicos.

Empero, no siempre los bienes políticos deseables son completamente consistentes entre sí, y éste es una vez más el caso. Porque se plantea un dilema entre la necesidad de dar una respuesta política a ese malestar (respuesta congruente con las orientaciones de la Alianza y el FREPASO), por un lado, y los requisitos de gobernabilidad, por otro. Para verlo traigamos aquí los problemas de mantenimiento de coaliciones gubernamentales así como aquellos que atañen a las tensiones en el interior del propio FREPASO. Si la "brasileñización" de la política y las tensiones al interior del FREPASO actuaran convergentemente para limitar de un modo severo las capacidades decisorias del Ejecutivo, este último no tendría fácilmente a su disposición los recursos políticos habitualmente empleados por los gobiernos afectados por estos problemas (esto es, la panoplia de instrumentos institucionales o parainstitucionales de índole "decisionista"); y no los tendría porque la alternativa de recurrir a ellos chocaría fuertemente contra las orientaciones y promesas vinculantes expresadas por el FREPASO y la Alianza. En otras palabras: que la necesidad de disciplina y estabilidad coalicional *pasarán a ser más importantes (que antes) justamente en el momento en que ya no podrán darse tan por descontadas (como antes)*.[42] Porque si el camino decisionista está cerrado, los liderazgos del FREPASO y la Alianza se ven más que nunca frente a la necesidad de prestar atención y esfuerzos políticos para asegurar que las fuerzas propias sean un sustento confiable de las capacidades decisorias del Ejecutivo.

Notas

1 El caso del gobierno de Menem en 1989 es paradigmático; véanse al respecto Palermo y Novaro (1996) y Gerchunoff y Torre (1996).

2 Para un análisis de las reorientaciones del Partido Laborista Británico en materia de política económica, que antecedieron a su llegada al gobierno, véase el fascinante debate entre Hay (1997) y Wickham-Jones (1997). Un buen examen de las controversias interpretativas en torno a los cambios de este partido liderados por Tony Blair, puede verse en Kenny y Smith (1997).

3 No estamos afirmando aquí que la experiencia chilena posterior, o la inglesa con Blair, constituyan ejemplos de gestión alternativa al neoliberalismo; eso debería ser objeto de discusión.

4 Para el enfoque de este complejo punto en el Partido Laborista Británico véase el debate ya citado de Hay (1997) y Wickham-Jones (1997).

5 Esto ciertamente es más fácil de enunciar que de hacer (volvemos sobre el asunto en el parágrafo 3 de este capítulo).

6 Este punto se beneficia de un intercambio de ideas sostenido con Blanca Heredia, Alberto Almeida y Ludolfo Paramio, en Madrid, en julio de 1997.

7 Las siguientes declaraciones de Cristovão Buarque (gobernador del Distrito Federal) son ilustrativas de los problemas del sector que quiere desplazarse hacia el centro: —¿Lula puede ganarle a Cardoso en 1998? —Puede ganarle, pero ese no debe ser el objetivo principal. El partido puede perder mil elecciones, pero no el rumbo de sus compromisos. Hoy, el PT precisa construir su unidad en función de un proyecto nuevo, que no es más el socialismo del pasado. Yo no pienso como algunos que, más que ganemos nosotros, prefieren que Cardoso sea derrotado. La diferencia es que si ganamos nosotros es porque tenemos una propuesta mejor que la suya, y si Cardoso pierde es el fin del Plan Real. Yo no quiero que el Real acabe ni que la estabilidad monetaria desaparezca.

—¿El PT propondrá cambios en la política económica de Brasil? —La economía es un medio para que se resuelvan problemas sociales. En lo que se refiere a la moneda, debería haber pocos cambios. Para mí, el discurso del PT en 1998, sin preocuparnos en ganar o no ganar las elecciones, debe colocar el valor ético en primer lugar y después definir el objetivo social. Después se debe analizar cuál será la economía. La estabilidad monetaria puede ser mantenida sirviendo a los banqueros o a los sin-tierra, sirviendo a los importadores o al mercado inteno.

—¿Entonces, para usted, no es viable una alianza del PT con sectores de centro-derecha? —El PT debe construir primero su unidad en torno de una propuesta común, con una idea-base que nos diferencie de los otros partidos. Después, deberá empeñarse en hacer alianzas. (*Gazeta Mercantil Latino-Americana*, semana del 8 al 14 de setiembre de 1997.)

8 Un indicador de ello es la forma en que el PT interpreta los resultados de contiendas electorales en que participan fuerzas afines en otros países del mundo. Por ejemplo, en octubre de 1997, sus líderes se regocijaron del triunfo de la Alianza en Argentina, pero la mayoría lo hizo sin advertir que el FREPASO consiguió organizar la coalición y el triunfo de ésta por haber sido primero consciente de que estaba actuando en el marco de una sociedad que había cambiado y de que debía cambiar con ella. Por el contrario, muchos dirigentes del PT interpretaron todo el proceso en los términos más simplistas: derrota del neoliberalismo de Menem en Argentina, que anticipa lo que acontecerá en Brasil con el neoliberalismo (*sic*) de Fernando Henrique Cardoso.

9 Sobre esta cuestión en Brasil puede verse Palermo (1998).

10 El ejemplo más reciente es la designación, como responsable de las orientaciones económicas de la nueva coalición electoral, de José Luis Machinea, un economista de extracción radical, cuyas credenciales en cuanto a su compromiso con la estabilidad, la solvencia fiscal y la economía de mercado son bien conocidas por el mundo de los negocios, pero también lo son sus disposiciones a ejecutar una rectificación que concrete un *mix* estado-mercado diferente al neoliberal. Según Machinea (1997), la alternativa que propone la Alianza "es un modelo de país distinto [...] y no solamente respecto a las instituciones republicanas [...] tampoco estamos de acuerdo con varios aspectos económicos; quizás la síntesis de nuestro desacuerdo sea nuestra diferencia respecto a que el mercado sea capaz de resolver todos los problemas. El mercado resuelve muchas cosas, pero no todas. No solamente las falencias son notorias en el campo social, sino también en lo que se relaciona con la sustentabilidad del crecimiento".

11 Las salidas del partido de Vitor Buaiz, gobernador del Estado de Espírito Santo (en agosto de 1997) y de Erundina, ex prefeita de São Paulo (setiembre de 1997) parecen, de momento, disparadas en mayor medida por sus problemas dentro del partido que motivadas por una búsqueda de mejores oportunidades políticas. Para un análisis de la experiencia política en que consistió la gestión del PT en la prefeitura de São Paulo, véase Couto, 1995).

12 El ajuste de noviembre de 1997 golpea sobre las clases medias, y puede crear mayor desempleo; sin embargo, no está claro que esto vaya a traducirse directamente en una mengua del respaldo electoral a la coalición gobernante, entre otras razones debido a lo poco atractivas que resultan las ofertas electorales que parece estar preparando el PT para las elecciones de 1998.

13 Una buena discusión teórica en esta clave, en Weyland (1997).

14 Un ejemplo interesante aquí es el de España. Como se sabe las reformas orientadas al mercado en España estuvieron acompañadas, a lo largo de la transformación presidida por el PSOE, por tres componentes políticos de apuntalamiento: las políticas sociales, un carísimo proceso de descentraliza-

ción con eje en la creación de las comunidades autónomas y la integración a la Comunidad Europea. Cuando la popularidad y el prestigio de la administración socialista comienza a declinar, el Partido Popular estaba, por cuestiones bien fundadas de reputación, muy mal parado en relación con aquellos aspectos: no era confiable en materia de políticas sociales, tampoco lo era en materia de nacionalidades, y una abstención muy oportunista en el referéndum para resolver la cuestión de la permanencia española en la OTAN había afectado incluso su "europeísmo". De modo que los "populares" aparecían como una oposición retrógrada, de vuelta al pasado. Fue cuando, por fin, el PP consiguió dar ciertas garantías (algunas bastante populistas) de no recorte de programas sociales, no retroceso en la descentralización y no "euroescepticismo", o sea de no vuelta atrás, que pudo verosímilmente (aunque de un modo bastante modesto) capturar las demandas por el fin de la corrupción y la mejora en los niveles de empleo que eran las pérdidas que justificaban un nuevo cambio hacia adelante.

15 Hacia fines de 1997, aun cuando la desocupación bajó más de lo esperado en la última medición anual, sobre todo en el Gran Buenos Aires, el clima antioficialista se ha profundizado (véase la encuesta de MORI de diciembre, en la que la imagen pública de los líderes de la Alianza, incluyendo la de Alfonsín, supera a la de Duhalde, y las opiniones sobre la Alianza son muy favorables).

16 Por tanto, la perspectiva de que algunas de las dimensiones del viejo capitalismo político se hagan presentes en el nuevo modelo de organización capitalista. Véase, para el caso mexicano, una discusión análoga en Heredia (1995).

17 Un ejemplo es el de las políticas industriales: son el típico caso de biblioteca dividida en dos, mitad a favor y mitad en contra; lo interesante para nosotros es que, a su vez, los que están a favor se subdividen entre los que piensan que son convenientes siempre y los que creen que su conveniencia es función directa del nivel de capacidades estatales, burocráticas y administrativas, de que se dispone (véase por ejemplo Naim, 1994). En otras palabras: son las capacidades institucionales las que determinan el rango de opciones efectivamente posibles. En términos generales, el desenvolvimiento de un sector privado fuerte, competitivo y no rentista, requiere muchas y muy diversas instituciones de elevada eficiencia, en un rango muy amplio de funciones, desde protección ambiental y del consumidor hasta supervisión *antidumping;* en Argentina, por el momento, las lagunas institucionales en la materia son más bien oceánicas; complementariamente, habida cuenta del vertiginoso proceso de privatizaciones desatado desde 1989, la demanda por efectivas agencias regulatorias parece haber crecido mucho más rápido que la capacidad de proporcionarlas y de evitar su "captura".

18 El caso de la política de salud en Brasil es un dramático ejemplo reciente; el actual gobierno brasileño triplicó (de 7 mil millones a 20) el monto de recursos destinados a ella desde 1995; el propio gobierno admite, entre tanto, que el rendimiento de ese mayor gasto ha sido nulo. Para un análisis de experiencias idénticas en Venezuela, véase el texto de Naim ya citado.

19 Sobre la importancia del papel de las reglas y las instituciones y la confianza para regular las interacciones de mercado, véase el texto ya citado de Pa-

ramio (1997) y para una discusión más teórica sobre confianza, democracia y mercado, véase Levi (1996).

20   Con todo, existe el riesgo de que la fuerza de esta promesa vinculante sea amenguada debido a una competencia electoral en la que su nitidez centrada en las instituciones sea desplazada por la borrosidad del populismo y el *qualunquismo*. Si una recidiva de populismo económico es muy improbable, el *qualunquismo* no lo es tanto. Pero, a nuestro entender, las señales de identidad no *qualunquistas* del FREPASO son ya demasiado fuertes como para que ese camino constituya una apuesta políticamente rendidora siquiera en el corto plazo —discutimos esto con más detalle en las conclusiones.

21   Desde luego esta cuestión se inscribe en una más amplia: ¿cuál es el problema político de la relación entre los (líderes) innovadores y los "seguidores" (fuerzas propias o como se los llame), en los procesos de reforma política? Analíticamente, una diferencia interesante es la que se da entre liderazgos que "viran" en el seno de la fuerza política, y liderazgos que "viran" desde posiciones gubernamentales. La diferencia entre cambios para ganar elecciones y cambios para poder gobernar. Toda una línea de estudios y discusiones en materia de la relación gobierno-partido de gobierno tiene que ver con este tema.

22   Los problemas que actualmente enfrenta el PT en las gestiones gubernamentales a nivel estadual (Brasilia y Espíritu Santo) abonan estas suposiciones. Algunos dirigentes del PT son sensibles a las oportunidades creadas por la nueva situación y a las graves dificultades del partido para aprovecharla. Por ejemplo, el diputado federal José Genoíno, se expresa del siguiente modo: "La izquierda tiene la responsabilidad de hacer explícito un programa democrático y reformador viable para oponerse al *condominio amorfo*. Este programa debe ser suficientemente radical para dar cuenta del drama social del país. Y deber ser suficientemente amplio para garantizar la confianza de los agentes económicos, para garantizar la estabilidad con justicia y el crecimiento con distribución. Debe ser también la base de la unión de los partidos de izquierda en torno de una candidatura única y de la agregación de sectores de centro y centro-izquierda que no se siente bien en el frente conservador" ("FH e Maluf", *Jornal do Brasil*, 26-v-97). En un encuentro coordinado por la UNESCO, la "Cúpula Regional para o Desenvolvimento Político e os Principios Democráticos", el gobernador de Brasília, Cristóvam Buarque, invitó para la reunión de cierre al presidente Cardoso. Durante la misma, Cristóvam declaró: "Este encuentro es un grito claro de que no estamos contentos con lo que está lahí. Buscamos un pos-neoliberalismo, pero no queremos volver a lo que era antes, ni defendemos una economía planificada. Buscamos el futuro, la patria de todos los hombres" ("Cúpula política latina termina condenando o neoliberalismo"; *Jornal do Brasil*, 7-VII-1997).

23   Las siguientes declaraciones del diputado federal carioca Milton Temer —postulado en 1997 como presidente del partido encabezando el ala "izquierda" del mismo— son algo más que retórica: "El PT está condenado a permanecer unido…". Plinio de Arruda Sampaio, un aliado de temer en la disputa interna, explica por qué "Los dos lados de la disputa son fuertes y no tendrá lugar la masacre que anhelan nuestros adversarios […] El PT no puede continuar dividido entre derecha e izquierda. Eso ya fue. En el fondo, lo que está en juego son dos visiones distintas de cómo insertar Brasil en la globalización,

qué concesiones puede hacer o no el país. Esas visiones difieren de la que es defendida por Fernando Enrique, que es globalizar todo, rápido y a cualquier precio" (Jornal do Brasil, 22-VI-1997).

24   Todavía existe cierto déficit de recursos de identidad como problema para un gobierno de la Alianza; si bien directamente los problemas de la construcción de la identidad nada tienen que ver con los problemas de la construcción de gobernabilidad, indirectamente, en cambio, hay una relación crucial entre identidad y gobernabilidad para cualquier fuerza política. Esto es: ninguna fuerza política puede gobernar sin estar dotada de un capital político de identidad para poner en juego a la hora del gobierno. De allí que pueda decirse, esquemáticamente, que la identidad es condición necesaria de la gobernabilidad.

25   Una complicación agravante es que disminuyen los incentivos inmediatos de los líderes para resolver el problema, a pesar de que la resolución del mismo se comprenda como una necesidad. Esto sería así porque, una vez que el giro se fue haciendo, y que se está en la esfera de la perspectiva de gobernar, si por un lado hay que crear condiciones de disciplina, por otro lado cuando es mayor la proximidad al poder empieza a dominar otras prioridades y entonces se dedica menor esfuerzo a la creación de esas condiciones, de modo que pueden persistir el acompañamiento sin consenso y la oposición velada.

26   Promulgadas durante el gobierno de Alfonsín con el propósito de limitar el alcance de la justicia sobre los culpables de las gravísimas violaciones a los derechos humanos perpetradas durante la última dictadura militar.

27   Ante la prensa, uno de los diputados justificó su actitud diciendo que los legisladores del Frente "no tenían, ni necesitaban tener, papá y mamá". Sin poner en duda la mayoría de edad de los diputados, puede en cambio esperarse que comprendan que lo que ciertamente necesitan es un jefe. Posteriormente, los líderes del FREPASO y la UCR llegaron a un acuerdo para presentar un proyecto conjunto de derogación que excluía la nulidad. Dos de los legisladores que habían impulsado el proyecto inicial (Juan Pablo Cafiero y Alfredo Bravo) se negaron a subordinarse a este acuerdo y contribuyeron a que el PJ hiciera fracasar la sesión en que debía tratarse el tema.

28   En realidad es muy frecuente que esos giros se lleven a cabo como "golpes políticos", esto es, iniciativas personales que impone el liderazgo estableciendo una nueva divisoria de aguas en el interior de la organización. Por ejemplo, en el caso del PSOE en España, el momento crucial de su refundación simbólica fue el del Congreso de Suresnes (mayo de 1979), donde González exigió del partido que renunciara a la identificación como partido marxista y aceptara la monarquía constitucional; un grueso número de congresistas no estaba dispuesto a acompañarlo en ese movimiento y lo hizo a duras penas y sólo cuando González amenazó con renunciar. La diferencia entre golpes como éste y los giros estilo *fait accompli* de Álvarez y Fernandez Meijide, es que en tanto los primeros tienen lugar en el seno de una organización fuerte preexistente, y por tanto los cambios se reflejan necesariamente en una nueva correlación de fuerzas interna que tiene expresiones formales en los diferentes niveles orgánicos, en el caso del FREPASO esto no ocurre y dentro de las filas propias persiste con frecuencia la indefinición.

29 De hecho, si se toma en cuenta la forma y el momento en que fue planteada la iniciativa del caso, da la impresión de que para algunos de sus promotores la cuestión de fondo, en sí misma muy respetable (esto es, la pertinencia o no de una política enderezada a revisar la clausura de la capacidad punitiva del estado a los militares de la dictadura), es puramente instrumental: un medio para ensanchar su autonomía de acción *vis à vis* los líderes nacionales de la fuerza. Con el mismo propósito podrían haber utilizado, de prestarse apropiadamente, la privatización de los tranvías o el traslado de la Capital Federal.

30 Entre otros acontecimientos recientes que ilustran cómo a medida que se institucionaliza el Frente, pueden surgir mayores dolores de cabeza para los líderes, está la crítica formulada en agosto de 1997 por el Congreso del FG de la Capital al excesivo celo puesto en "congraciarse con los empresarios" y la "falta de entusiasmo" en el apoyo al paro (*Clarín*, 25-VIII-97). Junto a ella se hacían recomendaciones para captar el voto justicialista en la provincia de Buenos Aires. Para cerrar el tema, esta perlita, en el límite de la informalización política: María América González, diputada por el FREPASO de la Capital Federal, reclutada en virtud de su fama televisiva (noticiario en que presentaba el "Rinconcito de los jubilados") y electa en 1997, interrogada sobre su relación con la fuerza política que la postula, declara: "voy a dar mi opinión y no voy a consultar previamente, hay algo que no admito y es la disciplina partidaria" (*Página 12*, 8-VI-1997).

31 Desde luego, la credibilidad depende en parte de la reputación; la literatura que se ocupa de los problemas de falta de credibilidad y las alternativas disponibles para ganarla, reconoce la importancia de la reputación pero no otorga muchas chances, en términos de credibilidad, a la alternativa de construir una reputación; por la sencilla razón de que es un proceso que lleva mucho tiempo. Cuando los gobiernos no tienen tiempo para construir una reputación, cuentan con la opción de "comprarla", designando para ello en cargos con poder de decisión a figuras que, a los ojos de los agentes económicos, sí la tienen; es lo que hizo el gobierno de Menem (Palermo y Novaro, 1996; para una discusión general sobre las motivaciones políticas de la designación de economistas en los gobiernos, véase Markoff y Montecinos, 1994). En contraste, puede decirse que, debido al giro que el FREPASO debió dar de modo lento y gradual desde la oposición, dispuso de ese bien escaso que es el tiempo y ha estado construyendo una reputación —y continúa haciéndolo. Lo importante es que una fuerza política que llega al gobierno con una reputación, no necesita hacer el gasto de "comprarla" y disfruta de algunos grados de libertad mayores que los que provendrían de esa alternativa.

32 En la apertura del Congreso constitutivo del Frente Grande en la ciudad de Buenos Aires (*Aportes y Controversias*, núm. 3, 1997).

33 Entre las diferencias que habían llevado a los "ocho" a alejarse del peronismo, ocupaba un lugar central la alianza que se había establecido entre el gobierno de Menem y los grandes empresarios. Ella era motivo de fuertes críticas por los disidentes debido tanto a que implicaba, según ellos, abandonar el contrato que el peronismo había establecido desde sus orígenes con los sectores populares, como por la crisis de la política y de la representación que resultaba de esta presencia directa y privilegiada de los intereses concentrados de la economía en la toma de decisiones públicas. Recordemos que Chacho Álvarez se

había referido tempranamente a "una enfermedad que el peronismo comenzaba a evidenciar ya en la época en que la renovación era hegemónica", consistente en "la renuncia a discutir el poder con los sectores y grupos económicos que lo vienen usufructuando desde 1976..." (*Página 12,* 25-I-1990). Ella no era exclusiva del peronismo, sino que había contaminado todos los partidos y los políticos tradicionales, y era la raíz de la crisis de credibilidad de esa clase política y de la generalizada corrupción en la misma: la prioridad de la alternativa popular era, por ello, "luchar por la descolonización de la acción política de los poderes económicos, en tanto a nadie se le escapa que en la Argentina el principal partido político hoy es el de los grupos económicos más concentrados que dominan la conciencia, el bolsillo y la voluntad política de una variada gama de dirigentes y funcionarios" (*Página 12,* 6-IX-1990).

34 Aun cuando los líderes frentistas comenzaran a tener fluidas relaciones con los grandes empresarios y los consultores financieros e inversionistas extranjeros, no dejarán de destacar esta necesidad de recuperar la autonomía de la política y establecer una relación más mediada, institucional y universal, con los intereses económicos. Álvarez manifestó claramente y en reiteradas ocasiones la voluntad de preservar una relación diferente a la típicamente menemista entre política e intereses: en pleno giro, sostuvo que "aunque no tengamos una relación orgánica con determinados sectores empresarios eso no tiene que ver con un prejuicio, sino con una decisión política", "hay que diluir la desconfianza del *stablishment,* pero no porque hay que concederle al *stablishment* todo lo que quiere, como hizo Menem; hay que discutir a partir de lo que uno cree que es mejor" (revista *Noticias,* 17-IV-94). Como se ha observado en relación con los países capitalistas avanzados, "the ruling class does not rule" (la clase dominante no gobierna).

35 Los siguientes comentarios, a título de ejemplo, son representativos de un modo de pensar que no es raro hoy entre los formadores de opinión del mundo de los negocios: "En Argentina se acabó la etapa de las reformas estructurales. Es gracioso que algunos sigan hablando de las tres privatizaciones pendientes (Yacyretá, correo, aeropuertos) como si fueran el todo o nada [...] Hoy esa extorsión ya no es posible [...] lo que ahora exige la gente es una nueva agenda [...] que sin poner en peligro la estabilidad se le resuelvan los problemas cotidianos: seguridad, justicia, educación [...] El equipo económico que venga tendrá que replantearse los incentivos a la inversión y las exportaciones [...] también la reforma del sector público, que no consiste en privatizar sino en hacer que funcione... la evasión está creciendo fuertemente [...] y como se gobierna mal y no se controla el riesgo de evadir es bajo [...] el problema tendrá que estar en la agenda de la equidad en los próximos años [...] es fundamental para que el estado recupere capacidad de asignar gasto social [...] los mercados no comen vidrio [...] algunos dicen que sin más flexibilidad laboral no se va a crear empleo, y no es cierto [...] estamos hablando de negocios, como en el caso de la privatización del Banco Provincia, disfrazados de reformas estructurales..." (*Página 12,* 12-V-1997).

36 Salta a la vista que una de las áreas que será crucial sujetar a este tipo de enfoques (políticas de estado) es la propia política económica en lo que hace a algunos de sus aspectos centrales, esto es, lo relacionado con la convertibilidad y el equilibrio macroeconómico. Cuestión que reúne, a su vez, la política eco-

nómica con las políticas exterior y de integración. En lo que atañe a este tema, para la Alianza sería funesto que sucedieran dos cosas: un estallido previo pero suficientemente próximo al eventual cambio de gobierno como para que la desarticulación macroeconómica condicione negativamente la nueva gestión, o que el actual gobierno deje montada una "bomba de tiempo" a estallar en manos de su sucesor. Es posible que, como resultado de los efectos de la crisis financiera que está azotando las economías asiáticas, Brasil se vea obligado en 1998 a alterar su política de *minidesvalorizaciones*, y ello a su vez redefina sustancialmente el escenario político económico del actual gobierno argentino, obligándolo a procesar el problema. Pero, a menos que ello ocurra, los peligros de una desarticulación macroeconómica que se solape con la transición política, o que defina el marco de la gestión gubernamental de la Alianza, son muy altos. Atenuarlos supone un decidido esfuerzo de "concertación" orientado a fijar cursos de acción que sean puestos por encima de los cambios de personal político (Menem tendría un incentivo para aceptar esta alternativa: retirarse intacto para controlar el partido y ser candidato en el 2003). Esa política de acuerdos trasciende el marco nacional, y su formulación podría acelerar los pasos hacia etapas de integración que hoy por hoy se consideran lejanas: la conversión del Mercosur en una unión económica (sobre la hipótesis de medio plazo de establecer una moneda común como salida del problema de la convertibilidad para Argentina, véanse las conclusiones del encuentro de economistas de Argentina, Brasil y México, promovido por la OIT, en enero de 1998).

37 Una de las vías por las cuales los frentistas cultivaron sus nuevas relaciones con los empresarios y el mundo de los negocios fueron los viajes internacionales, a los que se abocó especialmente Graciela Fernández Meijide a partir de 1995. Visitó varias veces Estados Unidos, en donde intercaló reuniones con funcionarios y con inversionistas y consultoras financieras. Lo mismo hizo en Londres y París a principios y mediados de 1997, donde se entrevistó con algunos de los adjudicatarios de las privatizaciones, exponiendo en todos estos encuentros los lineamientos de la propuesta de la coalición: no se reverían las privatizaciones pero se investigarían posibles ilícitos y se apuntaría a reconstruir el estado, "garante de una política activa en defensa de la producción nacional y de los sectores sociales postergados" (*Clarín*, 5-VI-97); entre las prioridades se destacaba tanto la seguridad jurídica ("ustedes pueden querer invertir pensando en muchos años, y no se les puede estar cambiando las reglas de juego") como incluir a los excluidos ("la democracia no puede tolerar más pobreza, hay que volver más eficiente el gasto social y procurar recuperar a quienes se cayeron del mapa del trabajo y del derecho a la salud y la educación"), para rematar a continuación que "no seremos nosotros quienes debilitemos la estabilidad" (*Página 12*, 14-III-97).

38 En el tercer capítulo ya nos referimos a los gestos que hizo la Alianza hacia los empresarios, principalmente en el terreno del respaldo a varios de los principios vigentes desde 1991, y en la moderación de la propuesta sobre impuestos. Esto fue útil porque contribuyó a suscitar una manifestación de "neutralidad" de los empresarios entre la Alianza y el gobierno ante las elecciones de octubre de 1997 (pero fue verosímil para los empresarios porque no se trataba de un giro consumado de un día para otro). Sin embargo, la supresión de las reformas tributarias de la agenda de la Alianza, ¿puede ser entendida como

una nueva (e innecesaria) sobreactuación, en tanto elude *todo* conflicto de intereses con los agentes económicos, o como un ejercicio de prudencia, al descartar líneas de avance que lleven inexorablemente a un enfrentamiento en *bloque* con los empresarios?

39 Además de plantear en sí específicos problemas de gobierno, la cuestión ensancha los peligros de vulnerabilidad externa con origen en problemas de credibilidad, ya que es patente que los inversores financieros tienen a éste por uno de sus indicadores; el documento que preparó el Departamento de Estado norteamericano, destinado a empresarios acompañantes de Clinton en su visita a Brasil de octubre de 1997, argumentaba que: "el PT, de centroizquierda, es, de todos los partidos de la oposición, el mayor y el más coherente ideológicamente [...] *la base de sustentación del gobierno en el Congreso no es sólida* y las reformas constitucionales necesarias para el Plan Real sufren significativas demoras en el Congreso" (más allá de que el comportamiento de la coalición de gobierno se está mostrando, en ocasión de la crisis de noviembre de 1997, superior al previsto en este comentario).

40 Esta alternativa ha sido claramente sugerida por Chacho Álvarez muy poco después de las elecciones de octubre de 1997, con la imagen de la incorporación de una "pata peronista" a la Alianza. Figuras representativas, tanto radicales como frepasistas, se han pronunciado en el mismo sentido antes o después de las elecciones: "La Alianza necesita seguir construyendo ejes políticos *transversales* y debe ser amplia y generosa para incluir, en su seno, identidades peronistas", en opinión de la diputada nacional de la UCR Elisa Carrió (1997); en opinión de Castiglioni (1997) la convocatoria de la Alianza debería convertirla en "un puente de encuentro con aquellos dirigentes peronistas insatisfechos con el justicialismo".

41 La nueva Constitución ofrece ciertamente más incentivos que la Constitución histórica para la construcción de una coalición en arenas institucionales. Es el caso, por ejemplo, de la figura de Ministro Coordinador, que permite pensar en diferentes formas de articulación entre los bloques parlamentarios de los partidos que se coaligan, y el Poder Ejecutivo.

42 Si así no fuera, se daría una situación particular de un Ejecutivo débil tanto institucional como políticamente (para usar los términos planteados por Mustapic, 1997).

5. Conclusiones[1]

Qualunquismo y republicanismo

A primera vista, podría pensarse que la expansión del frente de centroizquierda se produce simplemente a raíz de un contexto social de rechazo al poder en clave de inculpación a las elites partidarias y los gobernantes por la corrupción y otras formas conspicuas de uso discrecional y patrimonialista de lo público.

Ahora bien, comúnmente estos contextos en los que el desprestigio de la "clase política" realimenta formas ya presentes de desafección y apatía, resultan propicios a la producción de una forma específica de politización, en la que el sentido de la acción y la interpelación se estructuran en torno a un conjunto de representaciones "antipolíticas", como el rechazo a los partidos (la "partidocracia"), a la actividad parlamentaria (la "clase de los discutidores"), y a la política en tanto mediación, negociación, argumentación. Trátase de una operación, esencialmente política, de denuncia y descalificación de lo político "con el fin de mostrarse uno mismo por encima de él en su calidad de apolítico, en el sentido de puramente objetivo, puramente moral, puramente jurídico, o en virtud de cualquier otra de estas purezas polémicas" (como expresa Schmitt, 1987). En esa operación, a todo lo que es descalificado en tanto político, se oponen el orden y la ley como si fueran, en efecto, puramente objetivos y morales, apolíticos. Es obvio que esta orientación política de cuño reaccionario carece de afinidad con el pluralismo democrático y republicano. En la medida en que ella exprese un estado extendido de la opinión pública y le dé fuerza en un plano propiamente político, puede convivir con un régimen democrático, pero mal.

De estas formas de posicionamiento frente al poder, y sus correlatos de expresión política, encontramos antecedentes históricos en diversas partes del mundo así como ejemplos actuales latinoamericanos. Entre las referencias históricas más emblemáticas se encuentra, desde luego, el *qualunquismo*, flor de fango conocida en numerosos países occidentales. El sustrato común de las distintas expresiones *qualunquistas*, es la afirmación retrógrada de la ley y el orden, el trabajo, la familia y la propiedad, por oposición a la política, los partidos y el disenso (Pasquino, 1986). Ellas tienen epicentro, por lo general, en clases medias bajas, que por diferentes razones pueden sentir amenazado su estatus. Han dado pie a formas políticas que expresan el rechazo a la corrupción pública, su asociación con la inmoralidad privada y el parlamentarismo, discursivamente organizadas en torno a la exaltación *dell'uomo qualunque* (el hombre común) en Italia, el rechazo al "vampirismo" (impositivo) del estado en Francia, y la interpretación de la voluntad de las "mayorías silenciosas" en los Estados Unidos.[2]

Por cierto, a la tradición *qualunquista* no es ajeno el movimiento *Forza Italia* que, atinadamente, Castiglioni y Abal Medina (1997) escogen para elaborar un agudo contrapunto comparativo con el Frente Grande y el FREPASO argentinos. En efecto, desde su rápido surgimiento, "el discurso de Forza Italia apeló esencialmente al humor social antipolítico surgido del clivaje ético y antipartidario que contraponía ciudadanos contra 'partidocracia', entendida ésta, en el sentido común, como un sistema de excesos, degeneraciones y corrupción que involucraba a los principales partidos". Decimos que la elección es acertada porque, como expresan Castiglioni y Abal Medina, Forza Italia y el FG/FREPASO tienen en común interpelar el "cansancio moral": "no obstante las marcadas diferencias institucionales y de tradiciones partidarias, así como las coyunturas distintas, surgían de un clivaje moral, que contraponía el hastío de la 'gente común' contra el 'palacio', dos formaciones políticas nuevas con amplio consenso ciudadano".

Ahora bien, Castiglioni y Abal Medina dan por sentado que la italiana es una fuerza de ideología situada en la derecha del espectro político y la argentina una que se ubica en el espacio de centroizquierda de éste; sin embargo, lo que a nuestro entender pasan completamente de largo[3] es precisamente la diferencia más marcada entre ambas fuerzas, y que radica en sus claves esencialmente diferentes de politización, en las que los elementos discursivos y/o ideológicos comunes aparecen articulados en síntesis opuestas: la oposición (que el *continuum* derecha-izquierda, no consigue capturar) que se hace patente entre una nueva versión del *qualunquismo* y una orientación republicana. En efecto, la llamativa peculiaridad del FREPASO como fuerza nacida en un contexto de desafección política y desprestigio de los partidos, es que la politización del rechazo a la corrupción y al abuso del poder no se constituye en la clave antipolítica y antipluralista propia del *qualunquismo* y, por cierto, propia también de la mayoría de las experiencias "neopopulistas" latinoamericanas (Fujimori, Collor, etc.). El "cansancio moral de la gente común contra el palacio" que expresa el FREPASO, no se encarna en una propuesta (política) tendiente a la clausura de la política, en lo que ella tiene de arena para la competencia, la deliberación, el disenso y las transacciones en que se crean y recrean las reglas y las instituciones que corporizan la "ley" y el "orden".

Liderazgo y oportunidad

Que esta forma de politización republicana, y no una variante *qualunquista,* haya tenido lugar como expresión de aquel "cansancio moral", se explica por las razones que fueron discutidas en los diferentes capítulos de este libro. En verdad, quien explotó a lo largo de su presidencia algunas de las interpelaciones *qualunquistas* y antipolíticas fue el propio Menem. Enfrentando a Menem, aun queriéndolo hubiera sido poco viable arrogarse el papel de *outsiders* enemigos de la partidocracia. Era mucho más fácil para los líderes frentistas hacer lo contrario: proclamar la "recuperación de la política" para que ella "sea un instrumento de transformación social, de transparencia republicana y reconstrucción democrática", enfrentando al discurso neoliberal de descalificación de lo político y la intervención pública, la corrupción, el aprovechamiento personal del poder y los recursos públicos, identificándolos como las causas de la "desilusión colectiva, la desconfianza hacia los poderes del estado y también el cinismo hacia la política" (Fernández Meijide y Álvarez, 1996: 10 y 15).

Al mismo tiempo, la capacidad del gobierno peronista de retener y acrecentar su respaldo electoral popular, influyó decisivamente en el abandono del proyecto inicial de "peronismo verdadero" y la adopción de un discurso republicano dirigido ya no a un público genéricamente "populista", sino a clases medias preocupadas por las instituciones de la república. Con todo, para que la nueva fuerza política optara por la profundización de un perfil republicano y por articular el rechazo al poder a ese perfil en lugar de hacerlo a uno *qualunquista*, no fue suficiente la presencia de un caudillo populista exitoso, frente al cual la oposición debió constituir sus señas de identidad. Tampoco lo fue la existencia de una fuerte corriente de opinión pública con una matriz ideológica progresista y raíces en la transición democrática, involucrada en prácticas de defensa de derechos, denuncias ante los tribunales y los medios de comunicación. Ni siquiera bastó el papel relevante que, en la circulación y reproducción de las demandas y principios de representación de dicha corriente, desempeñaron los propios medios. Todas ellas fueron condiciones necesarias para que el Frente adoptara la orientación republicana que describimos. Pero las coyunturas políticas presentan siempre un elevado grado de contingencia y de éstas sólo *ex post,* y engañosamente, puede decirse que la combinación de sus materiales podía arrojar un resultado y solamente uno. En el caso que nos ocupa, fue finalmente la capacidad de innovación puesta en juego por los líderes la que decidió la orientación republicana y el abandono de las tentaciones antipolíticas.

Retomando aquí lo dicho en la introducción, los dirigentes del FREPASO se destacan, si los contrastamos con gran parte de sus pares latinoamericanos contemporáneos, por su índole fuertemente representativa (en el sentido, recordemos, de que son mucho más representantes de un movimiento de la sociedad, y mucho menos constituyentes del sentido en virtud del cual ese movimiento se corporiza como sujeto político). Pero este rasgo en modo alguno quita relieve a la capacidad innovativa de esos liderazgos: habida cuenta de que los ingredientes necesarios para la preparación del indigesto plato *qualunquista* estaban presentes, aunque dispersos, en la escena social y política argentina —esto es, frustración ciudadana ante el poder, desprestigio de los partidos, percepción e impotencia ante la corrupción pública, estética frívola y triunfalista del menemismo en connivencia con "ricos y famosos", aplicación discriminatoria de la ley, etc.– uno de los grandes méritos de la productividad política de los líderes del FREPASO es haber conseguido apropiarse selectivamente de algunas de esas interpelaciones obturando así el camino a la eventual configuración de una síntesis *qualunquista*. Éste no es de ningún modo un resultado que podía darse por descontado en la primera mitad de los noventa.[4]

Al menos hasta el presente, entonces, el FREPASO se distancia bastante de las tradiciones políticas argentinas, en especial del populismo; la síntesis con que conforma sus señas de identidad no es "más de lo mismo con otros personajes". Esto no lo libra definitivamente, sin embargo, de los peligros de una eventual "cualunquización" de su perfil. Tratándose de una identidad aún en formación, los elementos progresistas y republicanos que se ensamblan en su estrategia podrían volver a desagregarse y recomponerse con otros que, por el momento, le son ajenos, perdiendo aquéllos la preponderancia que tienen en la actualidad. En una fuerza política de escasa consistencia organizativa, que al mismo tiempo tendrá que competir duramente para ganar elecciones, un potencial deslizamiento del discurso de centroizquierda a la hora de pelear voto a voto en los sectores populares, no puede descartarse. Evitarlo sin resignarse a la derrota es un nuevo desafío para los líderes del FRE-PASO.

Incluso cabe advertir que un ingrediente *qualunquista* podría aflorar con alguna fuerza a medida que el FREPASO ya no compite solamente por votos de las clases medias instruidas, sino también por el electorado de clases medias-bajas (portador con frecuencia de una difusa ideología "autoritaria populista"), que hasta hace poco adhería fervientemente al menemismo. El voto Fernández Meijide-Rico en la ciudad bonaerense de San Miguel, sugiere la existencia de una 'oportunidad política' (así como un peligro) de este tipo. La base de apoyo a Fernández Meijide en la provincia de Buenos Aires, que López (1997), a partir de los datos que aportan las elecciones de octubre de 1997, atribuye centralmente a los nuevos pobres, podría dar ocasión a que se configure una típica situación *qualunquista*.[5] Pero ello no es forzoso. En contra juega no solamente el talento político de los dirigentes del FREPASO, sino la fuerza vinculante de la promesa que los hace representativos de las corrientes sociales progresistas y republicanas. Lo que nos lleva a examinar nuevamente las señas de identidad y las prácticas que encarnan esa promesa.

Vieja y nueva política

El discurso y las prácticas del FREPASO pueden inscribirse (y de hecho sus principales dirigentes son explícitos al respecto) en la noción de nueva política.[6] Para el Frente la idea de la recuperación de la política se erige sobre la base de una oposición entre una política tradicional, en crisis, y una nueva política que se caracterizaría por la mayor transparencia en la mediación entre líderes y votantes, una menor densidad y opacidad organizativas (y, en contrapartida, una mayor personalización de la responsabilidad), la presencia menos dominante de los componentes ideológicos y un mayor pragmatismo, un menor peso de las dimensiones identitarias y uno mayor de las representativas, vínculos de confianza más fundados en la eficacia de la gestión y la acción del político y menos en la movilización.

De hecho, el desarrollo de estos elementos discursivos acompañó eficazmente la expansión de la centroizquierda ayudando a politizar y a hacer más institucionalmente responsable el discurso de sus dirigentes, porque la cuota de antirrepublicanismo y antipolítica que efectivamente posee el liderazgo de Menem fue bien explotada por la estrategia de sus líderes.[7] Pero lo que importa aquí es, más allá de reconocer esta utilidad coyuntural del discurso de la nueva política, el neto predominio en él —en lo que se refiere a la forma específica en que lo ha procesado el Frente— de los componentes republicanos en oposición a los de la antipolítica, y de prácticas e intervenciones públicas congruentes con éstos. No sólo el éxito de esas intervenciones, sino también el fracaso de aquellas reñidas con el republicanismo y con los compromisos institucionales (como fue el caso del "escarapelazo" contra el Tratado de los Hielos Continentales, véase el segundo capítulo), fortalecieron este predominio.

Uno de los rasgos más propios de la política *qualunquista* y del antipoliticismo neopopulista en muchas partes ha sido y es la devaluación de la palabra política. La deliberación, los argumentos, la fundamentación y el reconocimiento de constricciones comunes a todos los adversarios están completamente ausentes en un líder antipolítico o *qualunquista*, porque no hay cosa que discutir. El problema es siempre, para estos líderes, refrendar hechos consumados, y en el caso de movimientos de protesta, enfrentar un mundo institucional y político que está podrido y que nos enreda con sus discursos y su palabrerío. En fuerte contraste con estas actitudes, el Frente ha cultivado la palabra política y la argumentación, de un modo que no cabe asimilar al habitual estilo de manipulación mediática.[8]

En conjunción con ello, el Frente ha destinado una atención prioritaria a los temas institucionales y, con todos sus déficit, intentó cumplir roles en ese terreno lo mejor posible. Un ejemplo importante —porque da cuenta de un momento "divisorio de aguas" (comunes en política), en que el resultado que arrojó la solución de un conflicto definió orientaciones de largo plazo de esta fuerza— es el de la Convención Constituyente de 1994, donde predominó la posición favorable a tomar parte de las deliberaciones sobre los temas habilitados.[9] Otro ejemplo lo proporciona la decisión, aún más dilemática, de que Graciela Fernández Meijide disputara las elecciones legislativas en la provincia de Buenos Aires. Dilemática porque, si por un lado buscaba la canalización de un voto de protesta ante el poder menemista, por otro suponía una suerte de violación del compromiso institucional contraído por Fernández Meijide ante el electorado porteño como senadora. Aunque se optó por presentar batalla, la decisión no fue sencilla, y afectó agudamente a los dirigentes frentistas, que tuvieron conciencia del costo institucional que ella conllevaba (de hecho, la percepción pública pareció menos afectada por el problema institucional planteado que la propia dirección del Frente).[10]

En síntesis: por encima incluso de la distinción entre vieja y nueva políticas, es una profunda reivindicación de lo político *tout court* lo que se hace presente en el discurso, las prácticas y la estrategia frentistas. De este modo lo expresaba Carlos Auyero (discurso de diciembre de 1995): "si debiera resumir las señas de identidad del nuevo progresismo democrático y popular en la Argentina, diría que son las de la reivindicación de la política y de la primacía de lo político".

Para concluir deseamos destacar que, junto al sentido republicano ya referido, la recuperación de la política planteada por el Frente conlleva un sentido progresista o, más propiamente, de izquierda, consistente en la contraposición entre política y poder económico, o dicho de otro modo, entre igualdad y desigualdad. Centroizquierda no es sino izquierda moderada. Esto puede parecer una obviedad, pero es conveniente aclararlo porque de otro modo podría creerse que se trata de un fenómeno "neutral" en relación con las oposiciones tradicionales de valores. Como esto no es así, a la centroizquierda le caben, en el terreno de la identidad y los valores, los mismos atributos y problemas de la izquierda en general. Es decir, le es pertinente la pregunta ¿qué es la izquierda? Y también ¿qué de izquierda hay en ella? La defensa y promoción de la igualdad es, sin lugar a dudas, la clave para dar una respuesta (al respecto, véase Bobbio, 1994; Bosetti, 1996). Este ánimo igualitario, por ello, está siempre presente en la reivindicación de la política que hace el frente: "sabemos que la política ha perdido autonomía en el mundo, en América latina y en Argentina; que los procesos de globalización achican los márgenes de transformación de la política; y que esa idea de los años 1960 y 1970, de la voluntad política llevándose todas las determinantes económicas por delante —que tampoco entonces funcionó—, hoy puede funcionar aún menos porque los márgenes son todavía más estrechos. Por eso nosotros tenemos que agrandar los márgenes de la política. Sabemos también que una política subordinada a los factores de poder termina aniquilando a la política, y determinando que la política sea solamente subsidiaria de los dueños del poder" (Carlos "Chacho" Álvarez, discurso de mayo de 1997).

Notas

1 Queremos aclarar al lector tentado de cortar camino, que estas conclusiones no son una síntesis del libro.

2 La observación de estas experiencias sugiere, además, una gran fugacidad de las formas de expresión propiamente política del *qualunquismo*, aun cuando no sea el caso con los humores sociales que lo alimentan.

3 Aun cuando seguramente no se les escape, ya que constatan el ideario político neo-conservador de Forza Italia y el progresista del FREPASO.

4 No debe olvidarse el crecimiento electoral del MODIN en las elecciones

de 1991 y 1993, y su extendida presencia aún en las de 1994. Ese voto era muy expresivo, tal vez más coyunturalmente que el del propio Frente Grande, del rechazo "antipolítico" a los partidos y al Pacto de Olivos. Si la propuesta de síntesis republicana que impulsaron los líderes frentistas —y que, en efecto, encontró el poderoso estímulo dado por el conjunto de circunstancias ya analizadas— hubiera sido asumida con mayores ambigüedades y más débiles compromisos, y no hubiera dado resultados inmediatos, probablemente hubiera podido primar también en la centroizquierda una actitud de este tipo ante la reforma de la Constitución. En verdad, la "política de la antipolítica" era, en buena medida, parte del discurso de Solanas y otros dirigentes; y entre 1991 y 1993 el Frente recogió cierto voto antipartidista gracias a él. Hacia 1994 ese componente estaba plenamente reencauzado en un discurso de reforma y recuperación de las instituciones y la política.

5 Parece haber imágenes del pasado político argentino reciente —aunque anterior a la hiperinflación— que ya no tienen la poderosa significación que tenían. Las absurdas calificaciones de Menem a Fernández Meijide como "subversiva" probablemente hayan sido inocuas incluso en sectores muy alejados de la centroizquierda. Es probable que muchos votantes se hayan decidido valorando la imagen de autoridad y honestidad que trasuntó la candidata, la de una política en que se puede confiar. Esa representación de autoridad puede articularse al progresismo y al republicanismo, pero existe también el peligro de que se convierta en núcleo duro de una síntesis *qualunquista*.

6 Es asunto discutible que esta noción pertenezca tanto al campo de la política como al de la ciencia política (véase Pasquino, 1992). Aquí asumimos que forma parte del mundo de la política, sin entrar en el segundo aspecto. Como sea, la *nueva política* no es una panacea: no hay ninguna garantía de que vaya a ser mejor que la *vieja política*.

7 Más allá de que, por lo ya dicho en otros capítulos, albergue cierta ilusión insostenible, y fuente de confusiones, como es pensar que los partidos tradicionales se están descomponiendo y que hay que construir transversalmente a ellos, abrevando de las "mejores tradiciones nacionales y populares".

. 8 El uso de los medios de comunicación por parte, sobre todo, de Álvarez y Fernández Meijide, ha tenido ese sentido, y no el de la construcción de una imagen que anule la deliberación. El poder de las imágenes se construyó tanto para uno como para otro sobre la base de cientos de intervenciones discursivas, notablemente más "discursivas" que las de la mayoría de los personajes políticos de Argentina (de la Torre, 1997, discute agudamente, en este terreno, la contraposición entre poder de las imágenes y poder de las palabras).

9 Un grupo de convencionales, con Pino Solanas y Jaime de Nevares como sus cabezas más visibles —entendiendo que sus electores habían querido expresar una impugnación al pacto y a la Constitución cuyas líneas maestras iban a ser votadas en paquete cerrado— era favorable a retirarse al cabo de la primera votación (que obviamente se perdería), por el reglamento de la Convención. Álvarez se opuso a esta tesitura "expresiva" (que evocaba penosamente la adoptada en la Convención Constituyente de 1957 por quienes, con toda razón, querían condenar con su actitud la proscripción del peronismo), y consiguió convencer a los integrantes del bloque (con la excepción de Nevares y la

otra convencional por Neuquén, que renunciaron a sus bancas y se alejaron del Frente).

10 El ejemplo es interesante porque, entre otras cosas, hace patente que la nueva política no exime a los políticos de los crueles dilemas de la antigua. De los líderes del FREPASO podría decirse en la ocasión que, "aunque les acusan los hechos, les excusan los resultados [...] porque se debe reprender al que es violento para estropear, no al que lo es para componer". Maquiavelo (1987) escribió esto no en *El Príncipe,* sino en sus discursos republicanos sobre la primera década de Tito Livio.

Bibliografía

Abal Medina, Juan Manuel (1995), "La 'normalización' del sistema partidario argentino", en Ricardo Sidicaro y Jorge Mayer (comp.), *Política y sociedad en los años del menemismo*, Buenos Aires, UBA.

Aboy Carlés, Gerardo (1995), "Identidades políticas y sistema de partidos en Argentina", Buenos Aires, mimeo.

Adrogué, Gerardo (1993), "Los ex militares en política. Bases sociales y cambios en los patrones de representación política", en *Desarrollo Económico*, núm. 131, vol. 33, octubre-diciembre de 1993.

——— (1995), "El nuevo sistema partidario argentino", en Carlos Acuña (comp.), *La nueva matriz política argentina*, Buenos Aires, Nueva Visión.

Altamirano, Carlos (1992), "El peronismo verdadero", en *Punto de vista*, núm. 43, Buenos Aires.

Álvarez, Carlos (1995), "La continuidad de un proyecto", en *La Ciudad Futura*, núm. 43, Buenos Aires, Invierno.

——— (1996), "Pensar otro país", en *Bitácora*, núm. 2, Buenos Aires, enero 1996.

Aronson, Paulina (1997), "El aspecto 'discursivo' del proceso de transición a la democracia en la Argentina", mimeo.

Auyero, Carlos (1989), *Desde la incertidumbre. Un proyecto político pendiente*, Buenos Aires, Legasa.

——— (1996), "La clave es una buena institucionalización", en *La Ciudad Futura*, núm. 46, Buenos Aires, Primavera-Verano.

Auyero, Javier (1997), "*Performing* Evita", mimeo.

Barcia, Manuel (1997), "En la videopolis", en *Aportes y Controversias*, núm. 3, Buenos Aires, invierno 1997.

Bobbio, Norberto (1994), *Destra e sinistra. Ragioni e significati di una distinzione política*, Roma, Donzelli Editore.

Bordón, José Octavio (1995), "El espíritu de El Molino y los días que vendrán", en *La Ciudad Futura*, núm. 43, Buenos Aires, Invierno.

Bosetti, Giancarlo (1996), *Izquierda punto cero*, Barcelona, Paidós.

Caputo, Dante (1996), "Alianza electoral - bloque de poder", agosto de 1996, mimeo.

——— y Godio Julio (1996), *Frepaso: alternancia o alternativa*, Buenos Aires, Corregidor.

Carrió, Elisa (1997), "La Alianza es una construcción social, con expresión política, que mira al futuro", en *Escenarios Alternativos*, núm. 2, Buenos Aires, Primavera.

Castiglioni, Franco (1996), "Frepaso: apuntes para el debate", en *La Ciudad Futura*, núm. 45, Buenos Aires.

——— (1997), "Mantener la unidad en la diversidad y potenciar al mismo tiempo al conjunto requiere de confianza mutua", en *Escenarios Alternativos*, núm. 2, Buenos Aires, Primavera.

——— y Abal Medina, Juan Manuel (1997), "Nuevos partidos, mismos problemas", ponencia presentada al III Congreso de la Sociedad Argentina de Análisis Político (SAAP), Mar del Plata.

Catterberg, Edgardo (1988), "La transición y el sistema de partidos en la Argentina", en *Plural*, núm. 10/11, Buenos Aires, julio de 1988.

——— (1989), "La consolidación de la democracia en la Argentina y el sistema de partidos políticos 1983/1989", Buenos Aires, mimeo.

——— (1989b), *Los argentinos frente a la política. Cultura política y opinión pública en la transición argentina a la democracia*, Buenos Aires, Planeta.

Cavarozzi, Marcelo (1984), "Partidos políticos débiles, subculturas fuertes"; mimeo, Buenos Aires, Cedes.

Colombo, Ariel (1991), "Estatización de los partidos", Buenos Aires, mimeo.

Couto, Claudio Gonçalves (1995), *O desafio de ser governo: O PT na prefeitura de São Paulo (1989-1992)*, Rio de Janeiro, Paz e Terra.

Cheresky, Isidoro (1990), "Argentina. Un paso en la consolidación democrática: elecciones presidenciales con alternancia política", *Revista Mexicana de Sociología*, octubre-diciembre, año LII, núm. 4.

——— (1991), *Creencias políticas, partidos y elecciones*, Cuadernos del

Instituto de Investigaciones de la Facultad de Ciencias Sociales (UBA), Buenos Aires.

Cheresky, Isidoro (1995), "¿Hay todavía lugar para la voluntad política? Consenso economicista, liderazgo personalista y ciudadanía en Argentina", ponencia presentada al Seminario "Desarrollo institucional y crisis de la representación política", Instituto del Servicio Exterior de la Nación (ISEN), Buenos Aires.

Delamata, Gabriela (1996), "El regreso del ciudadano: orden y ciudadanía, un mapa para finales de los 90", Madrid, mimeo.

de la Torre, Carlos (1997), "The Mass Media and 'New' Political Leaderships", mimeo.

De Riz, Liliana (1993), "Los partidos políticos y el gobierno de la crisis en Argentina", en *Sociedad*, núm. 2.

Dornbusch, Rudiger y Edwards, Sebastian (1990), *The Macroeconomics of Populism in Latin America*, Chicago University Press, Chicago.

Ducatenzeiler, Graciela, y Oxborn, Philippe (1994), "Democracia, autoritarismo y el problema de la gobernabilidad en América Latina"; en *Desarrollo Económico*, núm. 133, vol. 34, abril-junio, Buenos Aires.

Etchemendy, Sebastián, y Palermo, Vicente (1998), "Conflicto y concertación. Gobierno, Congreso y organizaciones de interés en la reforma laboral del primer gobierno de Menem", *Desarrollo Económico*, vd. 38, núm. 148, enero-marzo, Buenos Aires.

Farinetti, Marina (1997), "Clientelismo y protesta: cuando los clientes se rebelan", Buenos Aires, mimeo.

Fernández Meijide, Graciela (1997), *Derecho a la esperanza*, Buenos Aires, Emecé.

Fernández Meijide, Graciela y Álvarez, Carlos (1996), *La Argentina tiene ejemplos*, Buenos Aires, Carlos Serrano Editor.

Gargarella, Roberto (1997), La nueva alianza opositora en la Argentina; en *Leviatán*, núm. 69, Madrid, Otoño.

Gerchunoff, Pablo y Torre, Juan Carlos (1996), "La política de liberalización económica en la administración de Menem", en *Desarrollo Económico*, núm. 143, vol. 36, octubre-diciembre, Buenos Aires.

Gervasoni, Carlos (1997), "El impacto de las Reformas Económicas en la Coalición Electoral Justicialista (1989-1995)"; trabajo presentado en el III Congreso Nacional de Ciencia Política, Mar del Plata, noviembre.

Gibson, Edward y Calvo, Ernesto (1997), "Electoral Coalitions and Market Reforms: Evidence from Argentina", mimeo.

González Bombal, Inés (1994), "Y la diferencia, ¿dónde está? ¿Hay un tercero en discordia?", Buenos Aires, mimeo.

Hall, Peter A. (1993), "Policy Paradigms, Social Learning, and the State. The Case of Economic Policymaking in Britain"; en *Comparative Politics*, abril.

Hay, Colin (1997), "Anticipating Accommodations, Accommodating Anticipations: The Appeasement of Capital in the "Modernization" of the British Labour Party, 1987-1992", en *Politics and Society*, vol. 25, núm. 2, junio.

Heredia, Blanca (1995): *Las dimensiones políticas de la reforma económica en México*, Santiago, Chile, CEPAL.

Jeambar, Denis, e Roucaute, Yves (1990), *Elogio de la traición. Sobre el arte de gobernar por medio de la negación*, Barcelona, Gedisa.

Jones, Mark (1997), "Evaluating Argentina's Presidential Democracy 1983-1995", en Scott Mainwaring and Matthew Soberg Shugart (comp.), *Presidentialism and Democracy in Latin America*, Cambridge, Cambridge University Press.

Kenny, Michael, y Smith, Martin J. (1997), "(Mis)understanding Blair", en *Political Quarterly*; vol. 68, núm. 3, julio-septiembre.

Levitsky, Steven (1996a), "Populism is Dead! Long Live th Populist Party! Labor-Based Party Adaptation and Survival in Argentina", trabajo presentado en el encuentro "Economic Reform and Civil Society in Latin America".

—— (1996b), "Institutionalization and Peronism: The Concept, the Case, and the Case for Unpacking the Concept", mimeo.

—— (1997), "Crisis, Party Adaptation, and Regime Stability in Argentina: The Case of Peronism, 1989-1995", trabajo presentado en Latin American Studies Association, Guadalajara, México, abril 1997.

López, Artemio (1997), "La derrota del padre. Pobres estructurales y nuevos pobres en las elecciones de Capital Federal y Provincia de Buenos Aires", Buenos Aires, Equis-IDEP.

Llanos, Mariana (1997), "El Poder Ejecutivo, el Congreso y la política de privatizaciones en Argentina (1989-1997)", trabajo presentado en el III Congreso Nacional de Ciencia Política, Mar del Plata, noviembre.

Machinea, José Luis (1997), "Se trata de encontrar una alternativa que tenga como eje ponerle un piso a la pobreza y un techo a la corrupción", en *Escenarios Alternativos*, núm. 2, Buenos Aires, Primavera.

Mainwaring, Scott y Scully, Timothy (1995), "Introduction: Party Systems in Latin America", en *Building Democratic Institutions*, Stanford University Press.

Maquiavelo, Nicolás (1987), *Discursos sobre la primera década de Tito Livio*, Madrid, Alianza Editorial.

Markoff, John, y Montecinos, Verónica (1994), "El irresistible ascenso de los economistas", en *Desarrollo Económico*, núm. 133, Buenos Aires, abril-junio.

Martuccelli, Danilo y Svampa, Maristella (1997), "El peronismo fue un sentimiento", Buenos Aires, mimeo.

McGuire, James W. (1995), "Political Parties and Democracy in Argentina", en *Building Democratic Institutions*, Stanford University Press.

Mocca, Edgardo (1995), "La nueva oposición", en *La Ciudad Futura*, núm. 43, Buenos Aires, Invierno.

—————— (1996a), "Reflexiones para el debate en el Frepaso", mimeo.

—————— (1996b), "Una fuerza para el gobierno de concertación", *La Ciudad Futura*, núm. 46, Buenos Aires, Primavera-Verano.

Murillo, Victoria (1994), "Union Responses to Economic Reform in Argentina: organizational autonomy and the marketization of corporatism", trabajo presentado al Annual Meeting of the American Political Science Association.

Mustapic, Ana María (1996), "El Partido Justicialista. Perspectiva histórica sobre el desarrollo del partido. La estructura del partido", Universidad Torcuato Di Tella, Buenos Aires, mimeo.

——— (1997), "Las relaciones Ejecutivo-Legislativo en Brasil y Argentina", trabajo presentado en el Seminario Brasil-Argentina, Rio de Janeiro, noviembre.

Naim, Moisés (1994), *Paper Tigers and Minotaurus: The Politics of Venezuela's Economic Reforms*, Washington, Carnegie Endowment Book.

Novaro, Marcos (1994a), *Pilotos de tormentas. Crisis de representación y personalización de la política en Argentina (1989-1993)*, Buenos Aires, Ediciones Letra Buena.

——— (1994b), "Menemismo y peronismo. Viejo y nuevo populismo", trabajo presentado a las Jornadas de Ciencia Política, Universidad de Buenos Aires.

——— (1997), "El liberalismo político y la cultura política popular", en *Nueva Sociedad*, Caracas.

——— y Palermo, Vicente (1997), "Luces y sombras de la democracia argentina", Buenos Aires, mimeo.

O'Donnell, Guillermo (1992), "¿Democracia delegativa?", en *Cuadernos del CLAEH*, núm. 61, Montevideo.

——— (1995), "Another Institutionalization", trabajo presentado a la conferencia Consolidating Third Wave Democracies: Trends and Challenges, Taipei, agosto de 1995.

Palermo, Vicente (1994), "El menemismo, ¿perdurará?" en Aníbal Iturrieta (comp.): *El pensamiento político argentino contemporáneo*, Buenos Aires, Grupo Editor Latinoamericano.

——— (1997), "Brasil. El gobierno de Cardoso", mimeo.

——— (1998), "Brasil. El gobierno de Cardoso", en *Leviatán*, núm. 70, Madrid, Invierno.

——— y Novaro, Marcos (1996), *Política y poder en el gobierno de Menem*, Buenos Aires, Editorial Norma.

Panebianco, Angelo (1990), *Modelos de partido. Organización y poder en los partidos políticos*, Madrid, Alianza.

Paramio, Ludolfo (1993), "Consolidación democrática, desafección política y neoliberalismo", en *Cuadernos del CLAEH*, núm. 68, Montevideo.

——— (1997), "La sociedad desconfiada (Incertidumbre social e ideología neoliberal del mercado puro)", en *Cuadernos de Marcha*, Montevideo, febrero de 1997.

Pasquino, Gianfranco (1982), "Qualunquismo"; en Bobbio, Norberto, Matteucci, Nicola, y Pasquino, Gianfranco, *Diccionario de política*, México, Siglo XXI.

——— (1992), *La nuova politica*, Laterza, Bari.

Portantiero, Juan Carlos (1994), "Las nuevas mayorías", en *La Ciudad Futura*, núm. 39, Buenos Aires, invierno.

Portas Tarela, Daniel (1997), "Acerca de las definiciones ideológicas", en *Aportes y Controversias*, núm. 3, Buenos Aires, invierno 1997.

Quiroga, Hugo y Iazzetta, Osvaldo (1997), *Hacia un nuevo consenso democrático. Conversaciones con la política*, Rosario, Homo Sapiens.

Raimundi, Carlos (1997), *Punto y aparte. Aportes a la nueva agenda política argentina*, Buenos Aires, Editora Tres.

Roberts, Kenneth (1995), "Neoliberalism and the Transformation of the Populism in Latin America: The Peruvian Case", en *World Politics*, vol. 48, núm. 1, octubre de 1995.

Rubinstein, Juan Carlos (1995), "Argentina: Insinuación de nueva alternativa", en *Leviatán,* núm. 60, Madrid.

Schmitt, Carl (1987), *El concepto de lo político,* Madrid, Alianza Universidad.

Schumpeter, Joseph A. (1984), *Capitalismo, Socialismo y Democracia,* Barcelona, Folio.

Smulovitz, Catalina (1995), "El Poder Judicial en la nueva democracia argentina. El trabajoso parto de un actor", en *Ágora. Cuaderno de Estudios Políticos,* núm. 2, Buenos Aires.

Stokes, Susan, Przeworski, Adam, y Buendia Laredo, Jorge (1997), "Opinión pública y reformas de mercado. Las limitaciones de la interpretación económica del voto", *Desarrollo Económico,* núm. 145, vol. 37, abril-junio, Buenos Aires.

Storani, Federico (1995), "Un camino y una fuerza de alternativa", en *La Ciudad Futura,* núm. 43, Buenos Aires, Invierno.

Tocqueville, Alexis de (1969), *La democracia en América,* Madrid, Alianza.

Torre, Juan Carlos (1995), "El peronismo como solución y como problema", Buenos Aires, mimeo.

Tula, Jorge (1994): "Entre los principios y la realidad", en *La Ciudad Futura,* núm. 39, Buenos Aires, Invierno.

Weber, Max (1982), "La política como vocación", en *Escritos Políticos,* México, Folios Ediciones.

Weyland, Kurt (1996), "Neopopulism and Neoliberalism in Latin America: Unexpected Affinities", en *Studies in Comparative International Development,* Fall 1996, vol. 31, núm. 3.

Weyland, Kurt (1997), "Swallowing the bitter pill: Sources of popular support for neoliberal reform in Latin America"; Vanderbilt University, Department of Political Science.

Documentos partidarios

"Crisis de la política, restricciones a la democracia y alternativas", PDP, marzo de 1994.

"Pautas para el esquema institucional del nuevo partido", julio de 1994.

"Los aprendizajes políticos de una década de democracia", febrero de 1995.

"Política y economía", febrero de 1995.

"Atreverse a cambiar. Por un nuevo contrato ciudadano, más inclusivo y más justo", marzo de 1995.

"Manos limpias y libres para gobernar", marzo de 1995.

"Un país para todos", por Carlos Álvarez, abril de 1995.

"Pensando el período 1995-1999", por Carlos Auyero y Ariel Colombo, junio de 1995.

Discurso de Carlos Auyero en el Primer Congreso Nacional del FG, diciembre de 1995.

"Una Argentina para todos", Primer Congreso Nacional del Frente Grande, diciembre de 1995.

"Para salir de la crisis", documento económico del FG, enero de 1996.

"El fortalecimiento de la alternativa", Mesa Nacional del Frepaso, agosto de 1996.

"Construir el futuro", Mesa Nacional del Frepaso, diciembre de 1996.

"Nacimos para cambiar la política y para transformar la sociedad", discurso de Carlos Álvarez al Cor greso del Frente Grande de la Ciudad de Buenos Aires, mayo de 1997.

"El compromiso de la Alianza", octubre de 1997.

"Origen y evolución del Frepaso", Fundación Carlos Auyero por Cristina Canel, diciembre de 1997.

"Por un país justo, una Alianza victoriosa y un Frepaso fuerte", Mesa Nacional del Frepaso, diciembre de 1997.

Índice

Impreso en Erre Eme S.A. en el mes de agosto de 1998
Talcahuano 277 - 1013 Buenos Aires
Telefax: 01-382-4452/1931